2025年度版

よくわかる
社労士

合格
するための
過去
10年
本試験問題集

1
労基・安衛・労災

ＴＡＣ社会保険労務士講座◉編著

JN021504

TAC出版
TAC PUBLISHING Group

はじめに

　社労士試験は10科目と出題範囲も広く、また内容もかなり細かくなってきています。その結果、多くの受験生が学習の的を絞れずに困惑しているのが現状ではないでしょうか。ところが、過去10年間の試験問題を子細に分析・検討してみると、各科目とも、内容の類似した、極端な場合には全く同じ問題がくり返し出題されていることがわかります。したがって過去の出題傾向をしっかり把握しておけば、ムダのない的を絞った学習が可能となるわけです。

　以上のことを踏まえ本書は、過去10年間の本試験問題を、科目ごとに項目別に「一問一答形式」にまとめました。ここ最近の択一式試験では、「組合せ問題」や正解の個数を選ばせる「個数問題」も出題されていますが、一問一答形式で学習を進めていけば、どのような出題方式にも対応しうる力をつけることができます。また、選択式問題では、本試験の出題形式のまま載せてありますので、実践的な演習が行えます。

　さらに、本書の解説においては、過去問を「解く」だけでなく、あわせて確認しておきたい「ポイント」や「プラスα」の知識も充実させました。また、同シリーズの『合格テキスト』と併用していただくと、より学習効果が高まります。

　以上のような特徴をもった本書を学習することにより、「社労士本試験において何が求められているか」を明確につかむことができ、自信をもって本試験に臨むことができるはずです。

　受験生の皆さんが本書を利用され、限られた学習時間を少しでも有効に活用されて、所期の志を達成されることを心よりお祈りいたします。

2024年9月

TAC社会保険労務士講座
教材制作チーム一同

　本書は、2024年9月2日現在において公布され、かつ、2025年本試験受験案内が発表されるまで施行されることが確定しているものに基づいて作成しております。

　なお、2024年9月3日以降に法改正のあるもの、また法改正はなされているが、施行規則等で未だ細目について定められていないものについては、2025年2月上旬より、小社ホームページにて「法改正情報」を順次公開いたします。

TAC出版書籍販売サイト「サイバーブックストア」
https://bookstore.tac-school.co.jp

本書の構成と効果的な活用法

本書の構成要素

令和 6 年度の本試験問題を各項目の冒頭に掲載し、最新の本試験傾向が把握しやすい構成となっています。
その他は年度に関係なく、同シリーズの『合格テキスト』にあわせた順に掲載しています。

🈴難問マーク

この問題は、最初は解けなくても不安になる必要はありません。解説をみて、最終的に解けるようになることを目標に進めていきましょう。

---

1 労働条件の原則、労働基準法の適用

最新本試験
R6-1A　労働基準法第 1 条にいう「人たるに値する生活」とは、社会の一般常識によって決まるものであるとされ、具体的には、「賃金の最低額を保障することによる最低限度の生活」をいう。

① 問2
R6-1D　在籍型出向（出向元及び出向先双方と出向労働者との間に労働契約関係がある場合）の出向労働者については、出向元、出向先及び出向労働者三者間の取決めによって定められた権限と責任に応じて

① 問2
H28-17　労働基準法第 1 条は、労働保護法たる労働基準法の基本理念を宣明したものであって、本法各条の解釈にあたり基本観念として常に考慮されなければならない。

① 問3
難　労働基準法第 1 条にいう「人たるに値する生活」には、労働者の標準家族の生活をも含めて考えることとされているが、この「標準家族」の範囲は、社会の一般通念にかかわらず、「配偶者、子、父母、孫及び祖父母のうち、当該労働者によって生計を維持しているもの」とされている。

① 問4
R4-4A　労働基準法第 1 条にいう「労働関係の当事者」には、使用者及び労働者のほかに、それぞれの団体である使用者団体と労働組合も含まれる。

① 問5
R3-1A　労働基準法第 1 条第 2 項にいう「この基準を理由として」とは、労働基準法に規定があることが決定的な理由となって、労働条件を低下させている場合をいうことから、社会経済情勢の変動等他に決定的な理由があれば、同条に抵触するものではない。

① 問6
H29-2ア　同居の親族は、事業主と居住及び生計を一にするものとされ、その就労の実態にかかわらず労働基準法第 9 条の労働者に該当することがないので、当該同居の親族に労働基準法が適用されることはない。

【出題年度と問題番号の見方】

全問、出題年度と問題番号つきです。年度マークの見方は次のとおりです。

R5-1A　令和 5 年の択一式、問 1 の A 肢で出題
R5-選　令和 5 年の選択式で出題

※出題年度・問題番号に「改」と表示している問題は、法改正等により、一部改題が入っているものです。

なお、出題年度によって、年度マークを太字と細字で分けて表示しています。
令和 6 年～令和 2 年の直近 5 年分は太字で強調（例 **R5-1A**）。さらにさかのぼった 6 ～10 年前の問題（令和元年～平成27年）は細字（例H30-1A）となっています。

※労働保険の保険料の徴収等に関する法律については、労働者災害補償保険法の問 8 ～10、雇用保険法の問 8 ～10 に分けて出題されることから、以下のように表示しています。

H30-災8A　平成30年の択一式、労働者災害補償保険法、問 8 の A 肢で出題
H30-雇8A　平成30年の択一式、雇用保険法、問 8 の A 肢で出題

付属の「こたえかくすシート」で解答を隠しながら学習することができるので、とても便利です。

【解答の見方】

TACの過去10の解答は、問題の論点をおさえるだけでなく、周辺知識のインプットも効果的に行えるよう、解説にとくにこだわっています。

Point 超重要事項のまとめです。

プラスα 問題と一緒に確認しておきたい内容です。

まず1周目は、問題を解き、解答をあわせていくことに専念し、2周目以降は、解説を読みながら、知識の拡充をしていってください。

ここが便利！

過去問検索索引

本書の索引は過去問の番号から該当頁の検索ができるように組み立てられています。解きたい問題がすぐに探し出せて便利です。

効果的な活用法

○受験経験のある方は、年度順に解きましょう！

① まずはR6〜2問題を解く（年度マークが太字の問題）

② 終わったらR元〜H27問題を解く（年度マークが細字の問題）

③ 間違えた問題を中心によく復習。同シリーズの『合格テキスト』も併用し、全体をマスターしましょう！

○初学者の方は、優先順位の高いものから順に解きましょう！

① マークなし問題を解く

② ①が確実に解けるようになったら⑱マークのある問題にチャレンジ！

参考 学習スケジュールのイメージ

	〜3月	4月〜6月	7月、8月
受験経験者	R6〜2（太字）	R元〜H27（細字）	間違えた問題を中心に繰り返し演習
初学者	マークなし	⑱問題	

よくわかる社労士シリーズの活用法

　「よくわかる社労士」シリーズは、社労士試験の完全合格を実現するための、実践的シリーズです。過去10年分の本試験傾向を網羅的につかめる『合格するための過去10年本試験問題集』と、条文ベースの本文で確実に理解することができる『合格テキスト』を中心としたシリーズ構成で、常に変化していく試験傾向にも柔軟に対応できる力を身につけていくことができます。

学習の流れ

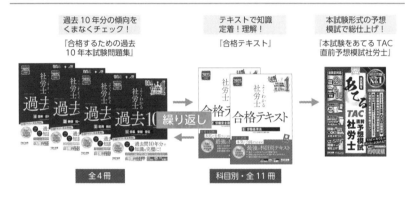

過去10年分の傾向を
くまなくチェック！
『合格するための過去
10年本試験問題集』

テキストで知識
定着！理解！
『合格テキスト』

本試験形式の予想
模試で総仕上げ！
『本試験をあてるTAC
直前予想模試社労士』

繰り返し

全4冊　　　科目別・全11冊

社会保険労務士試験の概要

試験概要・実施スケジュール

受験案内配布	4月中旬〜
受験申込受付期間	4月中旬〜5月下旬(令和6年は4月15日〜5月31日) ※インターネット申込み、または郵送申込み
試験日程	8月下旬(令和6年は8月25日)
合格発表	10月上旬(令和6年は10月2日)
受験料	15,000円

主な受験資格

学校教育法(昭和22年法律第26号)による大学、短期大学、専門職大学、専門職短期大学若しくは高等専門学校(5年制)を卒業した者(専攻の学部学科は問わない)
行政書士となる資格を有する者

※詳細は「全国社会保険労務士会連合会試験センター」のホームページにてご確認ください。

試験形式

選択式	8問出題(40点満点〈1問あたり空欄が5つ〉) 解答時間は80分 文章中の5つの空欄に、選択肢の中から正解番号を選び、マークシートに記入します。
択一式	70問出題(70点満点) 解答時間は210分 5つの選択肢の中から、正解肢をマークシートに記入します。

合格基準

　合格基準について、年度により多少の前後がありますが、例年総得点の7割程度となります。それぞれの試験における総得点の基準と、各科目ごとの基準との両方をクリアする必要があります。

参考　令和5年度本試験の合格基準

選択式：総得点26点以上、各科目3点以上

択一式：総得点45点以上、各科目4点以上

試験科目

科目名	選択式	択一式
労働基準法	2科目 混合問題で1問	7問
労働安全衛生法		3問
労働者災害補償保険法	1問	7問
雇用保険法	1問	7問
労働保険の保険料の徴収等に関する法律	なし	6問
労務管理その他の労働に関する一般常識	1問	10問
社会保険に関する一般常識	1問	
健康保険法	1問	10問
厚生年金保険法	1問	10問
国民年金法	1問	10問

過去5年間の受験者数・合格者数の推移

年　度	令和元年	令和2年	令和3年	令和4年	令和5年
受験申込者数	49,570人	49,250人	50,433人	52,251人	53,292人
受験者数	38,428人	34,845人	37,306人	40,633人	42,741人
合格者数	2,525人	2,237人	2,937人	2,134人	2,720人
合格率	6.6%	6.4%	7.9%	5.3%	6.4%

詳細の受験資格や受験申込み及びお問合せは
「全国社会保険労務士会連合会試験センター」へ
https://www.sharosi-siken.or.jp

● CONTENTS ●

○はじめに／iii
○本書の構成と効果的な活用法／iv
○よくわかる社労士シリーズの活用法／vi
○社会保険労務士試験の概要／vi

1 　労基（労働基準法）

1	労働条件の原則、労働基準法の適用	4
2	労働条件の決定等	14
3	前近代的な労働関係の排除	22
4	労働契約の締結	30
5	労働契約の終了	38
6	賃金の定義・平均賃金	44
7	賃金の支払	52
8	賃金の保障	68
9	労働時間等に関する規定の適用除外及び労使協定	76
10	労働時間	80
11	変形労働時間制	86
12	休憩・休日	92
13	時間外及び休日の労働	96
14	割増賃金	100
15	みなし労働時間制	110
16	年次有給休暇	112
17	年少者の労働契約に関する規制	118
18	年少者の労働時間等	118
19	妊産婦等の就業制限	122
20	妊産婦の労働時間等	126
21	就業規則、寄宿舎	126
22	監督機関	138
23	雑則、罰則	140
★	選択式（労働基準法及び労働安全衛生法）	142

2 安衛（労働安全衛生法）

1	目的等	168
2	大規模事業場の安全衛生管理体制	178
3	小規模事業場又は危険有害作業における安全衛生管理体制	186
4	委員会	188
5	大規模作業の安全衛生管理体制	190
6	事業者の講ずべき措置	194
7	元方事業者の講ずべき措置	196
8	特定機械等に関する規制	198
9	構造規格等の具備を要する機械等に関する規制	198
10	定期自主検査	200
11	危険・有害性が判明している物質に関する規制	202
12	危険・有害性が不明である物質に関する規制	202
13	就業制限等	204
14	安全衛生教育	206
15	健康診断の種類等	208
16	一般健康診断	210
17	記録の保存及び事後措置等	212
18	面接指導	214
19	心理的な負担の程度を把握するための検査等	220
20	計画の届出等	222
21	監督組織等	224
22	雑則等	224

3 労災（労働者災害補償保険法）

1	適用	232
2	業務災害	236
3	通勤災害	268
4	給付基礎日額	288
5	保険給付の種類等	294
6	療養（補償）等給付	296
7	休業（補償）等給付	302
8	傷病（補償）等年金	306
9	障害（補償）等給付	312

10 介護（補償）等給付……………………………………………… 318

11 遺族（補償）等年金……………………………………………… 320

12 遺族（補償）等一時金…………………………………………… 326

13 二次健康診断等給付……………………………………………… 328

14 給付通則…………………………………………………………… 330

15 社会保険との併給調整…………………………………………… 338

16 支給制限・一時差止め…………………………………………… 340

17 費用徴収…………………………………………………………… 342

18 第三者行為災害による損害賠償との調整……………………… 348

19 民事損害賠償との調整…………………………………………… 350

20 社会復帰促進等事業……………………………………………… 352

21 社会復帰促進等事業(特別支給金)……………………………… 358

22 特別加入の対象者………………………………………………… 364

23 特別加入の効果…………………………………………………… 370

24 不服申立て………………………………………………………… 374

25 雑則等……………………………………………………………… 376

★ 選択式……………………………………………………………… 384

○過去問検索索引／ 402

1　労基
（労働基準法）

労働基準法

凡　例

法　　　→労働基準法

則　　　→労働基準法施行規則

女性則　→女性労働基準規則

派遣法　→労働者派遣事業の適正な運営の確保及び派遣労働者の
　　　　　保護等に関する法律

安衛法　→労働安全衛生法

労働時間等設定改善法

　　　　　→労働時間等の設定の改善に関する特別措置法

厚労告　→厚生労働省告示〔平成12年以前：労働省告示(労告)〕

基発　　→厚生労働省労働基準局長名で発する通達

発基　　→労働基準局関係の労働事務次官名通達

基収　　→厚生労働省労働基準局長が疑義に答えて発する通達

婦発　　→厚生労働省女性少年局長名で発した通達

労基：目次

1　労働条件の原則、労働基準法の適用……………………………………　4
2　労働条件の決定等……………………………………………………………　14
3　前近代的な労働関係の排除…………………………………………………　22
4　労働契約の締結………………………………………………………………　30
5　労働契約の終了………………………………………………………………　38
6　賃金の定義・平均賃金………………………………………………………　44
7　賃金の支払……………………………………………………………………　52
8　賃金の保障……………………………………………………………………　68
9　労働時間等に関する規定の適用除外及び労使協定……………………　76
10　労働時間………………………………………………………………………　80
11　変形労働時間制………………………………………………………………　86
12　休憩・休日……………………………………………………………………　92
13　時間外及び休日の労働………………………………………………………　96
14　割増賃金………………………………………………………………………　100
15　みなし労働時間制……………………………………………………………　110
16　年次有給休暇…………………………………………………………………　112
17　年少者の労働契約に関する規制……………………………………………　118
18　年少者の労働時間等…………………………………………………………　118
19　妊産婦等の就業制限…………………………………………………………　122
20　妊産婦の労働時間等…………………………………………………………　126
21　就業規則、寄宿舎……………………………………………………………　126
22　監督機関………………………………………………………………………　138
23　雑則、罰則……………………………………………………………………　140
★　選択式（労働基準法及び労働安全衛生法）………………………………　142

労基：択一式出題ランキング

1位　賃金の支払（36問）
2位　就業規則、寄宿舎（32問）
3位　労働条件の原則、労働基準法の適用（29問）

1 労働条件の原則、労働基準法の適用

最新問題

1問1
□□□
R6-1A
労働基準法第1条にいう、「人たるに値する生活」とは、社会の一般常識によって決まるものであるとされ、具体的には、「賃金の最低額を保障することによる最低限度の生活」をいう。

1問2
□□□
R6-1D
在籍型出向(出向元及び出向先双方と出向労働者との間に労働契約関係がある場合)の出向労働者については、出向元、出向先及び出向労働者三者間の取決めによって定められた権限と責任に応じて出向元の使用者又は出向先の使用者が、出向労働者について労働基準法等における使用者としての責任を負う。

1問3
□□□
R6-2ｱ
労働基準法において一の事業であるか否かは主として場所的観念によって決定するが、例えば工場内の診療所、食堂等の如く同一場所にあっても、著しく労働の態様を異にする部門が存する場合に、その部門が主たる部門との関連において従事労働者、労務管理等が明確に区別され、かつ、主たる部門と切り離して適用を定めることによって労働基準法がより適切に運用できる場合には、その部門を一の独立の事業とするとされている。

1問4
□□□
R6-2ｲ
労働基準法において「使用者」とは、その使用する労働者に対して賃金を支払う者をいい、「賃金」とは、賃金、給料、手当、賞与その他名称の如何を問わず、労働の対償として使用者が労働者に支払うすべてのものをいう。

過去問

1問1
□□□
H27-1A
労働基準法は、労働条件は、労働者が人たるに値する生活を営むための必要を充たすべきものでなければならないとしている。

❶答1 ×　法１条。労働基準法第１条の「人たるに値する生活」とは、日本国憲法第25条第１項の「健康で文化的な最低限度」の生活を内容とするものであるが、これは賃金の最低額を保障することによってのみ達せられるものではなく、一般の社会通念によって決まるものである。

❶答2 ○　法10条、昭和61.6.6基発333号。設問の通り正しい。なお、移籍型出向については、出向先の使用者のみが使用者としての責任を負う。

❶答3 ○　平成11.3.31基発168号。設問の通り正しい。

❶答4 ×　法10条。労働基準法において「使用者」とは、「事業主又は事業の経営担当者その他その事業の労働者に関する事項について、事業主のために行為をするすべての者をいう。」と規定されている。

❶答1 ○　法１条１項。設問の通り正しい。

労働者が人たるに値する生活を営むためには、その標準家族の生活をも含めて考えることとされている。

1問2
□□□
H28-17
　労働基準法第1条は、労働保護法たる労働基準法の基本理念を宣明したものであって、本法各条の解釈にあたり基本観念として常に考慮されなければならない。

1問3
□□□
H30-47
難
　労働基準法第1条にいう「人たるに値する生活」には、労働者の標準家族の生活をも含めて考えることとされているが、この「標準家族」の範囲は、社会の一般通念にかかわらず、「配偶者、子、父母、孫及び祖父母のうち、当該労働者によって生計を維持しているもの」とされている。

1問4
□□□
R4-4A
　労働基準法第1条にいう「労働関係の当事者」には、使用者及び労働者のほかに、それぞれの団体である使用者団体と労働組合も含まれる。

1問5
□□□
R3-1A
　労働基準法第1条第2項にいう「この基準を理由として」とは、労働基準法に規定があることが決定的な理由となって、労働条件を低下させている場合をいうことから、社会経済情勢の変動等他に決定的な理由があれば、同条に抵触するものではない。

1問6
□□□
H29-2ウ
　同居の親族は、事業主と居住及び生計を一にするものとされ、その就労の実態にかかわらず労働基準法第9条の労働者に該当することがないので、当該同居の親族に労働基準法が適用されることはない。

6

❶答2 ○ 法1条、昭和22.9.13発基17号。設問の通り正しい。

❶答3 × 法1条、昭和22.9.13発基17号、昭和22.11.27基発401号。標準家族の範囲は、その時その社会の一般通念によって理解されるべきものであるとされている。

❶答4 ○ 法1条2項。設問の通り正しい。

> **プラスα** 労働関係とは、使用者・労働者間の「労務提供−賃金支払」を軸とする関係をいい、その当事者とは、使用者及び労働者のほかに、それぞれの団体、すなわち、使用者団体と労働組合を含む。

❶答5 ○ 法1条2項、昭和63.3.14基発150号。設問の通り正しい。

> **Point** 設問の規定（法1条2項）については、労働条件の低下が労働基準法の基準を理由としているか否かに重点を置いて判断するものであり、社会経済情勢の変動等他に決定的な理由がある場合には、当該規定には抵触しない。

❶答6 × 法116条2項、昭和54.4.2基発153号。同居の親族であっても、常時同居の親族以外の労働者を使用する事業において一般事務又は現場作業等に従事し、かつ、事業主の指揮命令に従っていることが明確であり、就労の実態が他の労働者と同様であって、賃金もこれに応じて支払われている場合には、その同居の親族は、労働基準法上の労働者として取り扱われ、同法が適用される。

> **Point** 同居の親族のみを使用する事業は、労働基準法の適用が除外されているが、同居の親族のほかに1人でも労働者を使用する事業は、労働基準法の適用事業となる。

❶問7
□□□
H29-2I

法人に雇われ、その役職員の家庭において、その家族の指揮命令の下で家事一般に従事している者については、法人に使用される労働者であり労働基準法が適用される。

❶問8
□□□
H29-2ウ

何ら事業を営むことのない大学生が自身の引っ越しの作業を友人に手伝ってもらい、その者に報酬を支払ったとしても、当該友人は労働基準法第9条に定める労働者に該当しないので、当該友人に労働基準法は適用されない。

❶問9
□□□
H29-2エ

株式会社の取締役であっても業務執行権又は代表権を持たない者は、工場長、部長等の職にあって賃金を受ける場合には、その限りにおいて労働基準法第9条に規定する労働者として労働基準法の適用を受ける。

❶問10
□□□
R5-4E

労働基準法第10条にいう「使用者」は、企業内で比較的地位の高い者として一律に決まるものであるから、同法第9条にいう「労働者」に該当する者が、同時に同法第10条にいう「使用者」に該当することはない。

労
基

❶答7 ✕ 法116条２項、平成11.3.31基発168号。設問の者は、家事使用人に該当し、労働基準法は適用されない。

プラス
α

> ［家事使用人］
> ・法人に雇われ、その役職員の家庭において、その家族の指揮命令の下で家事一般に従事している者は、労働基準法の適用が除外される「家事使用人」である。
> ・個人家庭における家事を事業として請け負う者に雇われて、その指揮命令の下に当該家事を行う者は、労働基準法の適用が除外される「家事使用人」に該当しない(労働基準法が適用される。)。

❶答8 ○ 法９条、平成11.3.31基発168号等。設問の通り正しい。労働基準法上における労働者に該当するためには、「事業又は事務所(事業)に使用される者」であることが必要である。設問は「何ら事業を営むことのない」大学生の手伝いであることから、設問の友人は労働基準法上の労働者には該当せず、労働基準法は適用されない。

❶答9 ○ 法９条、昭和23.3.17基発461号。設問の通り正しい。

❶答10 ✕ 法９条、法10条。法９条にいう労働者であっても、その者が同時にある事項について権限と責任を持っていれば、その事項については、その者が法10条の使用者となる場合がある。また、法10条の使用者は、企業内で比較的地位の高い取締役、工場長、部長、課長等の者から、作業現場監督員、職場責任者等といわれる比較的地位の低い者に至るまで、その権限と責任に応じて、あるいは特定の者のみが、あるいは並列的に複数の者が該当することとなる。

❶問11
□□□
H29-5オ
難

医科大学附属病院に勤務する研修医が、医師の資質の向上を図ることを目的とする臨床研修のプログラムに従い、臨床研修指導医の指導の下に医療行為等に従事することは、教育的な側面を強く有するものであるため、研修医は労働基準法第9条所定の労働者に当たることはないとするのが、最高裁判所の判例の趣旨である。

❶問12
□□□
H30-4エ

いわゆるインターンシップにおける学生については、インターンシップにおいての実習が、見学や体験的なものであり使用者から業務に係る指揮命令を受けていると解されないなど使用従属関係が認められない場合でも、不測の事態における学生の生命、身体等の安全を確保する限りにおいて、労働基準法第9条に規定される労働者に該当するとされている。

❶問13
□□□
R4-1A

労働基準法の労働者であった者は、失業しても、その後継続して求職活動をしている間は、労働基準法の労働者である。

❶問14
□□□
R4-1C

同居の親族のみを使用する事業において、一時的に親族以外の者が使用されている場合、この者は、労働基準法の労働者に該当しないこととされている。

❶問15
□□□
R4-1D

株式会社の代表取締役は、法人である会社に使用される者であり、原則として労働基準法の労働者になるとされている。

答11 ✕　最二小平成17.6.3関西医科大学付属病院事件。最高裁判所の判例では、設問の研修医の労働者性について、「臨床研修は、医師の資質の向上を図ることを目的とするものであり、**教育的な側面を有している**が、そのプログラムに従い、臨床研修指導医の指導の下に、研修医が医療行為等に従事することを予定している。そして、研修医がこのようにして医療行為等に従事する場合には、これらの行為等は病院の開設者のための労務の遂行という側面を不可避的に有することとなるのであり、**病院の開設者の指揮監督の下にこれを行ったと評価することができる限り、上記研修医は労働基準法9条所定の労働者に当たるもの**というべきである。」としている。

答12 ✕　法9条、平成9.9.18基発636号。いわゆるインターンシップについては、直接生産活動に従事するなど当該作業による利益・効果が当該事業場に帰属し、かつ、事業場と学生との間に**使用従属関係**が認められる場合には、当該学生は法9条の労働者に該当するものと考えられるものとされ、また同条の労働者に該当するか否かの判断は、個々の実態に即して行う必要があるとされている。したがって、設問のように、「使用従属関係が認められない場合でも、不測の事態における学生の生命、身体等の安全を確保する限りにおいて、労働基準法第9条に規定される労働者に該当する」とは解されていない。

答13 ✕　法9条。労働基準法上の「労働者」とは、職業の種類を問わず、事業又は事務所に使用される者で、賃金を支払われる者をいう。なお、労働組合法上の労働者の範囲には、失業者も含まれる。

答14 ✕　法9条、法116条2項。一時的であっても、親族以外の者が使用されている場合、この者は、労働基準法上の「労働者」に該当する。

答15 ✕　法9条、平成11.3.31基発168号。法人、団体又は組合等の代表者は、労働者とならない。

❶問16 明確な契約関係がなくても、事業に「使用」され、その対償として「賃金」が支払われる者であれば、労働基準法の労働者である。
□□□
R4-1E

❶問17 形式上は請負契約のようなかたちをとっていても、その実体において使用従属関係が認められるときは、当該関係は労働関係であり、当該請負人は労働基準法第9条の「労働者」に当たる。
□□□
H27-1E

❶問18 工場が建物修理の為に大工を雇う場合、そのような工事は一般に請負契約によることが多く、また当該工事における労働は工場の事業本来の目的の為のものでもないから、当該大工が労働基準法第9条の労働者に該当することはなく、労働基準法が適用されることはない。
□□□
H29-2オ
🈔

❶問19 労働基準法の労働者は、民法第623条に定める雇用契約により労働に従事する者がこれに該当し、形式上といえども請負契約の形式を採るものは、その実体において使用従属関係が認められる場合であっても、労働基準法の労働者に該当することはない。
□□□
R4-1B

❶問20 いわゆる芸能タレントは、「当人の提供する歌唱、演技等が基本的に他人によって代替できず、芸術性、人気等当人の個性が重要な要素となっている」「当人に対する報酬は、稼働時間に応じて定められるものではない」「リハーサル、出演時間等スケジュールの関係から時間が制約されることはあっても、プロダクション等との関係では時間的に拘束されることはない」「契約形態が雇用契約ではない」のいずれにも該当する場合には、労働基準法第9条の労働者には該当しない。
□□□
R元-3エ
🈔

❶問21 事業における業務を行うための体制が、課及びその下部組織としての係で構成され、各組織の管理者として課長及び係長が配置されている場合、組織系列において係長は課長の配下になることから、係長に与えられている責任と権限の有無にかかわらず、係長が「使用者」になることはない。
□□□
R2-1B

1答16 ○　法9条。設問の通り正しい。

1答17 ○　法9条。設問の通り正しい。

1答18 ×　法9条、平成11.3.31基発168号。工場等が事業経営上必要な建物その他の施設を大工に修理させる場合は、一般に請負契約によることが多いが、請負契約によらず雇用契約によりその事業主と大工との間に使用従属関係が認められる場合は、労働基準法上の労働者であるから、同法の適用を受ける。したがって、「当該大工が労働基準法第9条の労働者に該当することはなく、労働基準法が適用されることはない」とする設問の記述は誤りである。

1答19 ×　法9条。形式上は請負契約のようなかたちをとっていても、その実体において使用従属関係が認められるときは、当該関係は労働関係であり、労働基準法上の「労働者」に該当する。

1答20 ○　法9条、昭和63.7.30基収355号。設問の通り正しい。

1答21 ×　法10条、昭和22.9.13発基17号。労働基準法の使用者とは、同法各条の義務についての履行の責任者をいい、形式にとらわれることなく、同法各条の義務について**実質的に一定の権限**を与えられているか否かによるものと解されている。したがって、設問のように「係長に与えられている責任と権限の有無にかかわらず、係長が『使用者』になることはない」とする記述は誤りである。

❶問22 事業における業務を行うための体制としていくつかの課が設置され、課が所掌する日常業務の大半が課長権限で行われていれば、課長がたまたま事業主等の上位者から権限外の事項について命令を受けて単にその命令を部下に伝達しただけであっても、その伝達は課長が使用者として行ったこととされる。

□□□
R2-1C

❶問23 「事業主」とは、その事業の経営の経営主体をいい、個人企業にあってはその企業主個人、株式会社の場合は、その代表取締役をいう。

□□□
R2-1A

❶問24 下請負人が、その雇用する労働者の労働力を自ら直接利用するとともに、当該業務を自己の業務として相手方（注文主）から独立して処理するものである限り、注文主と請負関係にあると認められるから、自然人である下請負人が、たとえ作業に従事することがあっても、労働基準法第9条の労働者ではなく、同法第10条にいう事業主である。

□□□
R2-1D

難

❶問25 派遣労働者が派遣先の指揮命令を受けて労働する場合、その派遣中の労働に関する派遣労働者の使用者は、当該派遣労働者を送り出した派遣元の管理責任者であって、当該派遣先における指揮命令権者は使用者にはならない。

□□□
R2-1E

2 労働条件の決定等

最新問題

❷問1 「労働基準法3条は労働者の信条によって賃金その他の労働条件につき差別することを禁じているが、特定の信条を有することを、雇入れを拒む理由として定めることも、右にいう労働条件に関する差別取扱として、右規定に違反するものと解される。」とするのが、最高裁判所の判例である。

□□□
R6-1B

❶答22 ×　法10条、昭和22.9.13発基17号。労働基準法各条の義務についての実質的な権限が与えられておらず、単に上司の命令の伝達者にすぎない場合は、同法上の使用者として取り扱われない。したがって、設問のように「課長がたまたま事業主等の上位者から権限外の事項について命令を受けて単にその命令を部下に伝達しただけ」の場合は、その伝達は課長が使用者として行ったこととはならない。

❶答23 ×　法10条。株式会社において「事業主」とは、法人そのものをいう。

❶答24 ○　法10条、昭和63.3.14基発150号。設問の通り正しい。

❶答25 ×　法10条、派遣法44条、平成20.7.1基発0701001号。派遣先における指揮命令権者も、一部の規定については、労働者派遣法44条に定める労働基準法の適用に関する特例の規定に基づき、労働基準法の使用者となる。

❷答1 ×　法３条、最大判昭和48.12.12三菱樹脂事件。労働者の雇入れについては、「企業者が特定の思想、信条を有する者をそのゆえをもって雇い入れることを拒んでも、それを当然に違法とすることはできないのである。」とするのが最高裁判所の判例である。

2問2
□□□
R6-1C
　事業場において女性労働者が平均的に能率が悪いこと、勤続年数が短いことが認められたため、男女間で異なる昇格基準を定めていることにより男女間で賃金格差が生じた場合には、労働基準法第4条違反とはならない。

【過去問】

2問1
□□□
H28-1イ
　労働基準法第2条第1項により、「労働条件は、労働者と使用者が、対等の立場において決定すべきものである」ため、労働組合が組織されている事業場では、労働条件は必ず団体交渉によって決定しなければならない。

2問2
□□□
R5-4A
　労働基準法第2条により、「労働条件は、労働者と使用者が、対等の立場において決定すべきもの」であるが、個々の労働者と使用者の間では「対等の立場」は事実上困難であるため、同条は、使用者は労働者に労働組合の設立を促すように努めなければならないと定めている。

2問3
□□□
H29-5ア
　労働基準法第3条は、使用者は、労働者の国籍、信条、性別又は社会的身分を理由として、労働条件について差別的取扱をすることを禁じている。

2問4
□□□
R2-4A
　労働基準法第3条に定める「国籍」を理由とする差別の禁止は、主として日本人労働者と日本国籍をもたない外国人労働者との取扱いに関するものであり、そこには無国籍者や二重国籍者も含まれる。

2問5
□□□
R4-4B
　労働基準法第3条にいう「信条」には、特定の宗教的信念のみならず、特定の政治的信念も含まれる。

2答2 × 法4条、平成9.9.25基発648号、平成24.12.20基発1220第4号。女性労働者が平均的に能率が悪いこと、勤続年数が短いことを理由として、男女間で異なる昇格基準を定めることにより男女間で賃金格差が生じている場合には、法4条違反となる。

2答1 × 法2条1項。現実に労働組合があるかどうか、また、団体交渉で決定したかどうかは、法2条1項の問うところではない。

 Point 法2条1項は、個々の労働者と使用者とが実質的に対等の立場に立つことを理念として規定されたものであり、法1条2項の「労働関係の当事者」と異なり、「労働者と使用者」と規定している。

プラスα 法2条は、訓示的規定であり、同条違反の罰則の定めはない。

2答2 × 法2条。「使用者は労働者に労働組合の設立を促すように努めなければならない」とは規定されていない。

2答3 × 法3条。法3条では、性別を理由として、労働条件について差別的取扱をすることは禁じていない。

 Point 法3条に規定する「国籍、信条又は社会的身分」は限定列挙であって、これら以外を理由として差別的取扱をしても同条違反とならない。

2答4 ○ 法3条。設問の通り正しい。

2答5 ○ 法3条、昭和22.9.13発基17号。設問の通り正しい。

2問6
□□□
R5-4B

特定の思想、信条に従って行う行動が企業の秩序維持に対し重大な影響を及ぼす場合、その秩序違反行為そのものを理由として差別的取扱いをすることは、労働基準法第3条に違反するものではない。

2問7
□□□
H30-4イ

労働基準法第3条にいう「賃金、労働時間その他の労働条件」について、解雇の意思表示そのものは労働条件とはいえないため、労働協約や就業規則等で解雇の理由が規定されていても、「労働条件」にはあたらない。

2問8
□□□
H28-1ウ

労働基準法第3条は、労働者の国籍、信条又は社会的身分を理由として、労働条件について差別することを禁じているが、これは雇入れ後における労働条件についての制限であって、雇入れそのものを制限する規定ではないとするのが、最高裁判所の判例である。

2問9
□□□
H27-1B

労働基準法第3条の禁止する「差別的取扱」とは、当該労働者を不利に取り扱うことをいい、有利に取り扱うことは含まない。

2問10
□□□
R3-1B

労働基準法第3条が禁止する「差別的取扱」をするとは、当該労働者を有利又は不利に取り扱うことをいう。

2問11
□□□
H27-1C

労働基準法第4条は、賃金について、女性であることを理由として、男性と差別的取扱いをすることを禁止しているが、賃金以外の労働条件についてはこれを禁止していない。

2答6 ○ 法3条。設問の通り正しい。

2答7 × 法3条、昭和63.3.14基発150号。法3条の「労働条件」には、解雇に関する条件も含まれる。したがって、解雇の意思表示そのものは労働条件とはいえないが、労働協約、就業規則等で解雇の基準又は理由が規定されていれば、それは労働するに当たっての条件として同条の「労働条件」となる。

2答8 ○ 法3条、最大判昭和48.12.12三菱樹脂事件。設問の通り正しい。

プラス
α

> 最高裁判所の判例では、「特定の信条を有することを**解雇の理由**として定めることは、労働条件に関する差別的取扱として、法3条に違反するものと解される」としている。

2答9 × 法3条。労働基準法3条の禁止する「差別的取扱」には、有利に取り扱うことも含まれる。

2答10 ○ 法3条。設問の通り正しい。

2答11 ○ 法4条。設問の通り正しい。労働基準法において女性であることを理由とする差別的取扱いを禁止しているのは、**賃金**についてのみであり、他の一定の労働条件については、男女雇用機会均等法において性別を理由とする差別の禁止に関する規定が設けられている。

プラス
α

> 就業規則に、労働者が女性であることを理由として、賃金について男性と差別的取扱いをする趣旨の規定がある場合には、その規定は法4条の強行規定に反し無効であるが、現実に差別的取扱いが行われていない場合には、法4条違反とはならない。

②問12 労働基準法第4条の禁止する賃金についての差別的取扱いとは、女性労働者の賃金を男性労働者と比較して不利に取り扱う場合だけでなく、有利に取り扱う場合も含まれる。

H30-4ウ

②問13 労働基準法第4条が禁止する「女性であることを理由」とした賃金についての差別には、社会通念として女性労働者が一般的に勤続年数が短いことを理由として女性労働者の賃金に差別をつけることが含まれるが、当該事業場において実際に女性労働者が平均的に勤続年数が短いことを理由として女性労働者の賃金に差別をつけることは含まれない。

R元-37

②問14 就業規則に労働者が女性であることを理由として、賃金について男性と差別的取扱いをする趣旨の規定がある場合、現実には男女差別待遇の事実がないとしても、当該規定は無効であり、かつ労働基準法第4条違反となる。

R4-4C

②問15 労働基準法第7条に基づき「労働者が労働時間中に、選挙権その他公民としての権利を行使」した場合の給与に関しては、有給であろうと無給であろうと当事者の自由に委ねられている。

R元-3ウ

②問16 使用者は、労働者が労働時間中に、選挙権その他公民としての権利を行使し、又は公の職務を執行するために必要な時間を請求した場合に、これを拒むことはできないが、権利の行使又は公の職務の執行に妨げがない限り、請求された時刻を変更することは許される。

R3-1D

②問17 使用者が、選挙権の行使を労働時間外に実施すべき旨を就業規則に定めており、これに基づいて、労働者が就業時間中に選挙権の行使を請求することを拒否した場合には、労働基準法第7条違反に当たらない。

R2-4D

労基

2答12 ○ 法4条、平成9.9.25基発648号。設問の通り正しい。

 法4条に違反した者は、6箇月以下の懲役又は30万円以下の罰金に処せられる。

2答13 × 法4条、平成9.9.25基発648号。当該事業場において女性労働者が平均的に勤続年数が短いことを理由として女性労働者の賃金に差別をつけることも、法4条の「女性であることを理由」とした差別に含まれる。

2答14 × 法4条、平成9.9.25基発648号。就業規則に法4条違反の規定があるが現実に行われておらず、賃金の男女差別待遇の事実がなければ、その規定は無効ではあるが、法4条違反とはならない。

2答15 ○ 法7条、昭和22.11.27基発399号。設問の通り正しい。

2答16 ○ 法7条。設問の通り正しい。

 使用者は、選挙権その他公民としての権利の行使又は公の職務の執行に妨げがない限り、請求された時刻を変更することができる(拒むことはできない。)。

2答17 × 法7条、昭和23.10.30基発1575号。設問の場合は、労働基準法7条違反となる。公民権の行使を労働時間外に実施すべき旨定めたことにより、労働者が就業時間中に選挙権の行使を請求することを拒否すれば、それは違法である。

2問18
□□□
H29-5ｴ

労働者(従業員)が「公職に就任することが会社業務の逐行を著しく阻害する虞れのある場合においても、普通解雇に附するは格別、同条項〔当該会社の就業規則における従業員が会社の承認を得ないで公職に就任したときは懲戒解雇する旨の条項〕を適用して従業員を懲戒解雇に附することは、許されないものといわなければならない。」とするのが、最高裁判所の判例である。

3 前近代的な労働関係の排除

最新問題

3問1
□□□
R6-3C

使用者が労働者に対して損害賠償の金額をあらかじめ約定せず、現実に生じた損害について賠償を請求することは、労働基準法第16条が禁止するところではないから、労働契約の締結に当たり、債務不履行によって使用者が損害を被った場合はその実損害額に応じて賠償を請求する旨の約定をしても、労働基準法第16条に抵触するものではない。

3問2
□□□
R6-3D

使用者は、労働者の貯蓄金をその委託を受けて管理する場合において、貯蓄金の管理が労働者の預金の受入であるときは、利子をつけなければならない。

過去問

3問1
□□□
R元-3ｲ

労働基準法第5条は、使用者は、労働者の意思に反して労働を強制してはならない旨を定めているが、このときの使用者と労働者との労働関係は、必ずしも形式的な労働契約により成立していることを要求するものではなく、事実上の労働関係が存在していると認められる場合であれば足りる。

2答18 ○　最二小昭和38.6.21十和田観光電鉄事件。設問の通り正しい。最高裁判所の判例では、「労働基準法7条が、特に、労働者に対し労働時間中における公民としての権利の行使及び公の職務の執行を保障していることにかんがみるときは、公職の就任を使用者の承認にかからしめ、その承認を得ずして公職に就任した者を懲戒解雇に付する旨の就業規則の条項は、労働基準法の規定（公民権行使の保障）の趣旨に反し、無効のものと解すべきである。したがって、公職に就任することが会社業務の遂行を著しく阻害するおそれのある場合においても、普通解雇に付するは格別（別として）、当該就業規則の条項を適用して従業員を懲戒解雇に付することは、許されないものといわなければならない」としている。

3答1 ○　法16条、昭和22.9.13発基17号。設問の通り正しい。なお、法16条が禁止しているのは、①労働契約の不履行について違約金を定めること、及び、②損害賠償額を予定する契約をすることである。

3答2 ○　法18条4項、則5条の2。設問の通り正しい。なお、年5厘以上の利率による利子をつけなければならないとされている。

3答1 ○　法5条。設問の通り正しい。

 Point　法5条は、「労働を強制してはならない」と強制することを禁止しているので、労働者が実際に労働しなくても、労働を強制したことのみをもって本条違反となる。

3 問2
□□□
R4-4D
難

　使用者の暴行があっても、労働の強制の目的がなく、単に「怠けたから」又は「態度が悪いから」殴ったというだけである場合、刑法の暴行罪が成立する可能性はあるとしても、労働基準法第5条違反とはならない。

3 問3
□□□
R3-1C

　労働基準法第5条に定める「脅迫」とは、労働者に恐怖心を生じさせる目的で本人又は本人の親族の生命、身体、自由、名誉又は財産に対して、脅迫者自ら又は第三者の手によって害を加えるべきことを通告することをいうが、必ずしも積極的言動によって示す必要はなく、暗示する程度でも足りる。

3 問4
□□□
R5-4C

　労働基準法第5条に定める「監禁」とは、物質的障害をもって一定の区画された場所から脱出できない状態に置くことによって、労働者の身体を拘束することをいい、物質的障害がない場合には同条の「監禁」に該当することはない。

3 問5
□□□
R2-4B

　労働基準法第5条に定める「精神又は身体の自由を不当に拘束する手段」の「不当」とは、本条の目的に照らし、かつ、個々の場合において、具体的にその諸条件をも考慮し、社会通念上是認し難い程度の手段をいい、必ずしも「不法」なもののみに限られず、たとえ合法的であっても、「不当」なものとなることがある。

3 問6
□□□
H29-5イ

　労働基準法第5条に定める強制労働の禁止に違反した使用者は、「1年以上10年以下の懲役又は20万円以上300万円以下の罰金」に処せられるが、これは労働基準法で最も重い刑罰を規定している。

3 問7
□□□
H27-1D
難

　強制労働を禁止する労働基準法第5条の構成要件に該当する行為が、同時に刑法の暴行罪、脅迫罪又は監禁罪の構成要件にも該当する場合があるが、労働基準法第5条違反と暴行罪等とは、法条競合の関係(吸収関係)にあると解される。

⑤答2 ○　法5条。設問の通り正しい。

> 「暴行」とは、刑法第208条に規定する暴行であり、労働者の身体に対し不法な自然力を行使することをいい、殴る、蹴る、水を掛ける等はすべて暴行であり、通常傷害を伴いやすいが、必ずしもその必要はなく、また、身体に疼痛を与えることも要しない。

⑤答3 ○　法5条、昭和63.3.14基発150号。設問の通り正しい。

⑤答4 ×　法5条、昭和63.3.14基発150号。「監禁」とは、労働者の身体の自由を拘束することをいい、必ずしも物質的障害をもって手段とする必要はない。

⑤答5 ○　法5条、昭和63.3.14基発150号。設問の通り正しい。

> 暴行、脅迫、監禁以外の手段で「精神又は身体の自由を不当に拘束する手段」としては、長期労働契約、労働契約不履行に関する賠償額予定契約、前借金契約、強制貯金の如きものがあり、労働契約に基づく場合でも、労務の提供を要求するに当たり「**精神又は身体の自由を不当に拘束する手段**」を用いて労働を強制した場合には、労働基準法第5条違反となる。

⑤答6 ○　法5条、法117条。設問の通り正しい。

⑤答7 ○　法5条。設問の通り正しい。労働基準法5条違反の罰則（1年以上10年以下の懲役又は20万円以上300万円以下の罰金）は、刑法の暴行罪（2年以下の懲役若しくは30万円以下の罰金又は拘留若しくは科料）、脅迫罪（2年以下の懲役又は30万円以下の罰金）、監禁罪（3月以上7年以下の懲役）よりも重く、ある行為が労働基準法5条違反に該当する場合には、その行為が同時に刑法に定めるこれらの罪に該当する場合であっても、労働基準法5条違反の行為として吸収され、同条違反の罰則のみが適用される。

3 問8
□□□
H28-1エ
　労働基準法第6条は、法律によって許されている場合のほか、業として他人の就業に介入して利益を得てはならないとしているが、その規制対象は、私人たる個人又は団体に限られ、公務員は規制対象とならない。

3 問9
□□□
R5-4D
難
　法人が業として他人の就業に介入して利益を得た場合、労働基準法第6条違反が成立するのは利益を得た法人に限定され、法人のために違反行為を計画し、かつ実行した従業員については、その者が現実に利益を得ていなければ同条違反は成立しない。

3 問10
□□□
H29-5ウ
　労働基準法第6条は、法律によって許されている場合のほか、業として他人の就業に介入して利益を得てはならないとしているが、「業として利益を得る」とは、営利を目的として、同種の行為を反覆継続することをいい、反覆継続して利益を得る意思があっても1回の行為では規制対象とならない。

3 問11
□□□
R2-4C
　労働基準法第6条に定める「何人も、法律に基いて許される場合の外、業として他人の就業に介入して利益を得てはならない。」の「利益」とは、手数料、報償金、金銭以外の財物等いかなる名称たるかを問わず、また有形無形かも問わない。

3 問12
□□□
R4-5C
　労働基準法第16条のいわゆる「賠償予定の禁止」については、違約金又はあらかじめ定めた損害賠償額を現実に徴収したときにはじめて違反が成立する。

3 問13
□□□
H30-5B
　債務不履行によって使用者が損害を被った場合、現実に生じた損害について賠償を請求する旨を労働契約の締結に当たり約定することは、労働基準法第16条により禁止されている。

③答8 ×　法6条、昭和23.3.2基発381号。法6条で違反行為の主体とされている「何人も」とは、個人、団体又は公人たると私人たるとを問わない。したがって、公務員であっても、規制対象となる。

③答9 ×　法6条、昭和34.2.16 33基収8770号。法人が業として他人の就業に介入して利益を得た場合、当該法人のために実際の介入行為を行った行為者たる従業員については、現実に利益を得ていなくても法6条違反が成立する。

③答10 ×　法6条、昭和23.3.2基発381号。「業として利益を得る」とは、営利を目的として、同種の行為を反復継続することをいい、1回の行為であっても、反復継続して利益を得る意思があれば充分であるとされている。

> **プラス α**　「他人の就業に介入」するとは、労働関係の当事者、すなわち使用者と労働者の中間に第三者が介在して、その労働関係の開始・存続についてあっせんをなす等、何らかの**因果関係を有する関与**をなしていることをいう。

③答11 ○　法6条、昭和23.3.2基発381号。設問の通り正しい。

> **Point**　「利益」とは、手数料、報償金、金銭以外の財物等いかなる名称たるとを問わず、また有形無形なるとを問わない。使用者より利益を得る場合のみに限らず、労働者又は第三者より利益を得る場合も含む。

③答12 ×　法16条。法16条は「契約をしてはならない」としているから、違約金を定め又は損害賠償額を予定する契約を締結した時点で、法16条違反が成立する。

③答13 ×　法16条、昭和22.9.13発基17号。法16条は現実に生じた損害について賠償を請求することを禁止する趣旨ではなく、設問の約定をすることも同条により禁止されていない。

3 問14 　使用者は、労働者の身元保証人に対して、当該労働者の労働契約
□□□ の不履行について違約金又は損害賠償額を予定する保証契約を締結
H28-2C することができる。

3 問15 　「前借金」とは、労働契約の締結の際又はその後に、労働するこ
□□□ とを条件として使用者から借り入れ、将来の賃金により弁済するこ
R4-5D とを約する金銭をいい、労働基準法第17条は前借金そのものを全
面的に禁止している。

3 問16 　労働基準法第17条は、前借金その他労働することを条件とする
□□□ 前貸の債権と賃金とを相殺することを禁止し、金銭貸借関係と労働
H27-3D 関係とを完全に分離することにより金銭貸借に基づく身分的拘束の
発生を防止することを目的としたものである。

3 問17 　労働基準法第17条にいう「労働することを条件とする前貸の債
□□□ 権」には、労働者が使用者から人的信用に基づいて受ける金融や賃
R3-2C 金の前払いのような弁済期の繰上げ等で明らかに身分的拘束を伴わ
ないものも含まれる。

3 問18 　使用者が労働者からの申出に基づき、生活必需品の購入等のため
□□□ の生活資金を貸付け、その後この貸付金を賃金から分割控除する場
R5-5C 合においても、その貸付の原因、期間、金額、金利の有無等を総合
（難）的に判断して労働することが条件となっていないことが極めて明白
な場合には、労働基準法第17条の規定は適用されない。

3 問19 　労働者が、実質的にみて使用者の強制はなく、真意から相殺の意
□□□ 思表示をした場合でも、前借金その他労働することを条件とする前
H28-2D 貸の債権と賃金を相殺してはならない。

3答14 ×　法16条。法16条では、違約金を定め、又は損害賠償額を予定する契約の締結当事者としての使用者の相手方を労働者本人に限定していないから、労働者の身元保証人に対して、当該労働者の労働契約の不履行について違約金又は損害賠償額を予定する保証契約を締結することはできない。

3答15 ×　法17条。法17条は、前借金そのものを全面的に禁止しているわけではない。

> 労働者が使用者から人的信用に基づいて受ける金融、弁済期の繰上げ等で明らかに身分的拘束を伴わないものは、労働することを条件とする債権には含まれない。

3答16 ○　法17条、昭和33.2.13基発90号。設問の通り正しい。

3答17 ×　法17条、昭和33.2.13基発90号。労働者が使用者から人的信用に基づいて受ける金融又は賃金の前払のような単なる弁済期の繰上げ等で明らかに身分的拘束を伴わないと認められるものは、労働することを条件とする債権には含まれない。

3答18 ○　法17条、昭和63.3.14基発150号。設問の通り正しい。

3答19 ×　法17条。法17条では、使用者の側で相殺を行う場合のみを禁止しているのであって、設問のように、実質的にみて使用者の強制はなく、労働者が真意から相殺の意思表示をした場合における相殺は禁止されていない。

❸問20 中小企業等において行われている退職積立金制度のうち、使用者
□□□ 以外の第三者たる商店会又はその連合会等が労働者の毎月受けるべ
R元-4B き賃金の一部を積み立てたものと使用者の積み立てたものを財源と
🈔 して行っているものについては、労働者がその意思に反してもこの
ような退職積立金制度に加入せざるを得ない場合でも、労働基準法
第18条の禁止する強制貯蓄には該当しない。

❸問21 使用者は、当該事業場に、労働者の過半数で組織する労働組合が
□□□ ある場合においてはその労働組合、労働者の過半数で組織する労働
R3-2D 組合がない場合においては労働者の過半数を代表する者の意見聴取
をした上で、就業規則に、労働契約に附随することなく、労働者の
任意になす貯蓄金をその委託を受けて管理する契約をすることがで
きる旨を記載し、当該就業規則を行政官庁に届け出ることにより、
労働契約に附随することなく、労働者の任意になす貯蓄金をその委
託を受けて管理する契約をすることができる。

❸問22 労働基準法第18条第5項は、「使用者は、労働者の貯蓄金をその
□□□ 委託を受けて管理する場合において、労働者がその返還を請求した
H28-2E ときは、4週間以内に、これを返還しなければならない」と定めて
いる。

4 労働契約の締結

最新問題
❶問1 労働契約とは、本質的には民法第623条に規定する雇用契約や労
□□□ 働契約法第6条に規定する労働契約と基本的に異なるものではない
R6-2ウ が、民法上の雇用契約にのみ限定して解されるべきものではなく、
🈔 委任契約、請負契約等、労務の提供を内容とする契約も労働契約と
して把握される可能性をもっている。

❶問2 使用者は、労働基準法第14条第2項に基づき厚生労働大臣が定
□□□ めた基準により、有期労働契約(当該契約を3回以上更新し、又は
R6-3A 雇入れの日から起算して1年を超えて継続勤務している者に係る
ものに限り、あらかじめ当該契約を更新しない旨明示されているも
のを除く。)を更新しないこととしようとする場合には、少なくとも
当該契約期間が満了する日の30日前までに、その予告をしなけれ
ばならない。

❸答20 ×　法18条１項、昭和25.9.28基収2048号。設問の退職積立金制
度については、労働者がその意思に反して加入せざるを得ないよう
になっている場合には、法18条の禁止する強制貯蓄に該当する。

❸答21 ×　法18条２項。使用者は、労働者の貯蓄金をその委託を受けて
管理しようとする場合においては、当該事業場に、労働者の過半数
で組織する労働組合があるときはその労働組合、労働者の過半数で
組織する労働組合がないときは労働者の過半数を代表する者との書
面による協定をし、これを行政官庁に届け出なければならないこと
とされている。したがって、設問のように意見聴取した上で就業規
則に記載し届け出たとしても、上記の要件は満たさず、任意貯蓄を
行うことはできない。

❸答22 ×　法18条５項。法18条５項は、「使用者は、労働者の貯蓄金を
その委託を受けて管理する場合において、労働者がその返還を請求
したときは、**遅滞なく**、これを返還しなければならない。」と定め
ている。

❶答1　○　法13条他。設問の通り正しい。

❶答2　○　法14条２項、令和5.3.30厚労告114号。設問の通り正しい。
なお、設問の場合において、使用者は、労働者が更新しないことと
する理由について証明書を請求したときは、遅滞なくこれを交付し
なければならない。

❶問 3

☐☐☐

R6-3B

　使用者は、労働基準法第15条第 1 項の規定により、労働者に対して労働契約の締結と有期労働契約（期間の定めのある労働契約）の更新のタイミングごとに、「就業の場所及び従事すべき業務に関する事項」に加え、「就業の場所及び従事すべき業務の変更の範囲」についても明示しなければならない。

過去問

❹問 1

☐☐☐

H27-3A

　労働協約に定める基準に違反する労働契約の部分を無効とする労働組合法第16条とは異なり、労働基準法第13条は、労働基準法で定める基準に達しない労働条件を定める労働契約は、その部分については無効とすると定めている。

❹問 2

☐☐☐

H30-5D

　労働基準法第14条第 1 項第 2 号に基づく、満60歳以上の労働者との間に締結される労働契約（期間の定めがあり、かつ、一定の事業の完了に必要な期間を定めるものではない労働契約）について、同条に定める契約期間に違反した場合、同法第13条の規定を適用し、当該労働契約の期間は 3 年となる。

❹問 3

☐☐☐

R5-5A

　労働基準法第14条第 1 項に規定する期間を超える期間を定めた労働契約を締結した場合は、同条違反となり、当該労働契約は、期間の定めのない労働契約となる。

❶答3 ◯ 法15条1項、則5条1項1号の3、5項。設問の通り正しい。

❹答1 ◯ 法13条、労働組合法16条。設問の通り正しい。労働基準法は労働条件の最低基準を定めたものであり、同法で定める基準に「達しない」労働条件を定める労働契約のその部分が無効とされ、その基準以上の労働条件を定める労働契約については、有効である。一方、労働協約は、その基準に「違反する」労働契約の部分を無効とするとしており、その基準以上の労働契約の部分についても、原則として、無効である。

Point 無効となった部分を同法所定の基準で補充する効力を一般に直律的効力という。

❹答2 ✕ 法13条、法14条1項、平成15.10.22基発1022001号。設問の場合、労働契約の期間は5年となる。法14条1項に規定する期間を超える期間を定めた労働契約を締結した場合は、同条違反となり、当該労働契約の期間は、法13条により、法14条1項1号及び2号に掲げるもの(労働契約の期間の上限が5年とされている労働者に係るもの)については5年、その他のものについては3年となる。

❹答3 ✕ 法13条、法14条1項、平成15.10.22基発1022001号。設問の場合は、法14条1項に規定する上限期間を定めたものとなる。

4 問4
□□□
H29-3A

満60歳以上の労働者との間に締結される労働契約について、労働契約期間の上限は当該労働者が65歳に達するまでとされている。

4 問5
□□□
H27-3B

契約期間の制限を定める労働基準法第14条の例外とされる「一定の事業の完了に必要な期間を定めるもの」とは、その事業が有期的事業であることが客観的に明らかな場合であり、その事業の終期までの期間を定める契約であることが必要である。

4 問6
□□□
R3-2A

労働基準法第14条にいう「一定の事業の完了に必要な期間を定める」労働契約については、3年(同条第1項の各号のいずれかに該当する労働契約にあっては、5年)を超える期間について締結することが可能であるが、その場合には、その事業が有期的事業であることが客観的に明らかであり、その事業の終期までの期間を定める契約であることが必要である。

4 問7
□□□
H28-2A

使用者は、労働者が高度の専門的知識等を有していても、当該労働者が高度の専門的知識等を必要とする業務に就いていない場合は、契約期間を5年とする労働契約を締結してはならない。

労
基

4答4 × 法14条1項2号。満60歳以上の労働者との間に締結される労働契約についての労働契約期間の上限は、「65歳に達するまで」ではなく「5年」とされている。

Point

[契約期間（法14条1項）]
労働契約は、期間の定めのないものを除き、一定の事業の完了に必要な期間を定めるもののほかは、3年（次の①、②のいずれかに該当する労働契約にあっては、5年）を超える期間について締結してはならない。
① 専門的な知識、技術又は経験（以下「専門的知識等」という。）であって高度のものとして厚生労働大臣が定める基準に該当する専門的知識等を有する労働者（当該高度の専門的知識等を必要とする業務に就く者に限る。）との間に締結される労働契約
② 満60歳以上の労働者との間に締結される労働契約（①に掲げる労働契約を除く。）

4答5 ○ 法14条1項。設問の通り正しい。

Point

例えば、4年間で完了する土木工事において、技師を4年間の契約で雇い入れる場合のごとく、その事業が有期的事業であることが客観的に明らかな場合であり、その事業の終期までの期間を定める契約であることが必要である。

4答6 ○ 法14条1項。設問の通り正しい。

4答7 ○ 法14条1項1号。設問の通り正しい。

専門的知識等であって高度のものとして厚生労働大臣が定める基準に該当する専門的知識等を有する労働者の具体例
・博士の学位を有する者
・公認会計士の資格を有する者
・弁護士の資格を有する者
・社会保険労務士の資格を有する者
・システムエンジニア等の業務に就こうとする者のうち一定の実務経験等を有し、年俸額が1,075万円を下回らない者

4 問8
□□□
R2-5ア

専門的な知識、技術又は経験(以下「専門的知識等」という。)であって高度のものとして厚生労働大臣が定める基準に該当する専門的知識等を有する労働者との間に締結される労働契約については、当該労働者の有する高度の専門的知識等を必要とする業務に就く場合に限って契約期間の上限を5年とする労働契約を締結することが可能となり、当該高度の専門的知識を必要とする業務に就いていない場合の契約期間の上限は3年である。

4 問9
□□□
R4-5A

社会保険労務士の国家資格を有する労働者について、労働基準法第14条に基づき契約期間の上限を5年とする労働契約を締結するためには、社会保険労務士の資格を有していることだけでは足りず、社会保険労務士の名称を用いて社会保険労務士の資格に係る業務を行うことが労働契約上認められている等が必要である。

4 問10
□□□
R元-4A

労働契約の期間に関する事項は、書面等により明示しなければならないが、期間の定めをしない場合においては期間の明示のしようがないので、この場合においては何ら明示しなくてもよい。

4 問11
□□□
H29-3E

派遣労働者に対する労働条件の明示は、労働者派遣法における労働基準法の適用に関する特例により派遣先の事業のみを派遣中の労働者を使用する事業とみなして適用することとされている労働時間、休憩、休日等については、派遣先の使用者がその義務を負う。

4 問12
□□□
R2-5イ

労働契約の締結の際に、使用者が労働者に書面により明示すべき賃金に関する事項及び書面について、交付すべき書面の内容としては、労働者の採用時に交付される辞令等であって、就業規則等(労働者への周知措置を講じたもの)に規定されている賃金等級が表示されたものでもよい。

4 問13
□□□
H28-2B
難

労働契約の締結に際し明示された労働条件が事実と相違しているため、労働者が労働契約を解除した場合、当該解除により労働契約の効力は遡及的に消滅し、契約が締結されなかったのと同一の法律効果が生じる。

④答8 ○　法14条1項1号、平成15.10.22基発1022001号。設問の通り正しい。

プラス
α

> 法14条1項各号のいずれかに該当する労働者〔①専門的知識等であって高度のものとして厚生労働大臣が定める基準に該当する専門的知識等を有する労働者(当該高度の専門的知識等を必要とする業務に就く者に限る。)、②満60歳以上の労働者〕については、法附則137条(労働契約の期間の初日から**1年を経過した日以後**においては、その使用者に申し出ることにより、**いつでも退職することができる**)の規定は適用されない。

④答9 ○　法14条1項1号、平成28.10.19厚労告376号。設問の通り正しい。

④答10 ×　法15条1項、則5条1項、3項、4項、平成11.1.29基発45号。期間の定めをしない労働契約の場合は、その旨を明示しなければならない。

④答11 ×　法15条、昭和61.6.6基発333号。労働条件の明示については、設問の事項も含めて**派遣元**が当該明示の義務を負う。

④答12 ○　法15条1項、平成11.3.31基発168号。設問の通り正しい。

プラス
α

> 書面の交付は、当該労働者が、当該書面の交付による明示の対象となる労働条件が明らかとなる次のいずれかの方法によることを希望した場合には、当該方法とすることができる。
> ①ファクシミリを利用してする送信の方法
> ②電子メール等の送信の方法(当該労働者が当該電子メール等の記録を出力することにより書面を作成することができるものに限る。)

④答13 ×　法15条2項、民法630条。法15条2項における「解除」とは、民法の一般の意味における解除とは異なり、労働関係という継続的契約関係を将来に向かって消滅させることをいうものである。

4 問14
□□□
H29-3B
　明示された労働条件と異なるために労働契約を解除し帰郷する労働者について、労働基準法第15条第3項に基づいて使用者が負担しなければならない旅費は労働者本人の分であって、家族の分は含まれない。

4 問15
□□□
R4-5B
　労働基準法第15条第3項にいう「契約解除の日から14日以内」であるとは、解除当日から数えて14日をいい、例えば、9月1日に労働契約を解除した場合は、9月1日から9月14日までをいう。

4 問16
□□□
R5-5B
　社宅が単なる福利厚生施設とみなされる場合においては、社宅を供与すべき旨の条件は労働基準法第15条第1項の「労働条件」に含まれないから、労働契約の締結に当たり同旨の条件を付していたにもかかわらず、社宅を供与しなかったときでも、同条第2項による労働契約の解除権を行使することはできない。

5 労働契約の終了

最新問題

5 問1
□□□
R6-3E
　労働基準法第23条は、労働の対価が完全かつ確実に退職労働者又は死亡労働者の遺族の手に渡るように配慮したものであるが、就業規則において労働者の退職又は死亡の場合の賃金支払期日を通常の賃金と同一日に支払うことを規定しているときには、権利者からの請求があっても、7日以内に賃金を支払う必要はない。

過去問

5 問1
□□□
H27-3E
　使用者は、労働者が業務上負傷し、又は疾病にかかり療養のために休業する期間及びその後の30日間は、労働基準法第81条の規定によって打切補償を支払う場合、又は天災事変その他やむを得ない事由のために事業の継続が不可能となりその事由について行政官庁の認定を受けた場合を除き、労働者を解雇してはならない。

4 答14 ×　昭和22.9.13発基17号。設問の帰郷旅費には、労働者本人のみならず、就業のため移転した家族の旅費も含まれる。

4 答15 ×　法15条３項、民法140条。９月１日に労働契約を解除した場合は、翌日の９月２日から起算して14日、すなわち９月15日までをいう。

4 答16 ○　法15条、昭和23.11.27基収3514号。設問の通り正しい。

5 答1 ×　法23条。設問の場合であっても、権利者から請求があれば、７日以内に賃金を支払わなければならない。

5 答1 ○　法19条。設問の通り正しい。

> **Point**　［解雇制限の解除事由と手続］
> ①打切補償を支払う場合（認定不要）
> ②天災事変その他やむを得ない事由のために事業の継続が不可能となった場合（認定必要）

5問2 　使用者は、労働者が業務上の傷病により治療中であっても、休業しないで就労している場合は、労働基準法第19条による解雇制限を受けない。

□□□
H29-3D

5問3 　使用者は、女性労働者が出産予定日より6週間(多胎妊娠の場合にあっては、14週間)前以内であっても、当該労働者が労働基準法第65条に基づく産前の休業を請求しないで就労している場合は、労働基準法第19条による解雇制限を受けない。

□□□
R元-4C

5問4 　6週間以内に出産する予定の女性労働者が休業を請求せず引き続き就業している場合は、労働基準法第19条の解雇制限期間にはならないが、その期間中は女性労働者を解雇することのないよう行政指導を行うこととされている。

□□□
R5-3C

5問5 　使用者は、税金の滞納処分を受け事業廃止に至った場合には、「やむを得ない事由のために事業の継続が不可能となつた場合」として、労働基準法第65条の規定によって休業する産前産後の女性労働者であっても解雇することができる。

□□□
H30-5C

5問6 　従来の取引事業場が休業状態となり、発注品がないために事業が金融難に陥った場合には、労働基準法第19条及び第20条にいう「やむを得ない事由のために事業の継続が不可能となつた場合」に該当しない。

□□□
R5-5E

5問7 　使用者は、労働者を解雇しようとする場合において、「天災事変その他やむを得ない事由のために事業の継続が不可能となつた場合」には解雇の予告を除外されるが、「天災事変その他やむを得ない事由」には、使用者の重過失による火災で事業場が焼失した場合も含まれる。

□□□
R2-5I

5問8 　使用者は、労働者を解雇しようとする場合においては、少なくとも30日前にその予告をしなければならないが、予告期間の計算は労働日で計算されるので、休業日は当該予告期間には含まれない。

□□□
R元-4D

5 答 2 ○ 法19条1項、昭和24.4.12基収1134号。設問の通り正しい。

業務上傷病により治療中であっても、休業していなければ解雇制限の規定は適用されない。また、休業していたとしても、その後出勤した日から起算して30日を経過すれば、完全に治ゆしていなくてもその段階で解雇については法19条には抵触しない。

5 答 3 ○ 法19条1項、昭和25.6.16基収1526号。設問の通り正しい。

出産予定日以前6週間の休業期間後であっても、実際の出産が出産予定日より遅くなって休業している期間は、法第65条の産前休業期間と解されるので、この期間も解雇は制限される。

5 答 4 ○ 法19条1項、昭和25.6.16基収1526号。設問の通り正しい。

5 答 5 × 法19条1項、昭和63.3.14基発150号。設問のように税金の滞納処分を受け事業廃止に至った場合は、法19条1項ただし書にいう「天災事変その他やむを得ない事由のために事業の継続が不可能となった場合」には該当しないため、設問の労働者は同項本文により解雇が制限される。

5 答 6 ○ 法19条、法20条、昭和63.3.14基発150号。設問の通り正しい。

事業経営上の見通しの齟齬の如き事業主の危険負担に属すべき事由に起因して資材入手難、金融難に陥った場合は、「やむを得ない事由のために事業の継続が不可能となった場合」には、該当しない。

5 答 7 × 法20条、昭和63.3.14基発150号。使用者の重過失による火災で事業場が焼失した場合は、解雇予告が除外される「天災事変その他やむを得ない事由のために事業の継続が不可能となった場合」には含まれない。

5 答 8 × 法20条1項。解雇予告の「30日」は暦日で計算されるので、その間の休業日は解雇予告期間に含まれる。

5 問9　使用者の行った解雇予告の意思表示は、一般的には取り消すことができないが、労働者が具体的事情の下に自由な判断によって同意を与えた場合には、取り消すことができる。

R2-5ウ

5 問10　労働基準法では、使用者は、労働者が業務上負傷し、又は疾病にかかり療養のために休業する期間及びその後30日間は、解雇してはならないと規定しているが、解雇予告期間中に業務上負傷し又は疾病にかかりその療養のために休業した場合には、この解雇制限はかからないものと解されている。

H30-2エ

5 問11　労働基準法第20条に定める解雇予告手当は、解雇の意思表示に際して支払わなければ解雇の効力を生じないものと解されており、一般には解雇予告手当については時効の問題は生じないとされている。

H30-2オ

5 問12　労働基準法第20条第1項の解雇予告手当は、同法第23条に定める、労働者の退職の際、その請求に応じて7日以内に支払うべき労働者の権利に属する金品にはあたらない。

H30-5A

5 問13　使用者は、労働者が退職から1年後に、使用期間、業務の種類、その事業における地位、賃金又は退職の事由について証明書を請求した場合は、これを交付する義務はない。

H29-3C

5 問14　使用者は、労働者が自己の都合により退職した場合には、使用期間、業務の種類、その事業における地位、賃金又は退職の事由について、労働者が証明書を請求したとしても、これを交付する義務はない。

R元-4E

5 問15　労働者が、労働基準法第22条に基づく退職時の証明を求める回数については制限はない。

R5-5D

答9 ○ 法20条、昭和33.2.13基発90号。設問の通り正しい。

答10 × 法19条、昭和26.6.25基収2609号。解雇予告期間中に法19条の解雇制限事由が生じた場合にも、同条の適用がある（解雇制限期間中は解雇できない。）。

答11 ○ 法20条、昭和27.5.17基収1906号。設問の通り正しい。

> 解雇予告手当は、解雇の申渡しと同時に支払うものとされ、解雇の意思表示に際して支払わなければ解雇の効力を生じないものと解されていることから、一般には解雇予告手当について時効の問題は生じない。なお、解雇予告手当は、法11条の賃金ではないが、法24条の賃金の支払の規定に準じて、通貨で直接労働者に支払うことが望ましいとされている。

答12 ○ 法23条、昭和23.3.17基発464号。設問の通り正しい。解雇予告手当は、労働者が使用者に対して有する債権とは解されないため、法23条に定める労働者の退職の際その請求に応じて7日以内に支払うべき労働者の権利に属する金品には含まれない。

答13 × 法22条1項、法115条、法附則143条3項、平成11.3.31基発169号。退職時の証明については、請求権の時効が2年とされている。したがって、設問の場合には、使用者は、退職時の証明書を交付しなければならない。

答14 × 法22条1項。設問の退職時の証明書は、「退職の場合」に請求することができるものであるが、当該「退職の場合」については、退職原因の如何を問わないので、労働者の自己の都合による退職の場合も含まれる。したがって、設問の場合には、使用者に退職時の証明書の交付義務が生ずる。

答15 ○ 法22条、平成11.3.31基発169号。設問の通り正しい。

5問16
□□□
R4-5E
　労働基準法第22条第1項に基づいて交付される証明書は、労働者が同項に定める法定記載事項の一部のみが記入された証明書を請求した場合でも、法定記載事項をすべて記入しなければならない。

5問17
□□□
H30-5E
　労働基準法第22条第4項は、「使用者は、あらかじめ第三者と謀り、労働者の就業を妨げることを目的として、労働者の国籍、信条、社会的身分若しくは労働組合運動に関する通信」をしてはならないと定めているが、禁じられている通信の内容として掲げられている事項は、例示列挙であり、これ以外の事項でも当該労働者の就業を妨害する事項は禁止される。

5問18
□□□
R2-5オ
　使用者は、労働者の死亡又は退職の場合において、権利者の請求があった場合においては、7日以内に賃金を支払い、労働者の権利に属する金品を返還しなければならないが、この賃金又は金品に関して争いがある場合においては、使用者は、異議のない部分を、7日以内に支払い、又は返還しなければならない。

6 賃金の定義・平均賃金

最新問題

6問1
□□□
R6-1E
難
　労働者に支給される物又は利益にして、所定の貨幣賃金の代わりに支給するもの、即ち、その支給により貨幣賃金の減額を伴うものは労働基準法第11条にいう「賃金」とみなさない。

過去問

6問1
□□□
H27-4D
　労働協約、就業規則、労働契約等によってあらかじめ支給条件が明確である場合の退職手当は、労働基準法第11条に定める賃金であり、同法第24条第2項の「臨時に支払われる賃金」に当たる。

5答16 ×　法22条1項、3項。設問の証明書には、労働者の請求しない事項を記入してはならない。

5答17 ×　法22条4項、平成15.12.26基発1226002号。法22条4項により禁じられている通信の内容として掲げられている事項（労働者の**国籍、信条、社会的身分若しくは労働組合運動**）は、制限列挙である。

> あらかじめ第三者と謀り、労働者の就業を妨げることを目的として、①通信することは、「労働者の国籍、信条、社会的身分又は労働組合運動」の4つの事項に限定して禁止されているが、②退職時等の証明書に秘密の記号を記入することは、これらの事項に限らず、すべての事項について禁止されている。

5答18 ○　法23条。設問の通り正しい。

> **Point**　退職手当は、通常の賃金の場合と異なり、あらかじめ就業規則等で定められた支払時期に支払えば足りるものである。

6答1 ×　法11条、昭和22.9.13発基17号。設問のものは、賃金とみなすこととされている。

6答1 ○　法11条、法24条2項、昭和22.9.13発基17号。設問の通り正しい。

> **Point**　労働基準法に定める賃金とは、賃金、給料、手当、賞与その他名称の如何を問わず、労働の対償として**使用者が労働者に支払うすべてのも**のをいう。

6 問 2
□□□
R2-4E
難

食事の供与(労働者が使用者の定める施設に住み込み1日に2食以上支給を受けるような特殊の場合のものを除く。)は、食事の支給のための代金を徴収すると否とを問わず、①食事の供与のために賃金の減額を伴わないこと、②食事の供与が就業規則、労働協約等に定められ、明確な労働条件の内容となっている場合でないこと、③食事の供与による利益の客観的評価額が、社会通念上、僅少なものと認められるものであること、の3つの条件を満たす限り、原則として、これを賃金として取り扱わず、福利厚生として取り扱う。

6 問 3
□□□
H30-4オ
難

いわゆるストック・オプション制度では、権利付与を受けた労働者が権利行使を行うか否か、また、権利行使するとした場合において、その時期や株式売却時期をいつにするかを労働者が決定するものとしていることから、この制度から得られる利益は、それが発生する時期及び額ともに労働者の判断に委ねられているため、労働の対償ではなく、労働基準法第11条の賃金には当たらない。

6 問 4
□□□
R元-3オ

私有自動車を社用に提供する者に対し、社用に用いた場合のガソリン代は走行距離に応じて支給される旨が就業規則等に定められている場合、当該ガソリン代は、労働基準法第11条にいう「賃金」に当たる。

6 問 5
□□□
R3-1E

労働者が法令により負担すべき所得税等(健康保険料、厚生年金保険料、雇用保険料等を含む。)を事業主が労働者に代わって負担する場合、当該代わって負担する部分は、労働者の福利厚生のために使用者が負担するものであるから、労働基準法第11条の賃金とは認められない。

6 問 6
□□□
H28-1オ

労働協約、就業規則、労働契約等によってあらかじめ支給条件が明確にされていても、労働者の吉凶禍福に対する使用者からの恩恵的な見舞金は、労働基準法第11条にいう「賃金」にはあたらない。

6 答2 ○ 法11条、昭和30.10.10基発644号。設問の通り正しい。
食事の供与（労働者が使用者の定める施設に住み込み1日に2食以上支給を受けるような特殊の場合のものを除く。）は、その支給のための代金を徴収すると否とを問わず、設問の①から③の条件を満たす限り、原則として、これを賃金として取り扱わず福利厚生として取り扱うこととされている。

6 答3 ○ 法11条、平成9.6.1基発412号。設問の通り正しい。

6 答4 × 法11条、昭和63.3.14基発150号。設問のガソリン代は実費弁償であり、労働基準法にいう「賃金」には該当しない。

6 答5 × 法11条、昭和63.3.14基発150号。設問の所得税等を事業主が労働者に代わって負担する場合は、これらの労働者が法律上当然生ずる義務を免れるのであるから、この事業主が労働者に代わって負担する部分は、法11条の賃金と認められる。

6 答6 × 法11条、昭和22.9.13発基17号。労働者の吉凶禍福に対して支給されるものは、原則として賃金にあたらないが、労働協約、就業規則、労働契約等によってあらかじめ支給条件が明確にされたものは、賃金にあたる。

6 問7
□□□
R元-1

次に示す条件で賃金を支払われてきた労働者について7月20日に、労働基準法第12条に定める平均賃金を算定すべき事由が発生した場合、その平均賃金の計算に関する記述のうち、正しいものはどれか。

【条件】
賃金の構成：基本給、通勤手当、職務手当及び時間外手当
賃金の締切日：基本給、通勤手当及び職務手当については、毎月25日
　　　　　　　時間外手当については、毎月15日
賃金の支払日：賃金締切日の月末

A　3月26日から6月25日までを計算期間とする基本給、通勤手当及び職務手当の総額をその期間の暦日数92で除した金額と4月16日から7月15日までを計算期間とする時間外手当の総額をその期間の暦日数91で除した金額を加えた金額が平均賃金になる。

B　4月、5月及び6月に支払われた賃金の総額をその計算期間の暦日数92で除した金額が平均賃金になる。

C　3月26日から6月25日までを計算期間とする基本給及び職務手当の総額をその期間の暦日数92で除した金額と4月16日から7月15日までを計算期間とする時間外手当の総額をその期間の暦日数91で除した金額を加えた金額が平均賃金になる。

D　通勤手当を除いて、4月、5月及び6月に支払われた賃金の総額をその計算期間の暦日数92で除した金額が平均賃金になる。

E　時間外手当を除いて、4月、5月及び6月に支払われた賃金の総額をその計算期間の暦日数92で除した金額が平均賃金になる。

6 問8
□□□
H27-2D

賃金締切日が毎月月末と定められていた場合において、例えば7月31日に算定事由が発生したときは、なお直前の賃金締切日である6月30日から遡った3か月が平均賃金の算定期間となる。

6答7 **正解 A** 法12条1項、2項、4項、昭和26.12.27基収5926号、昭和33.2.13基発90号。平均賃金は、原則として、これを算定すべき事由の発生した日以前3箇月間にその労働者に対し支払われた賃金の総額を、その期間の総日数で除した金額をいうが、賃金締切日がある場合には、直前の賃金締切日から起算した3箇月間が計算期間となる。なお、賃金ごとに賃金締切日が異なる場合の「直前の賃金締切日」は、それぞれ各賃金ごとの賃金締切日とされる。また、設問の賃金は、いずれも平均賃金に算入すべき賃金である。以上を踏まえて設問をみると、設問は、7月20日に算定事由が発生しているため、毎月25日が賃金の締切日とされている基本給、通勤手当、職務手当については、その直前の6月25日から遡った3箇月間(3月26日から6月25日までの92日)が計算期間となり、毎月15日が賃金の締切日とされている時間外手当については、直前の7月15日から遡った3箇月間(4月16日から7月15日までの91日)が計算期間となる。

よって、Aが正しい記述となる。

6答8 **○** 法12条1項、2項、昭和24.7.13基収2044号。設問の通り正しい。平均賃金の算定期間である「これを算定すべき事由の発生した日以前3箇月間」とは、事由の発生した日の前日から遡る3か月間であって、事由の発生した日は含まれない。また、その算定期間は、賃金締切日がある場合には、直前の賃金締切日から起算するものとされている。設問の場合、平均賃金の算定期間は、毎月月末が賃金締切日とされているため、7月30日の直近の賃金締切日である6月30日から遡った3か月となる。

6問9 賃金締切日が、基本給は毎月月末、時間外手当は毎月20日とさ
□□□ れている事業場において、例えば6月25日に算定事由が発生した
H27-2E ときは、平均賃金の起算に用いる直前の賃金締切日は、基本給、時
間外手当ともに基本給の直前の締切日である5月31日とし、この
日から遡った3か月が平均賃金の算定期間となる。

6問10 労働災害により休業していた労働者がその災害による傷病が原因
□□□ で死亡した場合、使用者が遺族補償を行うに当たり必要な平均賃金
H27-2C を算定すべき事由の発生日は、当該労働者が死亡した日である。

6問11 労働基準法第91条による減給の制裁に関し平均賃金を算定すべ
□□□ き事由の発生した日は、制裁事由発生日(行為時)とされている。
H30-7D

6問12 平均賃金の計算において、労働者が労働基準法第7条に基づく公
□□□ 民権の行使により休業した期間は、その日数及びその期間中の賃金
H27-2B を労働基準法第12条第1項及び第2項に規定する期間及び賃金の
総額から除外する。

6問13 平均賃金の計算の基礎となる賃金の総額には、3か月を超える期
□□□ 間ごとに支払われる賃金、通勤手当及び家族手当は含まれない。
H27-2A

6問14 通貨以外のもので支払われる賃金も、原則として労働基準法第
□□□ 12条に定める平均賃金等の算定基礎に含まれるため、法令に別段
R4-6ｲ の定めがある場合のほかは、労働協約で評価額を定めておかなけれ
ばならない。

労基

⑥答9 × 法12条2項、昭和26.12.27基収5926号。賃金ごとに賃金締切日が異なる場合における労働基準法12条2項の「直前の賃金締切日」は、それぞれ各賃金ごとの賃金締切日とされている。したがって、設問の場合、基本給は5月31日から遡る3か月間、時間外手当は6月20日から遡る3か月間が算定期間となる。

⑥答10 × 法12条1項、法79条、則48条、昭和25.10.19基収2908号。設問の場合、平均賃金を算定すべき事由の発生日は、「死傷の原因たる事故発生の日又は診断によって疾病の発生が確定した日」である。

⑥答11 × 法12条1項、法91条、昭和30.7.19　29基収5875号。法91条（制裁規定の制限）の規定における平均賃金は、減給の制裁の意思表示が相手方に到達した日をもって、これを算定すべき事由の発生した日とされる。

⑥答12 × 法12条3項。設問のような規定はない。平均賃金の計算において、労働基準法7条に基づく公民権の行使により休業した期間の日数及びその期間中の賃金は、控除されない。

> **Point**
> 平均賃金の算定期間中に、次の①から⑤のいずれかに該当する期間がある場合においては、その日数及びその期間中の賃金は、算定期間及び賃金の総額から控除する。
> ①業務上負傷し、又は疾病にかかり療養のために休業した期間
> ②産前産後の女性が法65条の規定によって休業した期間
> ③使用者の責めに帰すべき事由によって休業した期間
> ④育児介護休業法に規定する育児休業又は介護休業をした期間
> ⑤試みの使用期間

⑥答13 × 法12条4項、昭和22.12.26基発573号他。設問の賃金のうち、通勤手当、家族手当は平均賃金の計算の基礎となる賃金の総額に含まれる。

⑥答14 ○ 法12条5項、法24条1項、則2条1項、2項。設問の通り正しい。

> **プラスα**
> なお、設問の労働協約に定められた評価額が不適当な場合及び当該評価額が法令若しくは労働協約に定められていない場合は、都道府県労働局長が当該評価額を定めることができる。

最新問題

7 問1
□□□
R6-4
難

使用者は、労働者の同意を得た場合には、賃金の支払方法として、労働基準法施行規則第7条の2第1項第3号に掲げる要件を満たすものとして厚生労働大臣の指定を受けた資金移動業者(指定資金移動業者)のうち労働者が指定するものの第二種資金移動業に係る口座への資金移動によることができる(いわゆる賃金のデジタル払い)が、次の記述のうち、労働基準法施行規則第7条の2第1項第3号に定めるものとして、誤っているものはどれか。

A　賃金の支払に係る資金移動を行う口座(以下本問において「口座」という。)について、労働者に対して負担する為替取引に関する債務の額が500万円を超えることがないようにするための措置又は当該額が500万円を超えた場合に当該額を速やかに500万円以下とするための措置を講じていること。

B　破産手続開始の申立てを行ったときその他為替取引に関し負担する債務の履行が困難となったときに、口座について、労働者に対して負担する為替取引に関する債務の全額を速やかに当該労働者に弁済することを保証する仕組みを有していること。

C　口座について、労働者の意に反する不正な為替取引その他の当該労働者の責めに帰することができない理由で当該労働者に対して負担する為替取引に関する債務を履行することが困難となったことにより当該債務について当該労働者に損失が生じたときに、当該損失を補償する仕組みを有していること。

D　口座について、特段の事情がない限り、当該口座に係る資金移動が最後にあった日から少なくとも10年間は、労働者に対して負担する為替取引に関する債務を履行することができるための措置を講じていること。

E　口座への資金移動に係る額の受取について、現金自動支払機を利用する方法その他の通貨による受取ができる方法により1円単位で当該受取ができるための措置及び少なくとも毎月1回は当該方法に係る手数料その他の費用を負担することなく当該受取ができるための措置を講じていること。

7 答1　正解　A

A　×　則7条の2,1項3号イ。設問文中の「500万円」は、正しくは「100万円」である。

B　○　則7条の2,1項3号ロ。設問の通り正しい。

C　○　則7条の2,1項3号ハ。設問の通り正しい。

D　○　則7条の2,1項3号ニ。設問の通り正しい。

E　○　則7条の2,1項3号ヘ。設問の通り正しい。

※労働者本人の同意がない場合や、賃金のデジタル払いを強制した場合には、事業主は労働基準法違反となり、罰則の対象になる。

7 問 1
□□□
R元-5A

労働基準法第24条第1項は、賃金は、「法令に別段の定めがある場合又は当該事業場の労働者の過半数で組織する労働組合があるときはその労働組合、労働者の過半数で組織する労働組合がないときは労働者の過半数を代表する者との書面による協定がある場合においては、通貨以外のもので支払うことができる。」と定めている。

7 問 2
□□□
H29-6A

労働協約の定めによって通貨以外のもので賃金を支払うことが許されるのは、その労働協約の適用を受ける労働者に限られる。

7 問 3
□□□
R3-31

賃金を通貨以外のもので支払うことができる旨の労働協約の定めがある場合には、当該労働協約の適用を受けない労働者を含め当該事業場のすべての労働者について、賃金を通貨以外のもので支払うことができる。

7 問 4
□□□
H28-3A

使用者は、労働者の同意を得た場合には、賃金の支払について当該労働者が指定する銀行口座への振込みによることができるが、「指定」とは、労働者が賃金の振込み対象として銀行その他の金融機関に対する当該労働者本人名義の預貯金口座を指定するとの意味であって、この指定が行われれば同意が特段の事情のない限り得られているものと解されている。

7 問 5
□□□
R3-37

使用者は、退職手当の支払については、現金の保管、持ち運び等に伴う危険を回避するため、労働者の同意を得なくても、当該労働者の預金又は貯金への振込みによることができるほか、銀行その他の金融機関が支払保証をした小切手を当該労働者に交付することによることができる。

⑦答1 × 法24条1項。賃金は、法令若しくは**労働協約**に別段の定めがある場合又は厚生労働省令で定める賃金について確実な支払の方法で厚生労働省令で定めるものによる場合においては、通貨以外のもので支払うことができるものとされている。なお、設問の「法令に別段の定めがある場合又は当該事業場の労働者の過半数で組織する労働組合があるときはその労働組合、労働者の過半数で組織する労働組合がないときは労働者の過半数を代表する者との書面による協定がある場合」には、賃金の一部を控除して支払うことができるものとされている。

⑦答2 ○ 昭和63.3.14基発150号。設問の通り正しい。

> 通貨払の例外と全額払の例外との違い
> ・通貨払の例外 → 法令又は**労働協約**に別段の定めがある
> ・全額払の例外 → 法令に別段の定めがある又は**労使協定**がある

⑦答3 × 法24条1項、昭和63.3.14基発150号。労働協約の定めによって通貨以外のもので支払うことが許されるのは、その**労働協約の適用を受ける労働者**に限られる。

⑦答4 ○ 法24条1項、則7条の2,1項1号、昭和63.1.1基発1号。設問の通り正しい。

> 口座振込による賃金の支払は、労働者本人の同意が必要であり、労使協定又は労働協約をもって労働者本人の同意に代えることはできない。

⑦答5 × 則7条の2。退職手当を設問の方法により支払う場合は、労働者の同意を得る必要がある。

7 問6
☐☐☐
R5-6A

労働基準法第24条第1項に定めるいわゆる直接払の原則は、労働者と無関係の第三者に賃金を支払うことを禁止するものであるから、労働者の親権者その他法定代理人に支払うことは直接払の原則に違反しないが、労働者の委任を受けた任意代理人に支払うことは直接払の原則に違反する。

7 問7
☐☐☐
H30-6A

派遣先の使用者が、派遣中の労働者本人に対して、派遣元の使用者からの賃金を手渡すことだけであれば、労働基準法第24条第1項のいわゆる賃金直接払の原則に違反しない。

7 問8
☐☐☐
H27-4A

労働基準法第24条第1項に定めるいわゆる賃金直接払の原則は、例外のない原則であり、行政官庁が国税徴収法の規定に基づいて行った差押処分に従って、使用者が労働者の賃金を控除のうえ当該行政官庁に納付することも、同条違反となる。

7 問9
☐☐☐
H28-3B

労働者が賃金の支払を受ける前に賃金債権を他に譲渡した場合でも、使用者は当該賃金債権の譲受人に対してではなく、直接労働者に対し賃金を支払わなければならないとするのが、最高裁判所の判例である。

7答6 ✕ 法24条1項、昭和63.3.14基発150号。労働者の親権者その他法定代理人に支払うことも、直接払の原則に違反することになる。

7答7 ◯ 法24条1項、昭和61.6.6基発333号。設問の通り正しい。

7答8 ✕ 国税徴収法76条。行政官庁が国税徴収法の規定に基づいて行った差押処分に従って、使用者が労働者の賃金を控除のうえ当該行政官庁に納付することは、賃金直接払の原則に違反しない。

民事執行法に基づき差押えられた賃金債権を差押債権者に支払うことについても、賃金直接払の原則に違反しないと解されている。

7答9 ◯ 法24条1項、最三小昭和43.3.12小倉電話局事件。設問の通り正しい。

最高裁判所の判例では、「退職手当の給付を受ける権利については、その譲渡を禁止する規定がないから、退職者又はその予定者が右退職手当の給付を受ける権利を他に譲渡した場合に、譲渡自体を無効と解すべき根拠はないが、その支払については労基法第24条第1項が適用され、使用者は直接労働者に対し賃金を支払わなければならず、したがって、右賃金債権の譲受人は自ら使用者に対してその支払を求めることは許されない。」としている。

7 問10
□□□
R4-6I

「労働者が賃金の支払を受ける前に賃金債権を他に譲渡した場合においても、その支払についてはなお同条〔労働基準法第24条〕が適用され、使用者は直接労働者に対し賃金を支払わなければならず、したがつて、右賃金債権の譲受人は自ら使用者に対してその支払を求めることは許されないが、国家公務員等退職手当法〔現在の国家公務員退職手当法〕による退職手当の給付を受ける権利については、その譲渡を禁止する規定がない以上、退職手当の支給前にその受給権が他に適法に譲渡された場合においては、国または公社はもはや退職者に直接これを支払うことを要せず、したがつて、その譲受人から国または公社に対しその支払を求めることが許される」とするのが、最高裁判所の判例である。

7 問11
□□□
H28-3C

1か月における時間外労働の時間数の合計に1時間未満の端数がある場合に、30分未満の端数を切り捨て、それ以上を1時間に切り上げる事務処理方法は、労働基準法第24条及び第37条違反としては取り扱わないこととされている。

7答10 ×　法24条1項、最三小昭和43.3.12小倉電話局事件。「退職手当法による退職手当の給付を受ける権利については、その譲渡を禁止する規定がないから、退職者またはその予定者が右退職手当の給付を受ける権利を他に譲渡した場合に譲渡自体を無効と解すべき根拠はないけれども、労働基準法24条1項が「賃金は直接労働者に支払わなければならない。」旨を定めて、使用者たる賃金支払義務者に対し罰則をもってその履行を強制している趣旨に徴すれば、労働者が賃金の支払を受ける前に賃金債権を他に譲渡した場合においても、その支払についてはなお同条が適用され、使用者は直接労働者に対し賃金を支払わなければならず、したがって、右賃金債権の譲受人は自ら使用者に対してその支払を求めることは許されないものと解するのが相当である。そして、退職手当法による退職手当もまた右にいう賃金に該当し、右の直接払の原則の適用があると解する以上、退職手当の支給前にその受給権が他に適法に譲渡された場合においても、国または公社はなお退職者に直接これを支払わなければならず、したがって、その譲受人から国または公社に対しその支払を求めることは許されないといわなければならない。」とするのが、最高裁判所の判例である。

7答11 ○　法24条1項、法37条1項、昭和63.3.14基発150号。設問の通り正しい。

プラスα

次の端数処理は、法違反として取り扱わないこととされている。
①1か月の賃金支払額(賃金の一部を控除する場合には、控除した額)に100円未満の端数が生じた場合に四捨五入して支払うこと
②1か月の賃金支払額(賃金の一部を控除する場合には、控除した額)に1,000円未満の端数が生じた場合、それを翌月の賃金支払日に繰り越して支払うこと
③1時間当たりの賃金額及び割増賃金額に1円未満の端数処理が生じた場合に四捨五入して支払うこと
④1か月における時間外労働、休日労働及び深夜業の各々の割増賃金の総額に1円未満の端数が生じた場合に四捨五入して支払うこと
⑤1か月における時間外労働、休日労働及び深夜業の各々の時間数の合計に1時間未満の端数がある場合、30分未満の端数を切り捨て、それ以上を1時間に切り上げること

7 問12
☐☐☐
H29-6C

1か月の賃金支払額(賃金の一部を控除して支払う場合には控除した額。)に100円未満の端数が生じた場合、50円未満の端数を切り捨て、それ以上を100円に切り上げて支払う事務処理方法は、労働基準法第24条違反としては取り扱わないこととされている。

7 問13
☐☐☐
H27-4B
難

過払いした賃金を精算ないし調整するため、後に支払わるべき賃金から控除することは、その金額が少額である限り、労働者の経済生活の安定をおびやかすおそれがないため、労働基準法第24条第1項に違反するものではないとするのが、最高裁判所の判例である。

7 問14
☐☐☐
H29-6D

賃金の過払を精算ないし調整するため、後に支払われるべき賃金から控除することは、「その額が多額にわたるものではなく、しかもあらかじめ労働者にそのことを予告している限り、過払のあつた時期と合理的に接着した時期においてされていなくても労働基準法24条1項の規定に違反するものではない。」とするのが、最高裁判所の判例である。

7 問15
☐☐☐
R3-3I

労働基準法第24条第1項の禁止するところではないと解するのが相当と解される「許さるべき相殺は、過払のあつた時期と賃金の清算調整の実を失わない程度に合理的に接着した時期においてされ、また、あらかじめ労働者にそのことが予告されるとか、その額が多額にわたらないとか、要は労働者の経済生活の安定をおびやかすおそれのない場合でなければならない」とするのが、最高裁判所の判例である。

7答12 ○　昭和63.3.14基発150号。設問の通り正しい。**7答11**の
プラスα 参照。

7答13 ×　最一小昭和44.12.18福島県教組事件。最高裁判所の判例では、
「適正な賃金の額を支払うための手段たる相殺は、労働基準法24条
1項但書によって除外される場合にあたらなくても、その行使の
時期、方法、金額等からみて労働者の経済生活の安定との関係上不
当と認められないものであれば、同項の禁止するところではないと
解するのが相当である。この見地からすれば、許さるべき相殺は、
**過払のあった時期と賃金の清算調整の実を失わない程度に合理的に
接着した時期**においてされ、また、あらかじめ労働者にそのことが
予告されるとか、その額が**多額**にわたらないとか、要は労働者の経
済生活の安定をおびやかすおそれのない場合でなければならないも
のと解せられる。」としている。したがって、最高裁判所の判例で
は、「その金額が少額である限り」、労働基準法24条1項に違反す
るものではないとはしていない。

7答14 ×　最一小昭和44.12.18福島県教組事件。設問のように過払いを
精算ないし調整するため、後に支払われる賃金から控除すること
について、最高裁判所の判例では、「許さるべき相殺（設問にいう控
除）は、過払のあった時期と賃金の清算調整の実を失わない程度に
合理的に接着した時期においてされ、また、あらかじめ労働者にそ
のことが予告されるとか、その額が多額にわたらないとか、要は労
働者の**経済生活の安定**をおびやかすおそれのない場合でなければな
らないものと解せられる。」としている。

7答15 ○　最一小昭和44.12.18福島県教組事件。設問の通り正しい。

7問16 使用者が労働者の同意を得て労働者の退職金債権に対してする相殺は、当該同意が「労働者の自由な意思に基づいてされたものであると認めるに足りる合理的な理由が客観的に存在するときは」、労働基準法第24条第1項のいわゆる賃金全額払の原則に違反するものとはいえないとするのが、最高裁判所の判例である。

H30-6B

7問17 使用者が労働者に対して有する債権をもって労働者の賃金債権と相殺することに、労働者がその自由な意思に基づき同意した場合においては、「右同意が労働者の自由な意思に基づいてされたものであると認めるに足りる合理的な理由が客観的に存在するときは、右同意を得てした相殺は右規定〔労働基準法第24条第1項のいわゆる賃金全額払の原則〕に違反するものとはいえないものと解するのが相当である」が、「右同意が労働者の自由な意思に基づくものであるとの認定判断は、厳格かつ慎重に行われなければならない」とするのが、最高裁判所の判例である。

R3-3ウ

7問18 退職金は労働者の老後の生活のための大切な資金であり、労働者が見返りなくこれを放棄することは通常考えられないことであるから、労働者が退職金債権を放棄する旨の意思表示は、それが労働者の自由な意思に基づくものであるか否かにかかわらず、労働基準法第24条第1項の賃金全額払の原則の趣旨に反し無効であるとするのが、最高裁判所の判例である。

H27-4C

7問19 賃金にあたる退職金債権放棄の効力について、労働者が賃金にあたる退職金債権を放棄する旨の意思表示をした場合、それが労働者の自由な意思に基づくものであると認めるに足りる合理的な理由が客観的に存在するときは、当該意思表示は有効であるとするのが、最高裁判所の判例である。

R元-5B

7答16 ○　法24条１項、最二小平成2.11.26日新製鋼事件。設問の通り正しい。

7答17 ○　最二小平成2.11.26日新製鋼事件。設問の通り正しい。

> 最高裁判所の判例では、「労働基準法24条１項本文の定めるいわゆる賃金全額払の原則の趣旨とするところは、使用者が一方的に賃金を控除することを禁止し、もって労働者に賃金の全額を確実に受領させ、**労働者の経済生活を脅かす**ことのないようにしてその保護を図ろうとするものというべきであるから、使用者が労働者に対して有する債権をもって労働者の賃金債権と相殺することを禁止する趣旨をも包含するものであるが、労働者がその自由な意思に基づき右相殺に同意した場合においては、右同意が労働者の自由な意思に基づいてされたものであると認めるに足りる**合理的な理由が客観的に存在する**ときは、右同意を得てした相殺は右規定に違反するものとはいえないものと解するのが相当である。もっとも、右全額払の原則の趣旨にかんがみると、右同意が**労働者の自由な意思**に基づくものであるとの認定判断は、厳格かつ慎重に行われなければならないことはいうまでもないところである。」としている。

7答18 ×　法24条１項、最二小昭和48.1.19シンガー・ソーイング・メシーン事件。最高裁判所の判例では、労働者の自由な意思に基づくものであると認めるに足る合理的な理由が客観的に存在していたものということができるときは、賃金債権の放棄の意思表示の効力を肯定して差し支えない、としている。

> 同判例では、「全額払の原則の趣旨とするところは、使用者が一方的に賃金を控除することを禁止し、もって労働者に賃金の全額を確実に受領させ、労働者の経済生活をおびやかすことのないようにしてその保護をはかろうとするものであるから、労働者が退職に際しみずから賃金に該当する退職金債権を放棄する旨の意思表示をした場合に、全額払の原則がその意思表示の効力を否定する趣旨のものであるとまで解することはできない」としている。

7答19 ○　最二小昭和48.1.19シンガー・ソーイング・メシーン事件。設問の通り正しい。

⑦問20 ☐☐☐ H30-6D 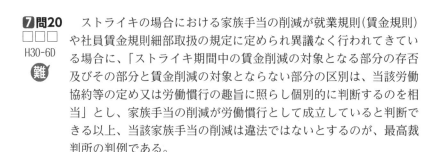 ストライキの場合における家族手当の削減が就業規則(賃金規則)や社員賃金規則細部取扱の規定に定められ異議なく行われてきている場合に、「ストライキ期間中の賃金削減の対象となる部分の存否及びその部分と賃金削減の対象とならない部分の区別は、当該労働協約等の定め又は労働慣行の趣旨に照らし個別的に判断するのを相当」とし、家族手当の削減が労働慣行として成立していると判断できる以上、当該家族手当の削減は違法ではないとするのが、最高裁判所の判例である。

⑦問21 ☐☐☐ R4-6イ 賃金の支払期限について、必ずしもある月の労働に対する賃金をその月中に支払うことを要せず、不当に長い期間でない限り、賃金の締切後ある程度の期間を経てから支払う定めをすることも差し支えない。

⑦問22 ☐☐☐ H30-6C 労働基準法では、年俸制をとる労働者についても、賃金は、毎月一回以上、一定の期日を定めて支払わなければならないが、各月の支払いを一定額とする(各月で等分して支払う)ことは求められていない。

⑦問23 ☐☐☐ H27-4E 労働基準法第24条第2項に定める一定期日払の原則は、期日が特定され、周期的に到来することを求めるものであるため、期日を「15日」等と暦日で指定する必要があり、例えば「月の末日」とすることは許されない。

⑦問24 ☐☐☐ R元-5C 労働基準法第24条第2項にいう「一定の期日」の支払については、「毎月15日」等と暦日を指定することは必ずしも必要ではなく、「毎月第2土曜日」のような定めをすることも許される。

7 答20 ○　法24条１項、最二小昭和56.9.18 三菱重工業長崎造船所事件。設問の通り正しい。

> 最高裁判所の判例では、「ストライキ期間中の賃金削減の対象となる部分の存否及びその部分と賃金削減の対象とならない部分の区別は、当該労働協約等の定め又は労働慣行の趣旨に照らし個別的に判断するのを相当とし、（中略）労基法37条５項が家族手当を割増賃金算定の基礎から除外すべきものと定めたのは、家族手当が労働者の個人的事情に基づいて支給される性格の賃金であって、これを割増賃金の基礎となる賃金に算入させることを原則とすることがかえって不適切な結果を生ずるおそれのあることを配慮したものであり、労働との直接の結びつきが薄いからといつて、その故にストライキの場合における家族手当の削減を直ちに違法とする趣旨までを含むものではなく、また、同法24条所定の賃金全額払の原則は、ストライキに伴う賃金削減の当否の判断とは何ら関係がない。」としている。

7 答21 ○　法24条２項。設問の通り正しい。

7 答22 ○　法11条、法24条２項。設問の通り正しい。

7 答23 ×　法24条２項。一定の期日を定めるに当たって、設問のように「月の末日」とすることは差支えないこととされている。

7 答24 ×　法24条２項。「毎月第２土曜日」のように、月７日の範囲で変動するような期日の定めをすることは許されないものと解されている。なお、設問の『「毎月15日」等と暦日を指定することは必ずしも必要ではなく』とする記述は正しい（「月の末日」等と定めることも認められる。）。

7 問25
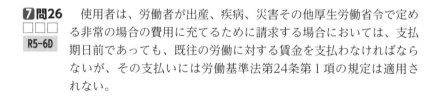
□□□
R5-6C

賃金の所定支払日が休日に当たる場合に、その支払日を繰り上げることを定めることだけでなく、その支払日を繰り下げることを定めることも労働基準法第24条第2項に定めるいわゆる一定期日払に違反しない。

7 問26
□□□
R5-6D

使用者は、労働者が出産、疾病、災害その他厚生労働省令で定める非常の場合の費用に充てるために請求する場合においては、支払期日前であっても、既往の労働に対する賃金を支払わなければならないが、その支払いには労働基準法第24条第1項の規定は適用されない。

7 問27
□□□
H29-6B

労働基準法第25条により労働者が非常時払を請求しうる事由は、労働者本人に係る出産、疾病、災害に限られず、その労働者の収入によって生計を維持する者に係る出産、疾病、災害も含まれる。

7 問28
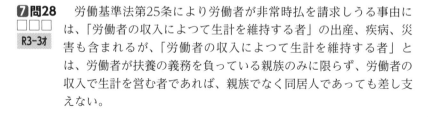
□□□
R3-3オ

労働基準法第25条により労働者が非常時払を請求しうる事由には、「労働者の収入によつて生計を維持する者」の出産、疾病、災害も含まれるが、「労働者の収入によつて生計を維持する者」とは、労働者が扶養の義務を負っている親族のみに限らず、労働者の収入で生計を営む者であれば、親族でなく同居人であっても差し支えない。

7 問29
□□□
R元-5D

労働基準法第25条により労働者が非常時払を請求しうる事由のうち、「疾病」とは、業務上の疾病、負傷をいい、業務外のいわゆる私傷病は含まれない。

7 問30
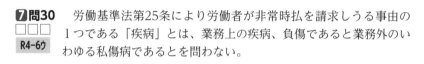
□□□
R4-6ウ

労働基準法第25条により労働者が非常時払を請求しうる事由の1つである「疾病」とは、業務上の疾病、負傷であると業務外のいわゆる私傷病であるとを問わない。

7 答25 ○　法24条 2 項。設問の通り正しい。

7 答26 ×　法24条 1 項、法25条。設問の法25条（非常時払）による賃金の支払についても、法24条 1 項の規定が適用される。

7 答27 ○　法25条、則 9 条 1 号。設問の通り正しい。

> **Point**
> 法25条にいう「非常の場合」とは、労働者又はその収入によって生計を維持する者が、次の①から⑥の事由に該当する場合をいう。
> ①出産
> ②疾病（業務上、業務外を問わない）
> ③災害（洪水、火災、地震等）
> ④結婚
> ⑤死亡
> ⑥やむを得ない事由による 1 週間以上の帰郷

7 答28 ○　法25条、則 9 条。設問の通り正しい。

7 答29 ×　法25条。設問の「疾病」には、業務外のいわゆる私傷病も含まれる。

7 答30 ○　法25条。設問の通り正しい。

>
> プラスα
> 疾病、災害は、業務上の疾病、負傷であると業務外のいわゆる私傷病であるとを問わない。洪水、火災等による災厄も災害に含まれると解して差し支えない。

7問**31**
□□□
H28-3D
使用者は、労働者が出産、疾病、災害等非常の場合の費用に充てるために請求する場合には、いまだ労務の提供のない期間も含めて支払期日前に賃金を支払わなければならない。

8 賃金の保障

過去問

8問**1**
□□□
H27-5
労働基準法第26条に定める休業手当に関する次の記述のうち、誤っているものはどれか。

なお、当該労働者の労働条件は次のとおりとする。

所定労働日：毎週月曜日から金曜日

所定休日：毎週土曜日及び日曜日

所定労働時間：1日8時間

賃金：日給15,000円

計算された平均賃金：10,000円

A 使用者の責に帰すべき事由によって、水曜日から次の週の火曜日まで1週間休業させた場合、使用者は、7日分の休業手当を支払わなければならない。

B 使用者の責に帰すべき事由により労働時間が4時間に短縮されたが、その日の賃金として7,500円の支払がなされると、この場合にあっては、使用者は、その賃金の支払に加えて休業手当を支払わなくても違法とならない。

C 就業規則の定めに則り、日曜日の休日を事業の都合によってあらかじめ振り替えて水曜日を休日とした場合、当該水曜日に休ませても使用者に休業手当を支払う義務は生じない。

D 休業手当の支払義務の対象となる「休業」とは、労働者が労働契約に従って労働の用意をなし、しかも労働の意思をもっているにもかかわらず、その給付の実現が拒否され、又は不可能となった場合をいうから、この「休業」には、事業の全部又は一部が停止される場合にとどまらず、使用者が特定の労働者に対して、その意思に反して、就業を拒否する場合も含まれる。

E 休電による休業については、原則として労働基準法第26条の使用者の責に帰すべき事由による休業に該当しない。

7答31 × 法25条。設問の場合においては、使用者は、「既往の労働に対する賃金」を支払わなければならないのであって、「いまだ労務の提供のない期間」に対する賃金を支払う必要はない。

8答1 **正解** **A**

A × 法26条、昭和24.3.22基収4077号。労働協約、就業規則又は労働契約により休日と定められている日については、休業手当を支給する義務は生じないものとされている。したがって、設問の場合、土曜日及び日曜日を除く5日分の休業手当を支払わなければならない。

B ○ 法26条、昭和27.8.7基収3445号。設問の通り正しい。設問の場合、現実に就労した時間に対して支払われた賃金の額(7,500円)が平均賃金の100分の60(6,000円)以上であるため、休業手当を支払わなくても違法とならない。

プラスα

現実に就労した時間に対して支払われる賃金が平均賃金の100分の60に相当する金額に満たないときは、その差額を休業手当として支払わなければならない。

C ○ 法26条、昭和24.3.22基収4077号、昭和63.3.14基発150号。設問の通り正しい。設問のいわゆる「振替休日」により休日が振り替えられた水曜日については、労働義務が消滅しており、その日に休ませても休業手当を支払う必要はない。

D ○ 法26条。設問の通り正しい。

E ○ 法26条、昭和26.10.11基発696号。設問の通り正しい。休電による休業は、使用者の責に帰すべき事由による休業に該当せず、休業手当の支払を要しない。

8問2
□□□
R5-1

下記のとおり賃金を支払われている労働者が使用者の責に帰すべき事由により半日休業した場合、労働基準法第26条の休業手当に関する次の記述のうち、正しいものはどれか。

     賃   金：日給   1日10,000円
     半日休業とした日の賃金は、半日分の5,000円が支払われた。
     平均賃金：7,000円

A　使用者は、以下の算式により2,000円の休業手当を支払わなければならない。

     7,000円－5,000円＝2,000円

B　半日は出勤し労働に従事させており、労働基準法第26条の休業には該当しないから、使用者は同条の休業手当ではなく通常の1日分の賃金10,000円を支払わなければならない。

C　使用者は、以下の算式により1,000円の休業手当を支払わなければならない。

     10,000円×0.6－5,000円＝1,000円

D　使用者は、以下の算式により1,200円の休業手当を支払わなければならない。

     (7,000円－5,000円)×0.6＝1,200円

E　使用者が休業手当として支払うべき金額は発生しない。

8問3
□□□
R3-4A改

労働基準法第26条は、債権者の責に帰すべき事由によって債務を履行することができない場合、債務者は反対給付を受ける権利を失わないとする民法の一般原則では労働者の生活保障について不十分である事実にかんがみ、強行法規で平均賃金の100分の60までを保障しようとする趣旨の規定であるが、賃金債権を全額確保しうる民法の規定を排除する点において、労働者にとって不利なものになっている。

8問4
□□□
R3-4C改
難

就業規則で「会社の業務の都合によって必要と認めたときは本人を休職扱いとすることがある」と規定し、更に当該休職者に対しその休職期間中の賃金は月額の2分の1を支給する旨規定することは違法ではないので、その規定に従って賃金を支給する限りにおいては、使用者に労働基準法第26条の休業手当の支払義務は生じない。

⑧答2　正解　E

　　法26条、昭和27.8.7基収3445号。法26条の「使用者の責に帰すべき事由」には、全1日の休業だけでなく、1日の一部を休業した場合（設問では半日休業）も含まれる。法26条の休業手当は、平均賃金の100分の60以上の金額（7,000円×0.6＝4,200円以上）を支払わなければならないとされているが、設問の場合、現実に労働した分の賃金として100分の60以上の金額（5,000円）が支払われているので、休業手当を支払う必要はない。したがって、Eが正しい。

⑧答3　×　法26条、昭和22.12.15基発502号。法26条は、強行法規をもって、**平均賃金の100分の60**までを保障しようとする趣旨の規定であって、賃金債権を全額確保しうる民法の規定を排除するものではないから、労働者にとって不利なものとはなっていない。

⑧答4　×　法26条、昭和23.7.12基発1031号。使用者は、就業規則に設問のような規定を定めると否とにかかわらず、使用者の責に帰すべき事由による休業に対しては、法26条の休業手当を支払わなければならない。なお、設問の就業規則の規定中「会社の業務の都合」が、使用者の責に帰すべき事由による休業に該当する場合において、就業規則に法26条の休業手当の額に満たない賃金を支給することを規定した場合、当該規定は無効となるものと解される。

8 問5
□□□
R3-4B改

　使用者が労働基準法第26条によって休業手当を支払わなければならないのは、使用者の責に帰すべき事由によって休業した日から休業した最終の日までであり、その期間における労働基準法第35条の休日及び労働協約、就業規則又は労働契約によって定められた同法第35条によらない休日を含むものと解されている。

8 問6
□□□
H29-6E

　労働基準法第26条に定める休業手当は、同条に係る休業期間中において、労働協約、就業規則又は労働契約により休日と定められている日については、支給する義務は生じない。

8 問7
□□□
R元-5E

　労働基準法第26条に定める休業手当は、賃金とは性質を異にする特別の手当であり、その支払については労働基準法第24条の規定は適用されない。

8 問8
□□□
R3-4D改

　親会社からのみ資材資金の供給を受けて事業を営む下請工場において、現下の経済情勢から親会社自体が経営難のため資材資金の獲得に支障を来し、下請工場が所要の供給を受けることができず、しかも他よりの獲得もできないため休業した場合、その事由は労働基準法第26条の「使用者の責に帰すべき事由」とはならない。

8 問9
□□□
H30-6E

　労働安全衛生法第66条による健康診断の結果、私傷病のため医師の証明に基づいて使用者が労働者に休業を命じた場合、使用者は、休業期間中当該労働者に、その平均賃金の100分の60以上の手当を支払わなければならない。

労基

8答5 ×　法26条、昭和24.3.22基収4077号。**労働協約、就業規則又は労働契約により休日と定められている日**については、法35条の休日であると、法35条によらない所定の休日であるとにかかわらず、休業手当を支給する義務はない。

8答6 ○　昭和24.3.22基収4077号。設問の通り正しい。

8答7 ×　法26条、昭和63.3.14基発150号。法26条の休業手当は賃金と解され、法24条(賃金支払5原則)の規定が適用される。

8答8 ×　法26条、昭和23.6.11基収1998号。設問の休業は、法26条の「使用者の責に帰すべき事由」に該当する。

> 使用者の責に帰すべき事由による休業に該当するもの。
> ・経営障害(材料不足、輸出不振、資金難、不況等)による休業
> ・解雇予告又は解雇予告手当の支払なしに解雇した場合の予告期間中の休業
> ・新規学卒採用内定者の自宅待機

8答9 ×　法26条、昭和63.3.14基発150号。労働安全衛生法66条の規定による健康診断の結果に基づく休業期間については、使用者は、労務の提供のなかった限度において賃金を支払わなくて差し支えないものとされており、当該休業期間中に休業手当を支払うことを要しない。

⑧問10
□□□
R5-6E

会社に法令違反の疑いがあったことから、労働組合がその改善を要求して部分ストライキを行った場合に、同社がストライキに先立ち、労働組合の要求を一部受け入れ、一応首肯しうる改善案を発表したのに対し、労働組合がもっぱら自らの判断によって当初からの要求の貫徹を目指してストライキを決行したという事情があるとしても、法令違反の疑いによって本件ストライキの発生を招いた点及びストライキを長期化させた点について使用者側に過失があり、同社が労働組合所属のストライキ不参加労働者の労働が社会観念上無価値となったため同労働者に対して命じた休業は、労働基準法第26条の「使用者の責に帰すべき事由」によるものであるとして、同労働者は同条に定める休業手当を請求することができるとするのが、最高裁判所の判例である。

⑧問11
□□□
R3-4E改
新規学卒者のいわゆる採用内定について、就労の始期が確定し、一定の事由による解約権を留保した労働契約が成立したとみられる場合、企業の都合によって就業の始期を繰り下げる、いわゆる自宅待機の措置をとるときは、その繰り下げられた期間について、労働基準法第26条に定める休業手当を支給すべきものと解されている。

⑧問12
□□□
H28-3E
労働基準法第27条に定める出来高払制の保障給は、労働時間に応じた一定額のものでなければならず、労働者の実労働時間の長短と関係なく1か月について一定額を保障するものは、本条の保障給ではない。

⑧問13
□□□
R4-6オ

労働基準法第27条に定める出来高払制の保障給について、同種の労働を行っている労働者が多数ある場合に、個々の労働者の技量、経験、年齢等に応じて、その保障給額に差を設けることは差し支えない。

8答10 ×　最二小昭和62.7.17ノース・ウエスト航空事件。定期航空運輸事業を営む会社に法令違反の疑いがあったことから、労働組合がその改善を要求して部分ストライキを行った場合であっても、同社がストライキに先立ち、労働組合の要求を一部受け入れ、一応首肯しうる改善案を発表したのに対し、労働組合がもっぱら自らの判断によって当初からの要求の貫徹を目指してストライキを決行したなど判示の事情があるときは、右ストライキにより労働組合所属のストライキ不参加労働者の労働が社会観念上無価値となったため同社が右不参加労働者に対して命じた休業は、労働基準法第26条の「使用者の責に帰すべき事由」によるものということができないとするのが最高裁判所の判例である。

8答11 ○　法26条、昭和63.3.14基発150号。設問の通り正しい。

8答12 ○　法27条。設問の通り正しい。

労働者が労働しない場合、それが**労働者の責**によるものであるときは、使用者は労基法第27条に規定する保障給を支払う必要はない。

8答13 ○　法27条。設問の通り正しい。

【最新問題】

1問1 労働基準法第41条の2に定めるいわゆる高度プロフェッショナ
□□□ ル制度は、同条に定める委員会の決議が単に行われただけでは足り
R6-5オ ず、使用者が、厚生労働省令で定めるところにより当該決議を所轄
労働基準監督署長に届け出ることによって、この制度を導入するこ
とができる。

【過去問】

9問1 労働基準法第41条第2号により、労働時間等に関する規定が適
□□□ 用除外される「機密の事務を取り扱う者」とは、必ずしも秘密書類
H27-6I を取り扱う者を意味するものでなく、秘書その他職務が経営者又は
監督若しくは管理の地位にある者の活動と一体不可分であって、厳
格な労働時間管理になじまない者をいう。

9問2 医師、看護師の病院での宿直業務は、医療法によって義務づけら
□□□ れるものであるから、労働基準法第41条第3号に定める「監視又
H27-6オ は断続的労働に従事する者」として、労働時間等に関する規定の適
難 用はないものとされている。

❶答1 ○ 法41条の2,1項、令和元.7.12基発0712第 2 号。設問の通り正しい。なお、決議内容の変更等のため再決議する場合は、再度、所轄労働基準監督署長に届け出る必要がある。

---

❾答1 ○ 法41条 2 号、昭和22.9.13発基17号。設問の通り正しい。

法41条 2 号に定める「監督又は管理の地位にある者（いわゆる管理監督者）」とは、一般的には、部長、工場長等労働条件の決定その他労務管理について経営者と一体的な立場にある者の意であり、名称にとらわれず、実態に即して判断すべきものとされている。具体的には、労働時間、休憩、休日等に関する規制の枠を超えて活動することが要請されざるを得ない、重要な職務と責任を有し、現実の勤務態様も、労働時間等の規制になじまないような立場にある者に限って管理監督者として適用除外が認められる趣旨であり、管理監督者の範囲を決めるに当たっては、**資格及び職位の名称にとらわれることなく、職務内容、責任と権限、勤務態様に着目する必要がある**とされている。また、管理監督者であるかの判定に当たっては、賃金等の待遇面についても無視し得ないものであり、定期給与である基本給、役付手当等において、その地位にふさわしい待遇がなされているか否か、ボーナス等の一時金の支給率、その算定基礎賃金等についても役付者以外の一般労働者に比し優遇措置が講じられているか否か等について留意する必要があるものとされている。

❾答2 × 法41条 3 号、則23条、令和元.7.1基発0701第 8 号。医師の宿直勤務については、医療法によって義務付けられているが、そのことをもって当然に労働時間等に関する規定の適用がないものとされるわけではない。医師、看護師については、一定の要件をすべて満たした上で、労働基準法施行規則23条の所轄労働基準監督署長の許可を受けなければ、労働時間等に関する規定の適用は除外されない。

9問3
□□□
R4-3A改

使用者が労働基準法施行規則第23条によって日直を断続的勤務として許可を受けた場合には、労働基準法第36条第1項の協定がなくとも、休日に日直をさせることができる。

9問4
□□□
R5-6B

いかなる事業場であれ、労働基準法に規定する協定等をする者を選出することを明らかにして実施される投票、挙手等の方法による手続により選出された者であって、使用者の意向に基づき選出された者でないこと、という要件さえ満たせば、労働基準法第24条第1項ただし書に規定する当該事業場の「労働者の過半数を代表する者」に該当する。

9問5
□□□
H29-4E改

（難）

本社、支店及び営業所の全てにおいてその事業場の労働者の過半数で組織する単一の労働組合がある会社において、本社において社長と当該単一労働組合の本部の長とが締結した労働基準法第36条に係る協定書に基づき、支店又は営業所がそれぞれ当該事業場の業務の種類、労働者数、所定労働時間等所要事項のみ記入して、所轄労働基準監督署長に届け出た場合、有効なものとして取り扱うこととされている。

9問6
□□□
R4-3E改

（難）

労働基準法第36条第1項の協定は、事業場ごとに締結するよう規定されているが、本社において社長と当該会社の労働組合本部の長とが締結した同法第36条第1項の協定に基づき、支店又は出張所がそれぞれ当該事業場の業務の種類、労働者数、所定労働時間等所要事項のみ記入して所轄労働基準監督署長に届け出た場合、当該組合が各事業場ごとにその事業場の労働者の過半数で組織されている限り、その取扱いが認められる。

9問7
□□□
R3-5B

使用者は、当該事業場に、労働者の過半数で組織する労働組合がある場合においてはその労働組合、労働者の過半数で組織する労働組合がない場合においては労働者の過半数を代表する者との書面による協定により、1か月以内の一定の期間を平均し1週間当たりの労働時間が労働基準法第32条第1項の労働時間を超えない定めをしたときは、同条の規定にかかわらず、その定めにより、特定された週において同項の労働時間又は特定された日において同条第2項の労働時間を超えて、労働させることができるが、この協定の効力は、所轄労働基準監督署長に届け出ることにより認められる。

9答3 ○　法36条1項、法41条3号、則23条、平成11.3.31基発168号。設問の通り正しい。

> 監視又は断続的労働従事者については、使用者が、所轄労働基準監督署長の許可を受けた者に限り、労働時間等に関する規定の適用が除外される。

9答4 ×　法24条1項ただし書、則6条の2,1項。「労働者の過半数を代表する者」は、設問のほかに、「法41条2号に規定する監督又は管理の地位にある者でないこと」という要件も満たさなければならない。

9答5 ○　平成11.3.31基発168号。設問の通り正しい。

> 36協定の効力は、その協定に定めるところによって労働させても労働基準法に違反しないという**免罰的効力**をもつものであり、労働者の民事上の義務は、当該協定から直接生じるものではなく、労働協約、就業規則等の根拠が必要とされている。

9答6 ○　平成11.3.31基発168号。設問の通り正しい。

> 労働組合が協定を締結する場合、全従業員の立場を代表して行うものであるので、組合員かどうかによって時間外労働の可否を分けることはできない。協定において「組合員について」と規定されていても、特段の合理的事情がない限り、時間外・休日労働協定の効力としては組合員以外の者にも及ぶ。

9答7 ×　法32条の2。設問のいわゆる1箇月単位の変形労働時間制における労使協定は、所轄労働基準監督署長への届出が効力発生要件となっているわけではない。

9 問8 労働基準法第32条の2に定めるいわゆる1か月単位の変形労働
□□□ 時間制を労使協定を締結することにより採用する場合、当該労使協
R4-7B 定を所轄労働基準監督署長に届け出ないときは1か月単位の変形労
働時間制の効力が発生しない。

10 労働時間

過去問

10 問1 貨物自動車に運転手が二人乗り込んで交替で運転に当たる場合に
□□□ おいて、運転しない者については、助手席において仮眠している間
H30-1イ は労働時間としないことが認められている。

10 問2 運転手が2名乗り込んで、1名が往路を全部運転し、もう1名
□□□ が復路を全部運転することとする場合に、運転しない者が助手席で
R2-6A 休息し又は仮眠している時間は労働時間に当たる。

10 問3 定期路線トラック業者の運転手が、路線運転業務の他、貨物の積
□□□ 込を行うため、小口の貨物が逐次持ち込まれるのを待機する意味で
R4-2B トラック出発時刻の数時間前に出勤を命ぜられている場合、現実に
貨物の積込を行う以外の全く労働の提供がない時間は、労働時間と
解されていない。

10 問4 労働安全衛生法第59条等に基づく安全衛生教育については、所
□□□ 定労働時間内に行うことが原則とされているが、使用者が自由意思
R4-2C によって行う教育であって、労働者が使用者の実施する教育に参加
難 することについて就業規則上の制裁等の不利益取扱による出席の強
制がなく自由参加とされているものについても、労働者の技術水準
向上のための教育の場合は所定労働時間内に行うことが原則であ
り、当該教育が所定労働時間外に行われるときは、当該時間は時間
外労働時間として取り扱うこととされている。

⑨答8 × 法32条の2,1項。1か月単位の変形労働時間制は、労使協定を締結することにより採用することができ、届け出ることで効力が発生するわけではない。なお、締結した労使協定は、所轄労働基準監督署長に届け出なければならない。

⑩答1 × 法32条、昭和33.10.11基収6286号。設問の時間は労働時間と解すべきものとされている。

> 貨物取扱いの事業場において、貨物の積込係が、貨物自動車の到着を待機して身体を休めている場合とか、運転手が2名乗り込んで交替で運転に当たる場合において運転しない者が助手席で休息し、又は仮眠しているときであってもそれは労働であり、その状態にある時間（手待時間）は労働時間である。

⑩答2 ○ 法32条、昭和33.10.11基収6286号。設問の通り正しい。

⑩答3 × 法32条、昭和33.10.11基収6286号。設問の場合、出勤を命ぜられ、一定の場所に拘束されている以上労働時間と解される。

⑩答4 × 昭和47.9.18基発602号、昭和63.3.14基発150号、婦発47号。労働者が使用者の実施する教育に参加することについて、就業規則上の制裁等の不利益取扱による出席の強制がなく自由参加のものであれば、時間外労働にはならない。

⑩問 5
□□□
R4-2A

労働安全衛生法により事業者に義務付けられている健康診断の実施に要する時間は、労働安全衛生規則第44条の定めによる定期健康診断、同規則第45条の定めによる特定業務従事者の健康診断等その種類にかかわらず、すべて労働時間として取り扱うものとされている。

⑩問 6
□□□
H27-67

労働者が、就業を命じられた業務の準備行為等を事業所内において行うことを義務付けられ、又はこれを余儀なくされたときであっても、当該行為を所定労働時間外において行うものとされている場合には、当該行為に要した時間は、労働基準法上の労働時間に該当しないとするのが、最高裁判所の判例である。

⑩問 7
□□□
H28-4A

労働基準法第32条の労働時間とは、「労働者が使用者の指揮命令下に置かれている時間をいい、右の労働時間に該当するか否かは、労働者の行為が使用者の指揮命令下に置かれたものと評価することができるか否かにより客観的に定まる」とするのが、最高裁判所の判例である。

⑩問 8
□□□
R4-2E

警備員が実作業に従事しない仮眠時間について、当該警備員が労働契約に基づき仮眠室における待機と警報や電話等に対して直ちに対応することが義務付けられており、そのような対応をすることが皆無に等しいなど実質的に上記義務付けがされていないと認めることができるような事情が存しないなどの事実関係の下においては、実作業に従事していない時間も含め全体として警備員が使用者の指揮命令下に置かれているものであり、労働基準法第32条の労働時間に当たるとするのが、最高裁判所の判例である。

⑩答5 ×　法32条、昭和47.9.18基発602号。いわゆる一般健康診断の実施に要する時間は、労働時間とは解されない。なお、特殊健康診断の実施に要する時間は労働時間と解される。

⑩答6 ×　法32条、最一小平成12.3.9三菱重工長崎造船所事件。最高裁判所の判例では、設問の行為に要した時間は、労働時間に当たるとしている。

[準備行為]
同判例では、「労働者が、就業を命じられた業務の準備行為等を事業所内において行うことを使用者から義務付けられ、又はこれを余儀なくされたときは、当該行為を所定労働時間外において行うものとされている場合であっても、当該行為は、特段の事情のない限り、使用者の指揮命令下に置かれたものと評価することができ、当該行為に要した時間は、それが社会通念上必要と認められるものである限り、労働基準法上の労働時間に該当すると解される」としている。

⑩答7 ○　法32条、最一小平成12.3.9三菱重工長崎造船所事件。設問の通り正しい。

⑩答8 ○　法32条、最一小平成14.2.28大星ビル管理事件。設問の通り正しい。

プラスα
同判例では、「本件仮眠時間についてみるに、前記事実関係によれば、従業員らは、本件仮眠時間中、労働契約に基づく義務として、仮眠室における待機と警報や電話等に対して直ちに相当の対応をすることを義務付けられているのであり、実作業への従事がその必要が生じた場合に限られるとしても、その必要が生じることが皆無に等しいなど実質的に上記のような義務付けがされていないと認めることができるような事情も存しないから、本件仮眠時間は全体として労働からの解放が保障されているとはいえず、労働契約上の役務の提供が義務付けられていると評価することができる。したがって、従業員らは、本件仮眠時間中は不活動仮眠時間も含めて会社の指揮命令下に置かれているものであり、本件仮眠時間は労基法上の労働時間に当たるというべきである。」としている。

⑩問9
□□□
R4-2D
難

事業場に火災が発生した場合、既に帰宅している所属労働者が任意に事業場に出勤し消火作業に従事した場合は、一般に労働時間としないと解されている。

⑩問10
□□□
H30-1オ

労働基準法第32条第1項は、「使用者は、労働者に、休憩時間を除き1週間について40時間を超えて、労働させてはならない。」と定めているが、ここにいう1週間は、例えば、日曜から土曜までと限定されたものではなく、何曜から始まる1週間とするかについては、就業規則等で別に定めることが認められている。

⑩問11
□□□
R元-6A

労働基準法第32条第2項にいう「1日」とは、午前0時から午後12時までのいわゆる暦日をいい、継続勤務が2暦日にわたる場合には、たとえ暦日を異にする場合でも1勤務として取り扱い、当該勤務は始業時刻の属する日の労働として、当該日の「1日」の労働とする。

⑩問12
□□□
H30-1ウ

常時10人未満の労働者を使用する小売業では、1週間の労働時間を44時間とする労働時間の特例が認められているが、事業場規模を決める場合の労働者数を算定するに当たっては、例えば週に2日勤務する労働者であっても、継続的に当該事業場で労働している者はその数に入るとされている。

⑩問13
□□□
R4-7A

使用者は、労働基準法別表第1第8号(物品の販売、配給、保管若しくは賃貸又は理容の事業)、第10号のうち映画の製作の事業を除くもの(映画の映写、演劇その他興行の事業)、第13号(病者又は虚弱者の治療、看護その他保健衛生の事業)及び第14号(旅館、料理店、飲食店、接客業又は娯楽場の事業)に掲げる事業のうち常時10人未満の労働者を使用するものについては、労働基準法第32条の規定にかかわらず、1週間について48時間、1日について10時間まで労働させることができる。

⑩問14
□□□
R5-7C
難

労働基準法に定められた労働時間規制が適用される労働者が事業主を異にする複数の事業場で労働する場合、労働基準法第38条第1項により、当該労働者に係る同法第32条・第40条に定める法定労働時間及び同法第34条に定める休憩に関する規定の適用については、労働時間を通算することとされている。

⑩答9 ✕　法32条、昭和63.3.14基発150号。設問の場合は、労働時間と解される。

⑩答10 ○　法32条、昭和63.1.1基発1号。設問の通り正しい。なお、就業規則等に別段の定めがない場合においては、法32条1項にいう「1週間」は**日曜から土曜までの暦週**をいうものと解される。

⑩答11 ○　法32条2項、昭和63.1.1基発1号。設問の通り正しい。

⑩答12 ○　法40条、則25条の2,1項。設問の通り正しい。

⑩答13 ✕　法32条、法40条1項、則25条の2,1項。設問のいわゆる特例事業の場合は、1週間について44時間、1日について8時間まで労働させることができる。

⑩答14 ✕　法38条1項、令和2.9.1基発0901第3号。法34条に定める休憩に関する規定の適用については、労働時間は通算されない。

> 「事業場を異にする場合」とは、1日のうち同一事業主に属する甲事業場で労働した後、乙事業場で労働する等の場合だけでなく、事業主を異にする場合も含む。

⑩問15
□□□
R5-7E
🈳(難)

使用者は、労働時間の適正な把握を行うべき労働者の労働日ごとの始業・終業時刻を確認し、これを記録することとされているが、その方法としては、原則として「使用者が、自ら現認することにより確認し、適正に記録すること」、「タイムカード、ＩＣカード、パソコンの使用時間の記録等の客観的な記録を基礎として確認し、適正に記録すること」のいずれかの方法によることとされている。

11 変形労働時間制

［最新問題］

❶問1
□□□
R6-57

労働基準法第32条の２に定めるいわゆる１か月単位の変形労働時間制を適用するに当たっては、常時10人未満の労働者を使用する使用者であっても必ず就業規則を作成し、１か月以内の一定の期間を平均し１週間当たりの労働時間が40時間を超えない定めをしなければならない。

［過去問］

⑪問1
□□□
R元-2D

１か月単位の変形労働時間制は、就業規則その他これに準ずるものによる定めだけでは足りず、例えば当該事業場に労働者の過半数で組織する労働組合がある場合においてはその労働組合と書面により協定し、かつ、当該協定を所轄労働基準監督署長に届け出ることによって、採用することができる。

⑪問2
□□□
R元-2A

１か月単位の変形労働時間制により労働者に労働させる場合にはその期間の起算日を定める必要があるが、その期間を１か月とする場合は、毎月１日から月末までの暦月による。

⑪問3
□□□
R元-2E

１か月単位の変形労働時間制においては、１日の労働時間の限度は16時間、１週間の労働時間の限度は60時間の範囲内で各労働日の労働時間を定めなければならない。

⑩答15 ○　法32条、平成29.1.20基発0120第３号。設問の通り正しい。

❶答１　×　法32条の2,1項、法89条、昭和22.9.13発基17号。常時10人未満の労働者を使用する事業で、１箇月単位の変形労働時間制を採用する場合には、就業規則の作成義務がないので、「その他これに準ずるもの」の作成によることができる。

⑪答１　×　法32条の2,1項、平成11.1.29基発45号。１箇月単位の変形労働時間制は、**労使協定により、又は就業規則その他これに準ずるものにより**採用することができるものとされているため、「就業規則その他これに準ずるもの」に定めた場合には、設問の過半数労働組合との書面による協定（労使協定）は不要である。また、労使協定により採用する場合においては、労使協定の締結により効力が発生するのであって、届出が効力発生要件となっているものではない。

⑪答２　×　法32条の2,1項、則12条の２。１箇月単位の変形労働時間制の変形期間を「１か月」とする場合においては、必ずしも毎月１日から末日までの暦月によるものとする必要はなく、「１日」以外の日を起算日とすることもできる。

⑪答３　×　法32条の2,1項、平成9.3.25基発195号。１箇月単位の変形労働時間制においては、１日の労働時間の限度は定められていない。また、変形期間として定められた期間を平均し１週間当たりの労働時間が法定労働時間を超えない範囲内において各労働日の労働時間を定めなければならない。

⑪問4
□□□
H27-61

労働基準法第32条の2に定めるいわゆる1か月単位の変形労働時間制が適用されるためには、単位期間内の各週、各日の所定労働時間を就業規則等において特定する必要があり、労働協約又は就業規則において、業務の都合により4週間ないし1か月を通じ、1週平均38時間以内の範囲内で就業させることがある旨が定められていることをもって、直ちに1か月単位の変形労働時間制を適用する要件が具備されているものと解することは相当ではないとするのが、最高裁判所の判例である。

⑪問5
□□□
H30-27改
常時10人以上の労働者を使用する使用者が労働基準法第32条の3に定めるいわゆるフレックスタイム制により労働者を労働させる場合は、就業規則により、その労働者に係る始業及び終業の時刻をその労働者の決定に委ねることとしておかなければならない。

⑪問6
□□□
H28-4B
労働基準法第32条の3に定めるいわゆるフレックスタイム制は、始業及び終業の時刻の両方を労働者の決定に委ねることを要件としており、始業時刻又は終業時刻の一方についてのみ労働者の決定に委ねるものは本条に含まれない。

⑪問7
□□□
R元-6B
労働基準法第32条の3に定めるいわゆるフレックスタイム制について、清算期間が1か月を超える場合において、清算期間を1か月ごとに区分した各期間を平均して1週間当たり50時間を超えて労働させた場合は時間外労働に該当するため、労働基準法第36条第1項の協定の締結及び届出が必要となり、清算期間の途中であっても、当該各期間に対応した賃金支払日に割増賃金を支払わなければならない。

⑪問8
□□□
R2-6B
労働基準法第32条の3に定めるいわゆるフレックスタイム制を実施する際には、清算期間の長さにかかわらず、同条に掲げる事項を定めた労使協定を行政官庁(所轄労働基準監督署長)に届け出なければならない。

労基

Ⅱ答4 ○　法32条の2、最一小平成14.2.28大星ビル管理事件。設問の通り正しい。

> 1箇月単位の変形労働時間制における労働日及び労働時間の特定は、労働者の生活設計を損なわないようにすることを趣旨としており、使用者が業務の都合によって任意に労働時間を変更するような制度は、当該制度に該当しない。

Ⅱ答5 ○　法32条の3,1項、昭和22.9.13発基17号。設問の通り正しい。法32条の3,1項においては「就業規則その他これに準ずるもの」により「その労働者に係る始業及び終業の時刻をその労働者の決定に委ねること」を定めることとされているが、常時10人以上の労働者を使用する使用者は、法89条で就業規則の作成義務があるので、「就業規則に準ずるもの」により当該事項を定めることはできず、必ず「就業規則」により定めなければならない。

Ⅱ答6 ○　法32条の3、平成11.3.31基発168号。設問の通り正しい。

> フレックスタイム制においては、始業及び終業の時刻の決定は労働者に委ねられているが、使用者には、労働時間の把握義務がある。

Ⅱ答7 ○　法32条の3,2項、平成30.12.28基発1228第15号。設問の通り正しい。

Ⅱ答8 ×　法32条の3,4項。1箇月以内の清算期間を定めてフレックスタイム制を実施する場合には、設問の労使協定を行政官庁に届け出る必要はない。

11 問9 労働基準法第32条の3に定めるいわゆるフレックスタイム制において、実際に労働した時間が清算期間における総労働時間として定められた時間に比べて過剰であった場合、総労働時間として定められた時間分はその期間の賃金支払日に支払い、総労働時間を超えて労働した時間分は次の清算期間中の総労働時間の一部に充当してもよい。

□□□
H30-17
難

11 問10 労働基準法第32条の4に定めるいわゆる一年単位の変形労働時間制の対象期間は、1か月を超え1年以内であれば、3か月や6か月でもよい。

□□□
H28-4C

11 問11 いわゆる一年単位の変形労働時間制においては、その労働日について、例えば7月から9月を対象期間の最初の期間とした場合において、この間の総休日数を40日と定めた上で、30日の休日はあらかじめ特定するが、残る10日については、「7月から9月までの間に労働者の指定する10日間について休日を与える。」として特定しないことは認められていない。

□□□
H30-2ウ

11 問12 いわゆる一年単位の変形労働時間制においては、隔日勤務のタクシー運転者等暫定措置の対象とされているものを除き、1日の労働時間の限度は10時間、1週間の労働時間の限度は54時間とされている。

□□□
H30-2イ

11 問13 労働基準法第32条の5に定めるいわゆる一週間単位の非定型的変形労働時間制は、小売業、旅館、料理店若しくは飲食店の事業の事業場、又は、常時使用する労働者の数が30人未満の事業場、のいずれか1つに該当する事業場であれば採用することができる。

□□□
H28-4D

11答9 × 法32条の3、平成31.4.1基発0401第43号。設問のように充当することは、その清算期間内における労働の対価の一部がその期間の賃金支払日に支払われないことになり、法24条の賃金全額払の原則に違反し、許されないものであるとされている。

11答10 ○ 法32条の4,1項2号。設問の通り正しい。

1年単位の変形労働時間制を採用する場合には、**労働時間の特例（週44時間）は適用されない**。

11答11 ○ 法32条の4、平成6.5.31基発330号。設問の通り正しい。

1年単位の変形労働時間制を採用する場合には、労使協定により、対象期間における労働日及び当該労働日ごとの労働時間を具体的に定めることを要し、**使用者が業務の都合によって任意に労働時間を変更するような制度は、これに該当しない**。

11答12 × 法32条の4,1項、3項、則12条の4,4項、平成11.3.31基発168号。いわゆる1年単位の変形労働時間制における1週間の労働時間の限度は**52時間**である。

11答13 × 法32条の5,1項、則12条の5,1項、2項。いわゆる1週間単位の非定型的変形労働時間制は、「**小売業、旅館、料理店**若しくは**飲食店の事業の事業場**」であること及び「常時使用する労働者の数が**30人未満の事業場**」であることの、いずれの要件も満たさなければ採用することができない。

12 休憩・休日

1 問1
□□□
R6-5イ
難

使用者は、労働基準法第33条の「災害その他避けることのできない事由」に該当する場合であっても、同法第34条の休憩時間を与えなければならない。

過 去 問

12 問1
□□□
R5-2エ改

労働基準法第34条第1項に定める「6時間を超える場合においては少くとも45分」とは、一勤務の実労働時間の総計が6時間を超え8時間までの場合は、その労働時間の途中に少なくとも45分の休憩を与えなければならないという意味であり、休憩時間の置かれる位置は問わない。

12 問2
□□□
R5-2ア改
難

休憩時間は、労働基準法第34条第2項により原則として一斉に与えなければならないとされているが、道路による貨物の運送の事業、倉庫における貨物の取扱いの事業には、この規定は適用されない。

12 問3
□□□
R5-2オ

工場の事務所において、昼食休憩時間に来客当番として待機させた場合、結果的に来客が1人もなかったとしても、休憩時間を与えたことにはならない。

12 問4
□□□
H29-1C

労働基準法第34条に定める休憩時間は、労働基準監督署長の許可を受けた場合に限り、一斉に与えなくてもよい。

①答1 ○　法34条1項。設問の通り正しい。

⑫答1 ○　法34条1項。設問の通り正しい。

　休憩時間は、労働時間の途中に与えなければならない。したがって、休憩時間を労働時間の始め又は終わりに与えることはできない。

⑫答2 ×　法34条2項、則31条。「道路による貨物の運送の事業」では、休憩を一斉に与える必要はないが、「倉庫における貨物の取扱いの事業」では、休憩を一斉に与えなければならない。

⑫答3 ○　法34条、平成11.3.31基発168号。設問の通り正しい。

⑫答4 ×　法34条2項、法38条2項ただし書、法40条、則31条。設問のような規定はない。なお、休憩時間は、原則として一斉に与えなければならないが、労使協定がある場合、法40条の休憩の特例が適用される事業である場合及び坑内労働の場合には、一斉に与えないことが認められている。

□□□
R5-2イ改
難 一昼夜交替制勤務は労働時間の延長ではなく二日間の所定労働時間を継続して勤務する場合であるから、労働基準法第34条の条文の解釈(一日の労働時間に対する休憩と解する)により一日の所定労働時間に対して1時間以上の休憩を与えるべきものと解して、2時間以上の休憩時間を労働時間の途中に与えなければならないとされている。

□□□
R5-2ウ改 休憩時間中の外出について所属長の許可を受けさせるのは、事業場内において自由に休息し得る場合には必ずしも労働基準法第34条第3項(休憩時間の自由利用)に違反しない。

□□□
H28-4E
難 労働基準法第34条に定める休憩時間は、労働者が自由に利用することが認められているが、休憩時間中に企業施設内でビラ配布を行うことについて、就業規則で施設の管理責任者の事前の許可を受けなければならない旨を定めることは、使用者の企業施設管理権の行使として認められる範囲内の合理的な制約であるとするのが、最高裁判所の判例である。

□□□
H29-1D 労働基準法第35条に定める「一回の休日」は、24時間継続して労働義務から解放するものであれば、起算時点は問わないのが原則である。

⓬答5 ×　法34条、昭和23.5.10基収1582号。一昼夜交替制においても法律上は、労働時間の途中において、法34条1項の休憩を与えればよいとされている。

⓬答6 ○　法34条3項、昭和23.10.30基発1575号。設問の通り正しい。

⓬答7 ○　法34条3項、最三小昭和52.12.13目黒電報電話局事件。設問の通り正しい。

「政治活動が、就業時間外であっても休憩時間中に行われる場合には他の従業員の休憩時間の自由利用を妨げ、ひいてはその後における作業能率を低下させるおそれのあることがあるなど、企業秩序の維持に支障をきたすおそれが強いものといわなければならない。したがって、一般私企業の使用者が、企業秩序維持の見地から、**就業規則により職場内における政治活動を禁止することは、合理的な定めとして許されるべきである。**…休憩時間の自由利用といってもそれは時間を自由に利用することが認められたものにすぎず、その時間の自由な利用が企業施設内において行われる場合には、**使用者の企業施設に対する管理権の合理的な行使として是認される範囲内の適法な規制による制約を免れることはできない。**」とするのが最高裁判所の判例である。

⓬答8 ×　昭和23.4.5基発535号。法35条に定める休日とは、暦日を指し午前0時から午後12時までの休業と解されている。

13 時間外及び休日の労働

過去問

13 問 1
□□□
R4-3D改

就業規則に所定労働時間を1日7時間、1週35時間と定めたときは、1週35時間を超え1週間の法定労働時間まで労働時間を延長する場合、各日の労働時間が8時間を超えずかつ休日労働を行わせない限り、労働基準法第36条第1項の協定をする必要はない。

13 問 2
□□□
R3-5A

令和3年4月1日から令和4年3月31日までを有効期間とする書面による時間外及び休日労働に関する協定を締結し、これを令和3年4月9日に厚生労働省令で定めるところにより所轄労働基準監督署長に届け出た場合、令和3年4月1日から令和3年4月8日までに行われた法定労働時間を超える労働は、適法なものとはならない。

13 問 3
□□□
R5-7B改
難

労使当事者は、労働基準法第36条第1項の協定(「時間外・休日労働協定」という。)において労働時間を延長し、又は休日に労働させることができる業務の種類について定めるに当たっては、業務の区分を細分化することにより当該業務の範囲を明確にしなければならない。

13 問 4
□□□
R3-5E

労働基準法第32条の3に定めるいわゆるフレックスタイム制を導入している場合の同法第36条による時間外労働に関する協定における1日の延長時間については、1日8時間を超えて行われる労働時間のうち最も長い時間数を定めなければならない。

13 問 5
□□□
R5-7A改
難

労働基準法第32条の3に定めるフレックスタイム制において同法第36条第1項の協定(「時間外・休日労働協定」という。)を締結する際、1日について延長することができる時間を協定する必要はなく、1か月及び1年について協定すれば足りる。

13答1 ○ 法36条1項、平成11.3.31基発168号。設問の通り正しい。各日の労働時間が8時間を超えず、かつ、休日労働を行わせない限り、法36条1項に基づく協定の必要はない。

13答2 ○ 法36条1項。設問の通り正しい。設問の時間外及び休日労働に関する協定（いわゆる36協定）は、これを所轄労働基準監督署長に届け出てはじめて適法に時間外労働等を行い得る。したがって、設問においては協定を届け出た令和3年4月9日からその効力が発生するため、令和3年4月1日から令和3年4月8日までに行われた法定労働時間を超える労働は、適法なものとはならない。

13答3 ○ 令和5.3.29厚労告108号。設問の通り正しい。

13答4 × 法32条の3、平成30.12.28基発1228第15号。フレックスタイム制を導入している場合における同法36条に定める時間外労働に関する協定においては、1日について延長することができる時間を協定する必要はなく、1箇月及び1年について協定すれば足りる。

13答5 ○ 法36条2項4号、平成30.12.28基発1228第15号。設問の通り正しい。

⑬問6
□□□
H27-6ウ

　労働基準法第32条の労働時間を延長して労働させることにつき、使用者が、当該事業場の労働者の過半数で組織する労働組合等と書面による協定(いわゆる36協定)を締結し、これを所轄労働基準監督署長に届け出た場合において、使用者が当該事業場に適用される就業規則に当該36協定の範囲内で一定の業務上の事由があれば労働契約に定める労働時間を延長して労働者を労働させることができる旨を定めていたとしても、36協定は私法上の権利義務を設定する効果を有しないため、当該就業規則の規定の内容が合理的なものであるか否かにかかわらず、労働者は労働契約に定める労働時間を超えて労働をする義務を負わないとするのが、最高裁判所の判例である。

⑬問7
□□□
R2-6C
　労働基準法第36条第3項に定める「労働時間を延長して労働させることができる時間」に関する「限度時間」は、1か月について45時間及び1年について360時間(労働基準法第32条の4第1項第2号の対象期間として3か月を超える期間を定めて同条の規定により労働させる場合にあっては、1か月について42時間及び1年について320時間)とされている。

⑬問8
□□□
H29-4B改
　坑内労働その他厚生労働省令で定める健康上特に有害な業務(以下本問において「坑内労働等」という。)の労働時間の延長は、1日について2時間を超えてはならないと規定されているが、坑内労働等とその他の労働が同一の日に行われる場合、例えば、坑内労働等に8時間従事した後にその他の労働に2時間を超えて従事させることは、労働基準法第36条による協定の限度内であっても本条に抵触する。

⑬問9
□□□
H29-4C
　坑内労働等の労働時間の延長は、1日について2時間を超えてはならないと規定されているが、休日においては、10時間を超えて休日労働をさせることを禁止する法意であると解されている。

⑬問10
□□□
R4-3B改
　小売業の事業場で経理業務のみに従事する労働者について、対象期間を令和4年1月1日から同年12月31日までの1年間とする労働基準法第36条第1項の協定をし、いわゆる特別条項により、1か月について95時間、1年について700時間の時間外労働を可能としている事業場においては、同年の1月に90時間、2月に70時間、3月に85時間、4月に75時間、5月に80時間の時間外労働をさせることができる。

⑬答6 ✕　法36条、最一小平成3.11.28日立製作所武蔵工場事件。「36協定は私法上の権利義務を設定する効果を有しない」とする記述は正しいが、「就業規則に当該36協定の範囲内で一定の業務上の事由があれば労働契約に定める労働時間を延長して労働者を労働させることができる旨定めているときは、**当該就業規則の規定の内容が合理的なものである限り、それが具体的労働契約の内容をなす**（私法上の権利義務を設定する）から、当該就業規則の規定の適用を受ける労働者は、その定めるところに従い、労働契約に定める労働時間を超えて労働をする義務を負うものと解するを相当とする」とするのが、最高裁判所の判例である。

⑬答7 〇　法36条3項、4項。設問の通り正しい。

⑬答8 ✕　法36条6項1号、平成31.4.1基発0401第43号。坑内労働等とその他の労働が同一日中に行われ、かつ、これら二種の労働の労働時間数の合計が1日についての法定労働時間を超えた場合においても、その日における坑内労働等の労働時間数が1日についての法定労働時間数に2時間を加えて得た時間数を超えないときは、法36条の手続きが取られている限り適法である。

⑬答9 〇　法36条6項1号、平成31.4.1基発0401第43号。設問の通り正しい。

⑬答10 ✕　法36条6項3号。設問の場合、1月～3月の3箇月間において、1箇月当たりの平均時間が80時間を超え、法36条6項3号［実労働時間の上限規制］に違反することになるので、このような時間外労働をさせることはできない。

14 割増賃金

14問1

□□□

H30-3

労働基準法第35条に定めるいわゆる法定休日を日曜とし、月曜から土曜までを労働日として、休日及び労働時間が次のように定められている製造業の事業場における、労働に関する時間外及び休日の割増賃金に関する記述のうち、正しいものはどれか。

日	月	火	水	木	金	土
休	6	6	6	6	6	6

労働日における労働時間は全て

　始業時刻：午前10時、終業時刻：午後5時、休憩：午後1時から1時間

A　日曜に10時間の労働があると、休日割増賃金の対象になるのは8時間で、8時間を超えた2時間は休日労働に加えて時間外労働も行われたことになるので、割増賃金は、休日労働に対する割増率に時間外労働に対する割増率を加算する必要がある。

B　日曜の午後8時から月曜の午前3時まで勤務した場合、その間の労働は全てが休日割増賃金対象の労働になる。

C　月曜の時間外労働が火曜の午前3時まで及んだ場合、火曜の午前3時までの労働は、月曜の勤務における1日の労働として取り扱われる。

D　土曜の時間外労働が日曜の午前3時まで及んだ場合、日曜の午前3時までの労働に対する割増賃金は、土曜の勤務における時間外労働時間として計算される。

E　日曜から水曜までは所定どおりの勤務であったが、木曜から土曜までの3日間の勤務が延長されてそれぞれ10時間ずつ労働したために当該1週間の労働時間が48時間になった場合、土曜における10時間労働の内8時間が割増賃金支払い義務の対象労働になる。

14問2

□□□

H29-4D改

1日の所定労働時間が8時間の事業場において、1時間遅刻をした労働者に所定の終業時刻を1時間繰り下げて労働させることは、時間外労働に従事させたことにはならないので、労働基準法第36条に規定する協定がない場合でも、労働基準法第32条違反ではない。

⑭答1 **正解 C**

A × 法37条1項、平成11.3.31基発168号。法定休日の労働時間が8時間を超えても、休日労働に対する割増率と時間外労働に対する割増率を加算する必要はなく、設問の場合には、深夜業(午後10時から午前5時までの労働)に該当しない限り、休日労働に対する割増賃金のみ支払うことで足りる。

B × 法37条1項、平成6.5.31基発331号。法定休日の勤務が延長されて翌日に及んだ場合は、法定休日である日の午前0時から午後12時までの時間帯に労働した部分が休日労働時間となる。したがって、設問の場合は日曜日の午後8時から同日の午後12時までが休日割増賃金対象の労働となる。

C ○ 法37条1項、昭和63.1.1基発1号。設問の通り正しい。

D × 法37条1項、平成6.5.31基発331号。法定休日の前日の勤務が延長されて法定休日に及んだ場合は、法定休日である日の午前0時から午後12時までの時間帯に労働した部分は休日労働時間となる。したがって、設問の場合、日曜日の午前0時から同日の午前3時までの労働は休日労働として計算される。

E × 法32条。設問の場合には、木曜及び金曜については、1日の法定労働時間(8時間)を超える部分(2時間)が時間外労働時間となる。また、金曜日の業務が終了した時点で当該週の労働時間の合計は、上記1日の法定労働時間を超える時間として計算した時間を除いて34時間(日0h+月6h+火6h+水6h+木8h+金8h=34h)であるため、土曜の労働のうち6時間(40時間-34時間)を超える時間が時間外労働となる。

⑭答2 ○ 平成11.3.31基発168号。設問の通り正しい。法32条(法定労働時間)又は法40条(労働時間及び休憩の特例)に定める労働時間は実労働時間をいうものであり、時間外労働について法36条1項に基づく協定を要するものは当該実労働時間を超えて労働させる場合に限られる。したがって、設問の取扱いは、法32条違反とはならない。

⑭問 3
□□□
R4-3C改

　労働者が遅刻をし、その時間だけ通常の終業時刻を繰り下げて労働させる場合に、一日の実労働時間を通算すれば労働基準法第32条又は第40条の労働時間を超えないときは、労働基準法第36条第1項に基づく協定及び労働基準法第37条に基づく割増賃金支払の必要はない。

⑭問 4
□□□
R2-6D

　労働基準法第37条は、「使用者が、第33条又は前条第1項の規定により労働時間を延長し、又は休日に労働させた場合」における割増賃金の支払について定めているが、労働基準法第33条又は第36条所定の条件を充足していない違法な時間外労働ないしは休日労働に対しても、使用者は同法第37条第1項により割増賃金の支払義務があり、その義務を履行しないときは同法第119条第1号の罰則の適用を免れないとするのが、最高裁判所の判例である。

⑭問 5
□□□
H29-1E

　休日労働が、8時間を超え、深夜業に該当しない場合の割増賃金は、休日労働と時間外労働の割増率を合算しなければならない。

⑭問 6
□□□
H29-1A

　1か月単位の変形労働時間制により、毎週日曜を起算日とする1週間について、各週の月曜、火曜、木曜、金曜を所定労働日とし、その所定労働時間をそれぞれ9時間、計36時間としている事業場において、その各所定労働日に9時間を超えて労働時間を延長すれば、その延長した時間は法定労働時間を超えた労働となるが、日曜から金曜までの間において所定どおり労働した後の土曜に6時間の労働をさせた場合は、そのうちの2時間が法定労働時間を超えた労働になる。

14答 3 ○ 平成11.3.31基発168号。設問の通り正しい。

交通機関の早朝ストライキ等のため始業終業時刻を繰り下げたり、繰り上げたりすることは、労働時間が通算して1日8時間又は週の法定労働時間以内の場合には、割増賃金の支払を要しない。

14答 4 ○ 法37条、最一小昭和35.7.14小島撚糸事件。設問の通り正しい。

労働基準法第33条(非常災害等)又は36条(36協定)所定の条件を充足していない違法な時間外労働ないし休日労働に対しても、使用者は同法第37条第1項により割増賃金の支払義務があり、その義務を履行しないときは同法第119条第1号の罰則の適用を免れないとされている。

14答 5 × 平成11.3.31基発168号。設問の割増賃金は、休日労働の割増率(3割5分)を用いる。

14答 6 ○ 平成6.3.31基発181号。設問の通り正しい。なお、設問は、1週間の労働時間の合計が42時間であるため、法定労働時間が44時間となる特例が適用される場合においては、1週間の法定労働時間を超えないことがあるが、平成29年の問1においては、他に正解肢(誤っているもの)となる肢があることから、相対的な判断により、当該設問は正しい内容であるとしている。

⑭問7
□□□
R元-2C

1か月単位の変形労働時間制により所定労働時間が、1日6時間とされていた日の労働時間を当日の業務の都合により8時間まで延長したが、その同一週内の1日10時間とされていた日の労働を8時間に短縮した。この場合、1日6時間とされていた日に延長した2時間の労働は時間外労働にはならない。

⑭問8
□□□
H29-1B

1か月単位の変形労働時間制により、毎週日曜を起算日とする1週間について、各週の月曜、火曜、木曜、金曜を所定労働日とし、その所定労働時間をそれぞれ9時間、計36時間としている事業場において、あらかじめ水曜の休日を前日の火曜に、火曜の労働時間をその水曜に振り替えて9時間の労働をさせたときは、水曜の労働はすべて法定労働時間内の労働になる。

⑭問9
□□□
H28-6

（難）

労働基準法第37条に定める時間外、休日及び深夜の割増賃金を計算するについて、労働基準法施行規則第19条に定める割増賃金の基礎となる賃金の定めに従えば、通常の労働時間1時間当たりの賃金額を求める計算式のうち、正しいものはどれか。

なお、当該労働者の労働条件は次のとおりとする。

　　　賃金：基本給のみ　月額300,000円
　　　年間所定労働日数：240日
　　　計算の対象となる月の所定労働日数：21日
　　　計算の対象となる月の暦日数：30日
　　　所定労働時間：午前9時から午後5時まで
　　　休憩時間：正午から1時間

A　300,000円÷（21×7）

B　300,000円÷（21×8）

C　300,000円÷（30÷7×40）

D　300,000円÷（240×7÷12）

E　300,000円÷（365÷7×40÷12）

⑭答7 ○　法32条の2,1項、平成6.3.31基発181号。設問の通り正しい。1箇月単位の変形労働時間制においては、1日については、労使協定又は就業規則等により1日の法定労働時間(8時間)を超える時間を定めた日はその時間、それ以外の日は1日の法定労働時間(8時間)を超えて労働した時間が時間外労働となる。また、1週間については、労使協定又は就業規則等により週法定労働時間を超える時間を定めた週はその時間、それ以外の週は週法定労働時間を超えて労働した時間(1日について時間外労働となる時間を除く。)が時間外労働となる。設問においては、1日6時間とされていた日について8時間労働させたが、上記の1日について時間外労働となる時間に該当しないため、これにより新たな時間外労働が発生するものではない。また、同一週内において2時間分労働時間を短縮しているため、1週間についても新たに時間外労働が発生するものではない。

⑭答8 ×　平成6.3.31基発181号。休日振替の結果、就業規則で1日8時間を超える所定労働時間が設定されていない日に1日8時間を超えて労働させることになる場合には、その超える時間は時間外労働となる。設問の場合は、水曜日は休日であり、1日8時間を超える所定労働時間が設定されていないため、法定労働時間の8時間を超える1時間分が時間外労働時間となる。

⑭答9 **正解　D**　則19条1項4号。設問は、月によって賃金が定められているため、労働基準法施行規則19条1項4号により、「**月によって定められた賃金**については、その金額を月における所定労働時間数(月によって所定労働時間数が異る場合には、1年間における1月平均所定労働時間数)で除した金額」が通常の労働時間1時間当たりの賃金額となる。設問の場合、年間所定労働日数は240日であり、これを月平均すると1月当たり20日となるが、設問の計算の対象となる月の所定労働日数は21日であることから、「月によって所定労働時間数が異る場合」に該当することとなる。したがって、「月によって定められた賃金を1年間における1月平均所定労働時間数で除した金額」が通常の労働時間1時間当たりの賃金額となる。

よって、Dの300,000円÷(240×7÷12)が正しい計算式となる。なお、上記計算式において240とは年間所定労働日数、7とは1日の所定労働時間数(午前9時から午後5時までの8時間から休憩時間1時間を差し引いた数)、12とは1年の暦月数のことである。

⑭問10 医療法人と医師との間の雇用契約において労働基準法第37条に
□□□ 定める時間外労働等に対する割増賃金を年俸に含める旨の合意がさ
R4-7C れていた場合、「本件合意は、上告人の医師としての業務の特質に
難 照らして合理性があり、上告人が労務の提供について自らの裁量で
律することができたことや上告人の給与額が相当高額であったこと
等からも、労働者としての保護に欠けるおそれはないから、上告人
の当該年俸のうち時間外労働等に対する割増賃金に当たる部分が明
らかにされておらず、通常の労働時間の賃金に当たる部分と割増賃
金に当たる部分とを判別することができないからといって不都合は
なく、当該年俸の支払により、時間外労働等に対する割増賃金が支
払われたということができる」とするのが、最高裁判所の判例であ
る。

⑭問11 労働基準法第37条第3項に基づくいわゆる代替休暇を与えるこ
□□□ とができる期間は、同法第33条又は同法第36条第1項の規定によ
R4-7D って延長して労働させた時間が1か月について60時間を超えた当
該1か月の末日の翌日から2か月以内の範囲内で、労使協定で定め
た期間とされている。

⑭答10 ×　最二小平成29.7.7医療社団法人康心会事件。「当該年俸のうち時間外労働等に対する割増賃金に当たる部分が明らかにされておらず、通常の労働時間の賃金に当たる部分と割増賃金に当たる部分とを判別することができないという事情の下では、当該年俸の支払により、時間外労働等に対する割増賃金が支払われたということはできない。」とするのが、最高裁判所の判例である。

⑭答11 ○　則19条の2,1項3号。設問の通り正しい。

代替休暇の単位については、まとまった単位で与えられることにより労働者の休息の機会とする観点から、1日又は半日とされており、労使協定では、その一方又は両方を代替休暇の単位として定める必要がある。

⑭問12 　「いわゆる定額残業代の支払を法定の時間外手当の全部又は一部
□□□
R元-6D の支払とみなすことができるのは、定額残業代を上回る金額の時間
外手当が法律上発生した場合にその事実を労働者が認識して直ちに
支払を請求することができる仕組み（発生していない場合にはその
ことを労働者が認識することができる仕組み）が備わっており、こ
れらの仕組みが雇用主により誠実に実行されているほか、基本給と
定額残業代の金額のバランスが適切であり、その他法定の時間外手
当の不払や長時間労働による健康状態の悪化など労働者の福祉を
損なう出来事の温床となる要因がない場合に限られる。」とするの
が、最高裁判所の判例である。

⑭答12 × 最一小平成30.7.19日本ケミカル事件。設問は、雇用契約において時間外労働等の対価とされていた定額の手当の支払により労働基準法37条の割増賃金が支払われたということができるかを争った事件についての、原審の判断に関する記述であるが、最高裁判所の判決では、「労働基準法37条や他の労働関係法令が、当該手当の支払によって割増賃金の全部又は一部を支払ったものといえるために、**前記（設問の記述）のとおり原審が判示するような事情が認められることを必須のものとしているとは解されない。**」としたうえで、「原審の判断には、割増賃金に関する法令の解釈適用を誤った違法がある」としている。

> プラスα
>
> 設問の判例では、法37条（割増賃金）の趣旨について「労働基準法37条が時間外労働等について割増賃金を支払うべきことを使用者に義務付けているのは、使用者に割増賃金を支払わせることによって、時間外労働等を抑制し、もって労働時間に関する同法の規定を遵守させるとともに、労働者への補償を行おうとする趣旨によるものであると解される」としている。また、定額残業代の支払について「割増賃金の算定方法について労働基準法37条並びに政令及び厚生労働省令の関係規定（以下、これらの規定を「労働基準法37条等」という。）に具体的に定められているところ、同条（法37条）は、労働基準法37条等に定められた方法により算定された額を下回らない額の割増賃金を支払うことを義務付けるにとどまるものと解され、**労働者に支払われる基本給や諸手当にあらかじめ含めることにより割増賃金を支払うという方法自体が直ちに同条に反するものではなく**、使用者は、労働者に対し、雇用契約に基づき、時間外労働等に対する対価として定額の手当を支払うことにより、同条（法37条）の割増賃金の全部又は一部を支払うことができる。」としている。
> さらに、「雇用契約においてある手当が時間外労働等に対する対価として支払われるものとされているか否かは、**雇用契約に係る契約書等の記載内容のほか、具体的事案に応じ、使用者の労働者に対する当該手当や割増賃金に関する説明の内容、労働者の実際の労働時間等の勤務状況などの事情を考慮して判断すべきである。**しかし、労働基準法37条や他の労働関係法令が、当該手当の支払によって割増賃金の全部又は一部を支払ったものといえるために、**前記（設問の記述）のとおり原審が判示するような事情が認められることを必須のものとしているとは解されない。**」としている。

15 みなし労働時間制

15問1
□□□
R6-5ウ

労働者が情報通信技術を利用して行う事業場外勤務(テレワーク)においては、「情報通信機器が、使用者の指示により常時通信可能な状態におくこととされていないこと」さえ満たせば、労働基準法第38条の2に定めるいわゆる事業場外みなし労働時間制を適用することができる。

15問2
□□□
R6-5エ

使用者は、労働基準法第38条の3に定めるいわゆる専門業務型裁量労働制を適用するに当たっては、当該事業場に、労働者の過半数で組織する労働組合があるときはその労働組合、労働者の過半数で組織する労働組合がないときは労働者の過半数を代表する者との書面による協定により、専門業務型裁量労働制を適用することについて「当該労働者の同意を得なければならないこと及び当該同意をしなかつた当該労働者に対して解雇その他不利益な取扱いをしてはならないこと。」を定めなければならない。

過去問

15問1
□□□
R元-6C

労働基準法第38条の2に定めるいわゆる事業場外労働のみなし労働時間制に関する労使協定で定める時間が法定労働時間以下である場合には、当該労使協定を所轄労働基準監督署長に届け出る必要はない。

15問2
□□□
H29-4A改

労働時間等の設定の改善に関する特別措置法第7条により労働時間等設定改善委員会が設置されている事業場においては、その委員の5分の4以上の多数による議決により決議が行われたときは、当該決議を労働基準法第36条に規定する労使協定に代えることができるが、当該決議は、所轄労働基準監督署長への届出は免除されていない。

⑮答1 ×　法38条の2、令和3.3.25基発0325第2号。次の①及び②のいずれの要件も満たす形態で行われる事業場外勤務について、原則として、法38条の2に規定する事業場外みなし労働時間制を適用することができるとされている。①情報通信機器が、使用者の指示により常時通信可能な状態におくこととされていないこと。②随時使用者の具体的な指示に基づいて行っていないこと。

⑮答2 ○　法38条の3,1項6号、則24条の2の2,3項1号。設問の通り正しい。

---

⑮答1 ○　法38条の2,3項、則24条の2,3項。設問の通り正しい。

事業場外労働のみなし労働時間制に係る労使協定は、労使協定で定める時間が法定労働時間以下である場合は届け出なくてもよいが、専門業務型裁量労働制に係る労使協定は、当該協定で定める時間の長さにかかわらず、所轄労働基準監督署長に届け出なければならない。

⑮答2 ○　法36条1項、労働時間等設定改善法7条。設問の通り正しい。

16 年次有給休暇

16 問1
R6-6A改

月曜日から金曜日まで１日の所定労働時間が４時間の週５日労働で、１週間の所定労働時間が20時間である労働者が、雇入れの日から起算して６か月間継続勤務し全労働日の８割以上出勤した場合に労働基準法第39条の規定により当該労働者に付与される年次有給休暇は、５労働日である。

16 問2
R6-6B改

月曜日から木曜日まで１日の所定労働時間が８時間の週４日労働で、１週間の所定労働時間が32時間である労働者が、雇入れの日から起算して６か月間継続勤務し全労働日の８割以上出勤した場合に労働基準法第39条の規定により当該労働者に付与される年次有給休暇は、次の計算式により７労働日である。

〔計算式〕10日×４日／5.2日≒7.69日　端数を切り捨てて７日

16 問3
R6-6C

令和６年４月１日入社と同時に10労働日の年次有給休暇を労働者に付与した使用者は、このうち５日については、令和７年９月30日までに時季を定めることにより与えなければならない。

16 問4
R6-6D改

使用者の時季指定による年５日以上の年次有給休暇の取得について、労働者が半日単位で年次有給休暇を取得した日数分については、労働基準法第39条第８項の「日数」に含まれ、当該日数分について使用者は時季指定を要しないが、労働者が時間単位で取得した分については、同条第８項の「日数」には含まれないとされている。

16 問5
R6-6E改

産前産後の女性が労働基準法第65条の規定によって休業した期間及び生理日の就業が著しく困難な女性が同法第68条の規定によって就業しなかった期間は、同法第39条第１項「使用者は、その雇入れの日から起算して６か月間継続勤務し全労働日の８割以上出勤した労働者に対して、継続し、又は分割した10労働日の有給休暇を与えなければならない。」の適用においては、これを出勤したものとみなす。

16 答1　×　法39条1項、3項、則24条の3,4項。設問の場合は、週5日労働であるため、比例付与の対象ではなく、労働者に付与される年次有給休暇は、10労働日である。

16 答2　×　法39条1項、3項、則24条の3,1項。設問の場合は、1週間の所定労働時間が32時間のため、比例付与の対象ではなく、通常の労働者と同じく10労働日の年次有給休暇が付与される。

16 答3　×　法39条7項、則24条の5,1項、平成30.9.7基発0907第1号。設問の場合は、「令和7年3月31日」までに時季を定めることにより与えなければならない。

16 答4　○　法39条7項、8項、平成30.12.28基発1228第15号。設問の通り正しい。

Point　半日単位の年休については、労働者からの希望があれば0.5日として使用者による時季指定の対象となり、これを取得した場合は5日から控除することができるが、時間単位年休については、使用者による時季指定の対象とはならず、その時間分を5日から控除することはできない。

16 答5　×　法39条10項、平成22.5.18基発0518第1号。「産前産後の女性が労働基準法第65条の規定によって休業した期間」は、出勤したものとみなされるが、「生理日の就業が著しく困難な女性が同法第68条の規定によって就業しなかった期間」は、出勤したものとはみなされない。

16問1
□□□
R4-7E

年次有給休暇の権利は、「労基法39条1、2項の要件が充足されることによつて法律上当然に労働者に生ずる権利ということはできず、労働者の請求をまつて始めて生ずるものと解すべき」であり、「年次〔有給〕休暇の成立要件として、労働者による『休暇の請求』や、これに対する使用者の『承認』を要する」とするのが、最高裁判所の判例である。

16問2
□□□
H28-7B

全労働日と出勤率を計算するに当たり、法定休日を上回る所定の休日に労働させた場合におけるその日は、全労働日に含まれる。

16問3
□□□
H28-7C

年次有給休暇を取得した日は、出勤率の計算においては、出勤したものとして取り扱う。

16問4
□□□
R元-6E

労働基準法第39条に定める年次有給休暇は、1労働日(暦日)単位で付与するのが原則であるが、半日単位による付与については、年次有給休暇の取得促進の観点から、労働者がその取得を希望して時季を指定し、これに使用者が同意した場合であって、本来の取得方法による休暇取得の阻害とならない範囲で適切に運用されている場合には認められる。

16 答 1 ✕ 最二小昭和48.3.2白石営林署事件。年次有給休暇の権利は、「労働基準法39条1項、2項の要件が充足されることによって法律上当然に労働者に生ずる権利であって、労働者の請求を待って始めて生ずるものではなく」、また「年次有給休暇の成立要件として、労働者による休暇の請求や、これに対する使用者の承認の観念を容れる余地はないものと言わなければならない」とするのが、最高裁判所の判例である。

> 最高裁判所の判例では、「年次有給休暇の権利は、労基法39条の要件の充足により、**法律上当然に労働者に生ずる**ものであって、その具体的な権利行使にあたっても、年次有給休暇の成立要件として「使用者の承認」という観念を容れる余地はない。年次有給休暇の利用目的は労基法の関知しないところであり、休暇をどのように利用するかは、**使用者の干渉を許さない労働者の自由である**、とするのが法の趣旨であると解するのが相当である。」としている。

16 答 2 ✕ 法39条1項、平成25.7.10基発0710第3号。所定の休日に労働させた場合には、その日は、全労働日に含まれない。

> **Point** 全労働日とは、労働契約により労働義務のあるすべての日をいう。つまり、一般には、6箇月(又は1年)の総暦日数から所定の休日(就業規則等で定められているその事業場の休日)を除いたものが全労働日となる。

16 答 3 ○ 法39条1項、平成6.3.31基発181号。設問の通り正しい。

> プラスα
> <出勤率の算定上出勤したものとみなす日>
> ・業務上負傷し又は疾病にかかり療養のために休業した期間
> ・育児休業期間
> ・介護休業期間
> ・産前産後の休業期間
> ・年次有給休暇取得日
> ・労働者の責に帰すべき事由によるとはいえない不就労日(一定のものを除く。)

16 答 4 ○ 法39条1項、2項、昭和63.3.14基発150号、平成21.5.29基発0529001号。設問の通り正しい。

16 問5
□□□
H28-7E
難

所定労働時間が年の途中で1日8時間から4時間に変更になった。この時、変更前に年次有給休暇の残余が10日と5時間の労働者であった場合、当該労働者が変更後に取得できる年次有給休暇について、日数の10日は変更にならないが、時間数の方は5時間から3時間に変更される。

16 問6
□□□
R3-2E

労働基準法第39条に従って、労働者が日を単位とする有給休暇を請求したとき、使用者は時季変更権を行使して、日単位による取得の請求を時間単位に変更することができる。

16 問7
□□□
R5-7D

労働基準法第39条第5項ただし書にいう「事業の正常な運営を妨げる場合」か否かの判断に当たり、勤務割による勤務体制がとられている事業場において、「使用者としての通常の配慮をすれば、勤務割を変更して代替勤務者を配置することが客観的に可能な状況にあると認められるにもかかわらず、使用者がそのための配慮をしないことにより代替勤務者が配置されないときは、必要配置人員を欠くものとして事業の正常な運営を妨げる場合に当たるということはできないと解するのが相当である。」とするのが、最高裁判所の判例である。

16 問8
□□□
R2-6E

使用者は、労働基準法第39条第7項の規定により労働者に有給休暇を時季を定めることにより与えるに当たっては、あらかじめ、同項の規定により当該有給休暇を与えることを当該労働者に明らかにした上で、その時季について当該労働者の意見を聴かなければならず、これにより聴取した意見を尊重するよう努めなければならない。

16 問9
□□□
H28-7A

休職発令により従来配属されていた所属を離れ、以後は単に会社に籍があるにとどまり、会社に対して全く労働の義務が免除されることとなる場合において、休職発令された者が年次有給休暇を請求したときは、労働義務がない日について年次有給休暇を請求する余地がないことから、これらの休職者は年次有給休暇請求権の行使ができないと解されている。

16答5 ○ 法39条4項、平成21.10.5基発1005第1号。設問の通り正しい。年の途中で所定労働時間の変更があった場合、時間単位年休として取得できる範囲のうち、1日未満の時間単位で保有している部分については、労働者の1日の所定労働時間の変動に比例して時間数が変更される（1時間未満の端数は切り上げ）。

16答6 × 法39条5項、平成21.5.29基発0529001号。日単位による年次有給休暇の取得を請求した場合に時間単位に変更することは、時季変更に当たらず、認められない。

16答7 ○ 最二小昭和62.7.10弘前電報電話局事件。設問の通り正しい。

労働基準法39条5項は、「使用者は、法39条第1項から同条第4項までの規定による有給休暇を労働者の請求する時季に与えなければならない。ただし、請求された時季に有給休暇を与えることが事業の正常な運営を妨げる場合においては、他の時季にこれを与えることができる。」と規定している。

16答8 ○ 法39条7項、則24条の6。設問の通り正しい。

使用者による時季指定の規定に違反した場合、使用者は、**30万円以下**の罰金に処せられる。

16答9 ○ 法39条、昭和31.2.13基収489号。設問の通り正しい。

年次有給休暇は、**賃金の減収を伴うことなく労働義務の免除を受ける**ものであるから、**休日その他労働義務の課せられていない日**については、**原則として、その権利を行使することができない**。

⓰問10
□□□
H28-7D

育児介護休業法に基づく育児休業申出後には、育児休業期間中の日について年次有給休暇を請求する余地はないが、育児休業申出前に育児休業期間中の日について時季指定や労使協定に基づく計画付与が行われた場合には、当該日には年次有給休暇を取得したものと解され、当該日に係る賃金支払日については、使用者に所要の賃金支払いの義務が生じるものとされている。

17 年少者の労働契約に関する規制

過去問

⓱問1
□□□
H29-7A

労働基準法第56条第1項は、「使用者は、児童が満15歳に達するまで、これを使用してはならない。」と定めている。

⓱問2
□□□
H29-7B

使用者は、児童の年齢を証明する戸籍証明書を事業場に備え付けることを条件として、満13歳以上15歳未満の児童を使用することができる。

18 年少者の労働時間等

過去問

⓲問1
□□□
H30-1エ

使用者は、労働基準法第56条第1項に定める最低年齢を満たした者であっても、満18歳に満たない者には、労働基準法第36条の協定によって時間外労働を行わせることはできないが、同法第33条の定めに従い、災害等による臨時の必要がある場合に時間外労働を行わせることは禁止されていない。

16答10 ○　法39条、平成3.12.20基発712号。設問の通り正しい。

17答1 ×　法56条1項。設問の「満15歳に達するまで」は、正しくは「満15歳に達した日以後の最初の3月31日が終了するまで」である。

17答2 ×　法56条2項。法56条2項によれば、使用者は、法別表第1第1号から第5号までに掲げる事業以外の事業(いわゆる非工業的事業)に係る職業で、児童の健康及び福祉に有害でなく、かつ、その労働が軽易なものについては、行政官庁の許可を受けて、満13歳以上の児童をその者の修学時間外に使用することができるものとされている。したがって、設問のように「児童の年齢を証明する戸籍証明書を事業場に備え付けること」を条件としているわけではない。なお、使用者は、年少者を使用する場合には、法57条1項の規定により、その年齢を証明する戸籍証明書を事業場に備え付けなければならないものとされている。

18答1 ○　法60条1項、平成11.3.31基発168号。設問の通り正しい。

Point　災害等又は公務のために臨時の必要がある場合には、年少者にも時間外・休日労働をさせることができるが、36協定によって時間外・休日労働をさせることはできない。

18問2
□□□
R3-5C

労働基準法第33条では、災害その他避けることのできない事由によって、臨時の必要がある場合においては、使用者は、所轄労働基準監督署長の許可を受けて、その必要の限度において同法第32条から第32条の5まで又は第40条の労働時間を延長し、労働させることができる旨規定されているが、満18才に満たない者については、同法第33条の規定は適用されない。

18問3
□□□
R5-3D

災害等による臨時の必要がある場合の時間外労働等を規定した労働基準法第33条第1項は年少者にも適用されるが、妊産婦が請求した場合においては、同項を適用して時間外労働等をさせることはできない。

18問4
□□□
R元-2B

1か月単位の変形労働時間制は、満18歳に満たない者及びその適用除外を請求した育児を行う者については適用しない。

18問5
□□□
H29-7C

労働基準法第56条第2項の規定によって使用する児童の法定労働時間は、修学時間を通算して1週間について40時間、及び修学時間を通算して1日について7時間とされている。

18問6
□□□
R5-3E

年少者の、深夜業に関する労働基準法第61条の「使用してはならない」、危険有害業務の就業制限に関する同法第62条の「業務に就かせてはならない」及び坑内労働の禁止に関する同法第63条の「労働させてはならない」は、それぞれ表現が異なっているが、すべて現実に労働させることを禁止する趣旨である。

18答2 ×　法33条1項、法60条1項、平成11.3.31基発168号。満18歳に満たない者についても、法33条(災害等による臨時の必要がある場合の時間外労働等)の規定は適用される。

18答3 ○　法60条1項、法66条2項、平成11.3.31基発168号。設問の通り正しい。

18答4 ×　法60条1項、法66条1項、則12条の6。「適用除外を請求した育児を行う者」について1箇月単位の変形労働時間制を適用しない旨の規定はない。なお、満18歳に満たない者について1箇月単位の変形労働時間制を適用しない旨の記述は正しい。

- 使用者は、**妊産婦**が請求した場合においては、1箇月単位の変形労働時間制、1年単位の変形労働時間制及び1週間単位の非定型的変形労働時間制の規定にかかわらず、1週間について、又は1日について**法定労働時間を超えて労働させてはならない**。
- 使用者は、1箇月単位の変形労働時間制、1年単位の変形労働時間制又は1週間単位の非定型的変形労働時間制の規定により労働者に労働させる場合には、**育児を行う者**、老人等の介護を行う者、職業訓練又は教育を受ける者その他特別の配慮を要する者については、これらの者が**育児等に必要な時間を確保できるような配慮**をしなければならない。

18答5 ○　法60条2項。設問の通り正しい。

18答6 ○　法61条、法62条、法63条。設問の通り正しい。

過去問

19問1
□□□
R5-3A
年少者を坑内で労働させてはならないが、年少者でなくても、妊娠中の女性及び坑内で行われる業務に従事しない旨を使用者に申し出た女性については、坑内で行われるすべての業務に就かせてはならない。

19問2
□□□
R2-3A
使用者は、女性を、30キログラム以上の重量物を取り扱う業務に就かせてはならない。

19問3
□□□
R2-3B
使用者は、女性を、さく岩機、鋲打機等身体に著しい振動を与える機械器具を用いて行う業務に就かせてはならない。

19問4
□□□
R2-3E
使用者は、産後1年を経過しない女性が、動力により駆動される土木建築用機械の運転の業務に従事しない旨を使用者に申し出た場合、その女性を当該業務に就かせてはならない。

19問5
□□□
R2-3D
使用者は、産後1年を経過しない(労働基準法第65条による休業期間を除く。)女性を、高さが5メートル以上の場所で、墜落により労働者が危害を受けるおそれのあるところにおける業務に就かせてもよい。

19問6
□□□
R2-3C
使用者は、妊娠中の女性を、つり上げ荷重が5トン以上のクレーンの運転の業務に就かせてはならない。

⑲答 1 ×　法63条、法64条の2,1号。妊娠中の女性及び坑内で行われる業務に従事しない旨を使用者に申し出た産後１年を経過しない女性については、坑内で行われるすべての業務に就かせてはならない。

⑲答 2 ○　法64条の3,2項、女性則２条１項１号、３条。設問の通り正しい。

> 使用者は、すべての女性を、「30キログラム以上の重量物を取り扱う業務」及び「一定の有害物を発散する場所における一定の業務」に就かせてはならない。

⑲答 3 ×　法64条の3,2項、女性則２条１項24号、３条。「さく岩機、鋲打機等身体に著しい振動を与える機械器具を用いて行う業務」に就かせてはならないこととされているのは、妊娠中の女性及び産後１年を経過しない女性であり、すべての女性について、当該業務に就かせることが制限されているわけではない。

⑲答 4 ○　法64条の3,1項、女性則２条１項７号、２項。設問の通り正しい。

⑲答 5 ○　法64条の3,1項、女性則２条１項14号、２項。設問の通り正しい。設問の業務に就かせてはならないこととされているのは、妊娠中の女性であり、産後１年を経過しない女性について当該業務に就かせることは、制限されていない。

⑲答 6 ○　法64条の3,1項、女性則２条１項４号。設問の通り正しい。

19問7 6週間（多胎妊娠の場合にあっては、14週間）以内に出産する予
□□□ 定の女性労働者については、当該女性労働者の請求が産前の休業の
R3-6D 条件となっているので、当該女性労働者の請求がなければ、労働基
準法第65条第1項による就業禁止に該当しない。

19問8 使用者は、産後8週間（女性が請求した場合において、その者に
□□□ ついて医師が支障がないと認めた業務に就かせる場合は6週間）を
R3-6C 経過しない女性を就業させてはならないが、出産当日は、産前6
週間に含まれる。

19問9 労働基準法第65条第3項は原則として妊娠中の女性が請求した
□□□ 業務に転換させる趣旨であるが、新たに軽易な業務を創設して与え
R3-6E る義務まで課したものではない。

19問10 労働基準法第65条の「出産」の範囲は、妊娠4か月以上の分娩
□□□ をいうが、1か月は28日として計算するので、4か月以上という
R3-6A のは、85日以上ということになる。

19問11 労働基準法第65条の「出産」の範囲に妊娠中絶が含まれること
□□□ はない。
R3-6B

19問12 女性労働者が妊娠中絶を行った場合、産前6週間の休業の問題は
□□□ 発生しないが、妊娠4か月（1か月28日として計算する。）以後行っ
R5-3B た場合には、産後の休業について定めた労働基準法第65条第2項
の適用がある。

⑲答7 ○　法65条1項。設問の通り正しい。

> 産前休業の場合、女性労働者が休業を請求しない場合には、使用者は
> 引き続き就業させることができる。

⑲答8 ○　法65条、昭和25.3.31基収4057号。設問の通り正しい。

> 使用者は、産後8週間を経過しない女性を就業させてはならない。た
> だし、産後6週間を経過した女性が請求した場合において、その者に
> ついて医師が支障がないと認めた業務に就かせることは、差し支えない。

⑲答9 ○　法65条3項、昭和61.3.20基発151号・婦発69号。設問の通り
正しい。

⑲答10 ○　法65条、昭和23.12.23基発1885号。設問の通り正しい。

> 「出産」とは、妊娠4箇月（1箇月は28日で計算するので、28日×3
> 月＋1日＝85日）以上の分娩をいい、正常分娩に限らず、早産、流産、
> 死産も含まれる。

⑲答11 ×　法65条、昭和26.4.2婦発113号。出産の範囲は妊娠4か月以
上の分娩であるため、妊娠4か月以後行った妊娠中絶も出産に含
まれる。

⑲答12 ○　法65条2項、昭和26.4.2婦発113号。設問の通り正しい。

20 妊産婦の労働時間等

⑳問 1
□□□
H29-7D

使用者は、すべての妊産婦について、時間外労働、休日労働又は深夜業をさせてはならない。

⑳問 2
□□□
R3-5D

労働基準法第32条又は第40条に定める労働時間の規定は、事業の種類にかかわらず監督又は管理の地位にある者には適用されないが、当該者が妊産婦であって、前記の労働時間に関する規定を適用するよう当該者から請求があった場合は、当該請求のあった規定については適用される。

⑳問 3
□□□
H29-7E

使用者は、生理日の就業が著しく困難な女性が休暇を請求したときは、その者を生理日に就業させてはならないが、請求にあたっては医師の診断書が必要とされている。

21 就業規則、寄宿舎

㉑問 1
□□□
R6-7A

労働基準法第89条第1号から第3号までの絶対的必要記載事項の一部が記載されていない就業規則は他の要件を具備していても無効とされている。

⑳答1 ×　法66条2項、3項。使用者は、妊産婦が請求した場合においては、時間外労働、休日労働又は深夜業をさせてはならない。したがって、「すべての妊産婦」を対象としているわけではない。

プラスα

> 使用者は、妊産婦が請求した場合においては、法32条の2,1項(1箇月単位の変形労働時間制)、法32条の4,1項(1年単位の変形労働時間制)及び法32条の5,1項(1週間単位の非定型的変形労働時間制)の規定にかかわらず、1週間について、又は1日について法定労働時間を超えて労働させてはならない。

⑳答2 ×　法41条、法66条、昭和61.3.20基発151号 婦発69号。設問の請求があった場合でも、法32条又は法40条等の労働時間に関する規定は適用されない。妊産婦のうち、法41条に該当する者(監督又は管理の地位にある者)については、労働時間に関する規定が適用されないため、法66条1項〔変形労働時間制の適用制限〕及び法66条2項〔時間外・休日労働の制限〕の規定は適用の余地がないとされている。

⑳答3 ×　法68条、昭和63.3.14基発150号・婦発47号。設問のいわゆる生理休暇の請求にあたって、医師の診断書を必要とする旨の規定はない。

プラスα

> 生理休暇中の賃金については、労働契約、労働協約又は就業規則で定めるところにより、支給しても支給しなくても差し支えない。

㉑答1 ×　法89条、平成11.3.31基発168号。就業規則が絶対的必要記載事項の一部を欠いている場合は、法89条違反にはなるが、このような就業規則であっても、その効力発生についての他の要件を具備する限り有効である。

㉑問2
□□□
R6-7C

同一事業場において、労働基準法第3条に反しない限りにおいて、一部の労働者についてのみ適用される別個の就業規則を作成することは差し支えないが、別個の就業規則を定めた場合には、当該2以上の就業規則を合したものが同法第89条の就業規則となるのであって、それぞれ単独に同条の就業規則となるものではないとされている。

㉑問3
□□□
R6-7D
難

育児介護休業法による育児休業も、労働基準法第89条第1号の休暇に含まれるものであり、育児休業の対象となる労働者の範囲等の付与要件、育児休業取得に必要な手続、休業期間については、就業規則に記載する必要があるとされている。

㉑問4
□□□
R6-7E

労働基準法第41条第3号の「監視又は断続的労働に従事する者で、使用者が行政官庁の許可を受けたもの」は、同法の労働時間に関する規定が適用されないが、就業規則には始業及び終業の時刻を定めなければならないとされている。

㉑問5
□□□
R6-7B

事業の附属寄宿舎に労働者を寄宿させる使用者は、「起床、就寝、外出及び外泊に関する事項」、「行事に関する事項」、「食事に関する事項」、「安全及び衛生に関する事項」及び「建設物及び設備の管理に関する事項」について寄宿舎規則を作成し、行政官庁に届け出なければならないが、これらはいわゆる必要的記載事項であるから、そのいずれか一つを欠いても届出は受理されない。

過去問

㉑問1
□□□
H28-5A

労働基準法第89条所定の事項を個々の労働契約書に網羅して記載すれば、使用者は、別途に就業規則を作成していなくても、本条に規定する就業規則の作成義務を果たしたものとなる。

㉑問2
□□□
R元-7A

労働基準法第89条に定める「常時10人以上の労働者」の算定において、1週間の所定労働時間が20時間未満の労働者は0.5人として換算するものとされている。

21 答2 ○ 法89条、平成11.3.31基発168号。設問の通り正しい。

21 答3 ○ 法89条、平成11.3.31基発168号。設問の通り正しい。なお、育児介護休業法においては、育児休業の対象者、申出手続、育児休業期間等が具体的に定められているので、育児介護休業法の定めるところにより育児休業を与える旨の定めがあれば、記載義務は満たしていると解されている。

21 答4 ○ 法89条、昭和23.12.25基収4281号。設問の通り正しい。

21 答5 ○ 法95条1項。設問の通り正しい。寄宿舎規則は、その作成及び届出義務が規定されているだけでなく、使用者には、寄宿舎規則を寄宿舎に寄宿する労働者に周知させることが義務づけられている。

21 答1 × 法89条。法89条所定の事項を個々の労働契約書に網羅して記載してあっても、使用者は、本条に規定する「作成」の義務を免れるものではない。

21 答2 × 法9条、法89条。設問のような、1週間の所定労働時間が20時間未満の労働者を0.5人として換算する規定はない。

常時10人以上の労働者を使用するとは、時としては10人未満になることはあっても、常態として10人以上の労働者を使用しているという意味である。

問3
□□□
R2-7D

　１つの企業が２つの工場をもっており、いずれの工場も、使用している労働者は10人未満であるが、２つの工場を合わせて１つの企業としてみたときは10人以上となる場合、２つの工場がそれぞれ独立した事業場と考えられる場合でも、使用者は就業規則の作成義務を負う。

問4
□□□
R2-7C

　派遣元の使用者は、派遣中の労働者だけでは常時10人以上にならず、それ以外の労働者を合わせてはじめて常時10人以上になるときは、労働基準法第89条による就業規則の作成義務を負わない。

問5
□□□
H30-7C

　常時10人以上の労働者を使用する使用者は、就業規則に制裁の定めをする場合においては、その種類及び程度に関する事項を必ず記載しなければならず、制裁を定めない場合にはその旨を必ず記載しなければならない。

問6
□□□
R3-7A

　労働基準法第89条第１号から第３号までの絶対的必要記載事項の一部を記載しない就業規則も、その効力発生についての他の要件を具備する限り有効であり、使用者は、そのような就業規則を作成し届け出れば同条違反の責任を免れることができるが、行政官庁は、このような場合においては、使用者に対し、必要な助言及び指導を行わなければならない。

問7
□□□
H28-5C

　退職手当制度を設ける場合には、適用される労働者の範囲、退職手当の決定、計算及び支払の方法、退職手当の支払の時期に関する事項について就業規則に規定しておかなければならないが、退職手当について不支給事由又は減額事由を設ける場合に、これらを就業規則に記載しておく必要はない。

答3 × 　法89条。労働基準法89条の就業規則の作成義務が課せられる要件である「常時10人以上の労働者を使用する」については、企業単位ではなく**事業場を単位**としてみるものである。したがって、設問のように2つの工場がそれぞれ独立した事業場と考えられる場合には、いずれの工場も「常時10人以上の労働者を使用する」との要件を満たさず、就業規則の作成義務を負わない。

答4 × 　法89条、昭和61.6.6基発333号。派遣元の使用者が労働基準法89条の就業規則の作成義務を負うのは、派遣中の労働者とそれ以外の労働者を合わせて常時10人以上の労働者を使用している場合とされているため、設問の場合は同条の就業規則の作成義務を負う。

答5 × 　法89条9号。設問の「制裁」に関する事項は、いわゆる就業規則の相対的必要記載事項であるため、その定めをしない場合には、定めをしない旨を就業規則に記載する必要はない。

答6 × 　法89条、平成11.3.31基発168号。設問の場合には、使用者は法89条違反の責任を免れない。なお、設問のうち、就業規則の効力の発生に関する記述は正しい。

就業規則の絶対的必要記載事項は、次に掲げるものである。
①始業及び終業の時刻、休憩時間、休日、休暇並びに労働者を2組以上に分けて交替に就業させる場合においては就業時転換に関する事項
②賃金(臨時の賃金等を除く。以下同じ。)の決定、計算及び支払の方法、賃金の締切り及び支払の時期並びに昇給に関する事項
③退職に関する事項(解雇の事由を含む。)

答7 × 　法89条3号の2、平成11.3.31基発168号。退職手当について不支給事由又は減額事由を設ける場合には、これは退職手当の決定及び計算方法に関する事項に該当するので、就業規則に記載する必要がある。

㉑問8
□□□
H30-7B

就業規則の記載事項として、労働基準法第89条第1号にあげられている「休暇」には、育児介護休業法による育児休業も含まれるが、育児休業の対象となる労働者の範囲、育児休業取得に必要な手続、休業期間については、育児介護休業法の定めるところにより育児休業を与える旨の定めがあれば記載義務は満たしている。

㉑問9
□□□
R2-7A

慣習等により、労働条件の決定変更につき労働組合との協議を必要とする場合は、その旨を必ず就業規則に記載しなければならない。

㉑問10
□□□
R元-7E

同一事業場において、労働者の勤務態様、職種等によって始業及び終業の時刻が異なる場合は、就業規則には、例えば「労働時間は1日8時間とする」と労働時間だけ定めることで差し支えない。

㉑問11
□□□
H28-5B

労働基準法第41条第3号に定める「監視又は断続的労働に従事する者で、使用者が行政官庁の許可を受けたもの」については、労働基準法の労働時間、休憩及び休日に関する規定が適用されないから、就業規則に始業及び終業の時刻を定める必要はない。

㉑問12
□□□
R3-7B

欠勤（病気事故）したときに、その日を労働者の請求により年次有給休暇に振り替える取扱いが制度として確立している場合には、当該取扱いについて就業規則に規定する必要はない。

㉑問13
□□□
R元-7C

就業規則の作成又は変更について、使用者は、当該事業場の労働者の過半数で組織する労働組合がある場合においてはその労働組合、それがない場合には労働者の過半数を代表する者と協議決定することが要求されている。

㉑問14
□□□
H27-7C

労働基準法第90条第1項が、就業規則の作成又は変更について、当該事業場の過半数労働組合、それがない場合においては労働者の過半数を代表する者の意見を聴くことを使用者に義務づけた趣旨は、使用者が一方的に作成・変更しうる就業規則に労働者の団体的意思を反映させ、就業規則を合理的なものにしようとすることにある。

21答8 ○ 法89条1号、平成11.3.31基発168号。設問の通り正しい。

21答9 × 法89条、昭和23.10.30基発1575号。設問の内容を就業規則に記載するか否かは、当事者の自由であるとされている。

21答10 × 法89条1号、平成11.3.31基発168号。同一の事業場において、労働者の勤務態様、職種等によって始業及び終業の時刻が異なる場合は、就業規則に、勤務態様、職種等の別ごとに始業及び終業の時刻を規定しなければならず、設問のような規定だけでは要件を満たさない。

21答11 × 法41条3号、法89条1号、昭和23.12.25基収4281号。法41条3号の許可を受けた者についても法89条(就業規則の作成及び届出の義務)は適用されるので、就業規則には始業及び終業の時刻を定めなければならない。

21答12 × 法89条、昭和63.3.14基発150号。設問の場合には、就業規則に規定することが必要である。

21答13 × 法90条1項、昭和25.3.15基収525号。就業規則の作成又は変更にあたっては、設問の労働組合等の意見を聴かなければならないのであり、労働組合等との協議決定を要求するものではない。

21答14 ○ 法90条1項。設問の通り正しい。

⑳問15 同一事業場において、パートタイム労働者について別個の就業規
□□□ 則を作成する場合、就業規則の本則とパートタイム労働者について
H30-7A の就業規則は、それぞれ単独で労働基準法第89条の就業規則とな
るため、パートタイム労働者に対して同法第90条の意見聴取を行
う場合、パートタイム労働者についての就業規則についてのみ行え
ば足りる。

⑳問16 同一事業場において当該事業場の全労働者の3割について適用
□□□ される就業規則を別に作成する場合、当該事業場において当該就業
R3-7C 規則の適用を受ける労働者のみの過半数で組織する労働組合又は当
該就業規則の適用を受ける労働者のみの過半数を代表する者の意見
を聴くことで、労働基準法第90条による意見聴取を行ったことと
される。

⑳問17 労働基準法第90条第2項は、就業規則の行政官庁への届出の際
□□□ に、当該事業場の過半数労働組合、それがない場合においては労働
H27-7D改 者の過半数を代表する者の意見を記した書面を添付することを使用
難 者に義務づけているが、過半数労働組合もしくは過半数代表者が故
意に意見を表明しない場合は、意見を聴いたことが客観的に証明で
きる限り、これを受理するよう取り扱うものとされている。

⑳問18 労働基準法第90条に定める就業規則の作成又は変更の際の意見
□□□ 聴取について、労働組合が故意に意見を表明しない場合には、意見
R2-7B改 を聴いたことが客観的に証明できる限り、行政官庁(所轄労働基準
監督署長)は、就業規則を受理するよう取り扱うものとされている。

⑳問19 労働基準法上就業規則の作成義務のない、常時10人未満の労働
□□□ 者を使用する使用者が作成した就業規則についても、労働基準法に
H27-7A いう「就業規則」として、同法第91条(制裁規定の制限)、第92条
(法令及び労働協約との関係)及び第93条(労働契約との関係)の規
定は適用があると解されている。

⑳問20 労働者が、遅刻・早退をした場合、その時間に対する賃金額を減
□□□ 給する際も労働基準法第91条による制限を受ける。
R2-7E

答15 ×　法89条、法90条、昭和63.3.14基発150号。同一の事業場において一部の労働者についてのみ適用される就業規則を別に作成する場合には、一部の労働者に適用される就業規則は単独では法89条の就業規則とはならず、その事業場の就業規則の一部であるから、その作成に際しての法90条の意見聴取については、**当該事業場の全労働者の過半数代表者等**の意見を聴くことが必要である。

答16 ×　法90条、昭和63.3.14基発150号。設問のように同一事業場において一部の労働者についてのみ適用される就業規則を別に作成する場合においても、当該事業場の就業規則の一部分であるから、その作成又は変更に際しては、当該事業場に、全労働者の過半数で組織する労働組合がある場合においてはその労働組合、全労働者の過半数で組織する労働組合がない場合においては全労働者の過半数を代表する者の意見を聴かなければならない。

答17 ○　法90条2項、昭和23.10.30基発1575号。設問の通り正しい。

答18 ○　法90条、昭和23.10.30基発1575号。設問の通り正しい。

答19 ○　法89条。設問の通り正しい。

答20 ×　法91条、昭和63.3.14基発150号。設問の場合は労働基準法91条(制裁規定の制限)による制限を受けない。

㉑問21 服務規律違反に対する制裁として一定期間出勤を停止する場合、当該出勤停止期間中の賃金を支給しないことは、減給制限に関する労働基準法第91条違反となる。

H28-5D

㉑問22 就業規則中に、懲戒処分を受けた場合には昇給させない旨の欠格条件を定めることは、労働基準法第91条に違反するものとして許されない。

R元-7D

㉑問23 就業規則中に懲戒処分を受けた場合は昇給させないという欠格条件を定めることは、労働基準法第91条に違反する。

R3-7D

㉑問24 労働基準法第91条にいう「一賃金支払期における賃金の総額」とは、「当該賃金支払期に対し現実に支払われる賃金の総額」をいい、一賃金支払期に支払われるべき賃金の総額が欠勤や遅刻等により少額となったときは、その少額となった賃金総額を基礎として10分の1を計算しなければならない。

R3-7E

㉑問25 労働基準法第92条第1項は、就業規則は、法令又は当該事業場について適用される労働協約に反してはならないと規定しているが、当該事業場の労働者の一部しか労働組合に加入していない結果、労働協約の適用がその事業場の一部の労働者に限られているときには、就業規則の内容が労働協約の内容に反する場合においても、当該労働協約が適用されない労働者については就業規則の規定がそのまま適用されることになる。

H27-7E

㉑問26 都道府県労働局長は、法令又は労働協約に抵触する就業規則を定めている使用者に対し、必要な助言、指導又は勧告をすることができ、勧告をした場合において、その勧告を受けた者がこれに従わなかったときは、その旨を公表することができる。

H30-7E

㉑問27 行政官庁が、法令又は労働協約に抵触する就業規則の変更を命じても、それだけで就業規則が変更されたこととはならず、使用者によって所要の変更手続がとられてはじめて就業規則が変更されたこととなる。

H28-5E

21答21 ✕ 　法91条、昭和23.7.3基収2177号。就業規則に出勤停止及びその期間中の賃金を支払わない定めがある場合において、労働者がその出勤停止の制裁を受けるに至った場合、当該出勤停止期間中の賃金を受けられないことは、制裁としての出勤停止の当然の結果であって、減給の制裁に関する法91条とは関係がないため、同条違反となるものではない。

21答22 ✕ 　法91条、昭和26.3.31基収938号。設問の就業規則の定めは、法91条の減給の制裁には該当せず、同条に違反しないものと解されている。

21答23 ✕ 　法91条、昭和26.3.31基収938号。設問の定めは法91条(制裁規定の制限)に違反しない。

21答24 ◯ 　法91条、昭和25.9.8基収1338号。設問の通り正しい。

賞与から減額する場合も、１回の事由については平均賃金の１日分の半額を超え、また、総額については１賃金支払期の総額(賞与額)の10分の１を超えてはならない。

21答25 ◯ 　法92条１項、労働契約法13条。設問の通り正しい。就業規則が労働協約に反する場合には、当該反する部分については、就業規則の効力に関する規定(最低基準効・労働契約規律効)は、当該労働協約の適用を受ける労働者との間の労働契約については、適用しないとされているが、当該労働協約が適用されない労働者については、就業規則の規定がそのまま適用されることとなる。

21答26 ✕ 　法92条２項。都道府県労働局長に設問のような権限を与える規定はない。なお、行政官庁(所轄労働基準監督署長)は、法令又は労働協約に抵触する就業規則の変更を命ずることができるとされている。

21答27 ◯ 　法92条２項。設問の通り正しい。

就業規則の変更命令は、**文書**で**所轄労働基準監督署長**がこれを行うものとされている。

㉑問28 労働基準法第89条が使用者に就業規則への記載を義務づけている事項以外の事項を、使用者が就業規則に自由に記載することは、労働者にその同意なく労働契約上の義務を課すことにつながりかねないため、使用者が任意に就業規則に記載した事項については、就業規則の労働契約に対するいわゆる最低基準効は認められない。

H27-7B

難

22 監督機関

過去問

㉒問1 労働基準監督官は、労働基準法違反の罪について、刑事訴訟法に規定する司法警察官の職務を行うほか、労働基準法第24条に定める賃金並びに同法第37条に定める時間外、休日及び深夜の割増賃金の不払については、不払をしている事業主の財産を仮に差し押さえる職務を行う。

R2-2C

㉒問2 使用者は、事業を開始した場合又は廃止した場合は、遅滞なくその旨を労働基準法施行規則の定めに従い所轄労働基準監督署長に報告しなければならない。

R2-2E

㉒問3 労働基準法及びこれに基づく命令に定める許可、認可、認定又は指定の申請書は、各々2通これを提出しなければならない。

R2-2D

㉑答28 ✕ 法89条、労働契約法12条、平成24.8.10基発0810第2号。使用者が任意に就業規則に記載した事項であっても、就業規則の労働契約に対する最低基準効〔就業規則で定める基準に達しない労働条件を定める労働契約は、その部分については、無効とする。この場合において、無効となった部分は、就業規則で定める基準による（労働契約法12条）。〕は認められ、個別の労働契約において、使用者が就業規則に任意に記載した事項を下回る労働条件を定めた場合であっても、その下回る部分は無効とされ、就業規則に任意に記載した事項の基準まで引き上げられる。

㉒答1 ✕ 法102条。労働基準監督官が、設問の賃金及び割増賃金の不払について事業主の財産を差し押さえる職務を行う旨の規定はない。なお、設問文前半の、「労働基準法違反の罪について、刑事訴訟法に規定する司法警察官の職務を行う」旨の記述は正しい。

㉒答2 ✕ 則57条1項。使用者は、事業を開始した場合にはその事実を所轄労働基準監督署長に報告しなければならないが、事業を廃止した場合に所轄労働基準監督署長に報告する旨の規定はない。

㉒答3 ○ 則59条。設問の通り正しい。

過去問

23問1
□□□
R元-7B改

使用者は、就業規則を、①常時各作業場の見やすい場所へ掲示し、又は備え付けること、②書面を交付すること、③使用者の使用に係る電子計算機に備えられたファイル又は電磁的記録媒体をもって調製するファイルに記録し、かつ、各作業場に労働者が当該記録の内容を常時確認できる機器を設置することのいずれかの方法により、労働者に周知させなければならない。

23問2
□□□
R2-2B

使用者は、労働基準法第36条第1項(時間外及び休日の労働)に規定する協定及び同法第41条の2第1項(いわゆる高度プロフェッショナル制度に係る労使委員会)に規定する決議を労働者に周知させなければならないが、その周知は、対象労働者に対してのみ義務付けられている。

23問3
□□□
R2-2A

労働基準法第106条により使用者に課せられている法令等の周知義務は、労働基準法、労働基準法に基づく命令及び就業規則については、その要旨を労働者に周知させればよい。

23問4
□□□
H27-3C

(難)

労働基準法第15条は、使用者が労働契約の締結に際し労働者に明示した労働条件が実際の労働条件と相違することを、同法第120条に定める罰則付きで禁止している。

23問5
□□□
R4-4E

法令の規定により事業主等に申請等が義務付けられている場合において、事務代理の委任を受けた社会保険労務士がその懈怠により当該申請等を行わなかった場合には、当該社会保険労務士は、労働基準法第10条にいう「使用者」に該当するので、当該申請等の義務違反の行為者として労働基準法の罰則規定に基づいてその責任を問われうる。

23答1 ○　法106条 1 項、則52条の 2 。設問の通り正しい。

法令等の周知義務
・労働基準法及びこれに基づく命令 → **要旨を周知**
・就業規則、労使協定、労使委員会の決議 → **全文を周知**

23答2 ×　法106条 1 項、平成12.1.1基発 1 号。設問の周知は、対象労働者に限らず、すべての労働者に対して行うことが義務付けられている。

就業規則の効力（就業規則で定める労働条件が労働契約の内容を補充し、「労働契約の内容は、その就業規則で定める労働条件による」とする効力）に係る「周知」は、労働者が知ろうと思えばいつでも就業規則の存在や内容を知り得るようにしておくことをいうものであり、法106条に定める方法に限定されるものではなく、**実質的に判断**される。

23答3 ×　法106条。就業規則については、その全文を周知させなければならない。なお、労働基準法及び労働基準法に基づく命令については、設問の通り、その要旨を労働者に周知させることで足りる。

23答4 ×　法15条、法120条 1 号。労働基準法120条 1 号においては、労働基準法15条 1 項の労働条件を明示しなかったという使用者の不作為及び同条 3 項の労働者の帰郷旅費の負担をしなかった場合について、30万円以下の罰金に処することを規定しているが、使用者が労働契約の締結に際し労働者に明示した労働条件が実際の労働条件と相違することについての罰則はない。

23答5 ○　法10条、昭和62.3.26基発169号。設問の通り正しい。

設問の場合、事業主等に対しては、事業主等が社会保険労務士に必要な情報を与える等、申請等をし得る条件を整備していれば、必要な注意義務を尽くしているものとして免責されるものと考えられるが、そのように必要な注意義務を尽くしたものと認められない場合には、両罰規定に基づき事業主等の責任をも問い得るものであるとされている。

★問1 次の文中の ☐☐☐☐ の部分を選択肢の中の最も適切な語句で埋☐☐☐ め、完全な文章とせよ。
H27-選

1　最高裁判所は、海外旅行の添乗業務に従事する添乗員に労働基準法第38条の2に定めるいわゆる事業場外労働のみなし労働時間制が適用されるかが争点とされた事件において、次のように判示した。

「本件添乗業務は、ツアーの旅行日程に従い、ツアー参加者に対する案内や必要な手続の代行などといったサービスを提供するものであるところ、ツアーの旅行日程は、本件会社とツアー参加者との間の契約内容としてその日時や目的地等を明らかにして定められており、その旅行日程につき、添乗員は、変更補償金の支払など契約上の問題が生じ得る変更が起こらないように、また、それには至らない場合でも変更が必要最小限のものとなるように旅程の管理等を行うことが求められている。そうすると、本件添乗業務は、旅行日程が上記のとおりその日時や目的地等を明らかにして定められることによって、業務の内容があらかじめ具体的に確定されており、添乗員が自ら決定できる事項の範囲及びその決定に係る選択の幅は限られているものということができる。

また、ツアーの開始前には、本件会社は、添乗員に対し、本件会社とツアー参加者との間の契約内容等を記載したパンフレットや最終日程表及びこれに沿った手配状況を示したアイテナリーにより具体的な目的地及びその場所において行うべき観光等の内容や手順等を示すとともに、添乗員用のマニュアルにより具体的な業務の内容を示し、これらに従った業務を行うことを命じている。そして、ツアーの実施中においても、本件会社は、添乗員に対し、携帯電話を所持して常時電源を入れておき、ツアー参加者との間で契約上の問題やクレームが生じ得る旅行日程の変更が必要となる場合には、本件会社に報告して指示を受けることを求めている。さらに、ツアーの終了後においては、本件会社は、添乗員に対し、前記のとおり旅程の管理等の状況を具体的に把握することができる添乗日報によって、業務の遂行の状況等の詳細かつ正確な報告を求めているところ、その報告の内容については、ツアー参加者のアンケートを参照することや関係者に問合せをすることによってその正確性を確認することができるものになっている。これらによれば、本件添乗業務について、本件会社は、添乗員との間で、あらかじめ定められた旅行日程に沿った旅程の管理等の業務を行うべきことを具体的に指示した上で、予定された旅行日程に途中で相応の変更を要する事態が生じた場合にはその時点で個別の指示をするものとされ、旅行日程の終了後は内容

の正確性を確認し得る添乗日報によって業務の遂行の状況等につき詳細な報告を受けるものとされているということができる。

以上のような業務の性質、内容やその遂行の態様、状況等、本件会社と添乗員との間の業務に関する指示及び報告の方法、内容やその実施の態様、状況等に鑑みると、本件添乗業務については、これに従事する添乗員の勤務の状況を具体的に把握することが困難であったとは認め難く、労働基準法38条の2第1項にいう　　A　　に当たるとはいえないと解するのが相当である。」

2　最高裁判所は、労働基準法第39条第5項（当時は第3項）に定める使用者による時季変更権の行使の有効性が争われた事件において、次のように判示した。

「労基法39条3項〔現行5項〕ただし書にいう「事業の正常な運営を妨げる場合」か否かの判断に当たって、　　B　　配置の難易は、判断の一要素となるというべきであるが、特に、勤務割による勤務体制がとられている事業場の場合には、重要な判断要素であることは明らかである。したがって、そのような事業場において、使用者としての通常の配慮をすれば、勤務割を変更して　　B　　を配置することが客観的に可能な状況にあると認められるにもかかわらず、使用者がそのための配慮をしないことにより　　B　　が配置されないときは、必要配置人員を欠くものとして事業の正常な運営を妨げる場合に当たるということはできないと解するのが相当である。そして、年次休暇の利用目的は労基法の関知しないところである〔……〕から、勤務割を変更して　　B　　を配置することが可能な状況にあるにもかかわらず、休暇の利用目的のいかんによってそのための配慮をせずに時季変更権を行使することは、利用目的を考慮して年次休暇を与えないことに等しく、許されないものであり、右時季変更権の行使は、結局、事業の正常な運営を妨げる場合に当たらないものとして、無効といわなければならない。」

3　労働基準法第64条の3では、　　C　　を「妊産婦」とし、使用者は、当該女性を、重量物を取り扱う業務、有害ガスを発散する場所における業務その他妊産婦の妊娠、出産、哺育等に有害な業務に就かせてはならないとしている。

4　労働安全衛生法に定める「事業者」とは、法人企業であれば　　D　　を指している。

5　事業者は、クレーンの運転その他の業務で、労働安全衛生法施行令第20条で定めるものについては、都道府県労働局長の当該業務に係る免許を受けた者又は都道府県労働局長の登録を受けた者が行う当該業務に

係る技能講習を修了した者その他厚生労働省令で定める資格を有する者でなければ当該業務に就かせてはならないが、労働安全衛生法施行令第20条で定めるものには、ボイラー（小型ボイラーを除く。）の取扱いの業務、つり上げ荷重が5トン以上のクレーン（跨線テルハを除く。）の運転の業務、　　E　　などがある。

選択肢

① 6週間（多胎妊娠の場合にあっては、14週間）以内に出産する予定の女性及び産後8週間を経過しない女性
② 6週間（多胎妊娠の場合にあっては、14週間）以内に出産する予定の女性及び産後1年を経過しない女性
③ アーク溶接機を用いて行う金属の溶接、溶断等の業務
④ エックス線装置又はガンマ線照射装置を用いて行う透過写真の撮影の業務
⑤ 監督又は管理の地位にある者
⑥ 業務の遂行の方法を大幅に労働者の裁量にゆだねる必要があるとき
⑦ 最大荷重(フォークリフトの構造及び材料に応じて基準荷重中心に負荷させることができる最大の荷重をいう。)が1トン以上のフォークリフトの運転（道路上を走行させる運転を除く。）の業務
⑧ 使用者が具体的な指示をすることが困難なものとして厚生労働省令で定める業務
⑨ 時間単位の有給休暇
⑩ 事業主のために行為をするすべての者
⑪ 代替休暇
⑫ 代替勤務者
⑬ チェーンソーを用いて行う立木の伐木の業務
⑭ 通常必要とされた時間労働したもの
⑮ 当該法人
⑯ 妊娠中の女性及び産後8週間を経過しない女性
⑰ 妊娠中の女性及び産後1年を経過しない女性
⑱ 非常勤職員
⑲ 法人の代表者
⑳ 労働時間を算定し難いとき

★答 1 労基法64条の3,1項、最二小平成26.1.24阪急トラベルサポート事件、最二小昭和62.7.10弘前電報電話局事件、安衛法 2 条 3 号、法61条 1 項、令20条 3 号、6 号、11号、昭和47.9.18発基91号。

A ⑳ 労働時間を算定し難いとき

B ⑫ 代替勤務者

C ⑰ 妊娠中の女性及び産後 1 年を経過しない女性

D ⑮ 当該法人

E ⑦ 最大荷重（フォークリフトの構造及び材料に応じて基準荷重中心に負荷させることができる最大の荷重をいう。）が 1 トン以上のフォークリフトの運転（道路上を走行させる運転を除く。）の業務

★問2 □□□ 次の文中の　　　　　　の部分を選択肢の中の最も適切な語句で埋め、完全な文章とせよ。
H28-選改

1　最高裁判所は、労働基準法第19条第１項の解雇制限が解除されるかどうかが問題となった事件において、次のように判示した。

　「労災保険法に基づく保険給付の実質及び労働基準法上の災害補償との関係等によれば、同法〔労働基準法〕において使用者の義務とされている災害補償は、これに代わるものとしての労災保険法に基づく保険給付が行われている場合にはそれによって実質的に行われているものといえるので、使用者自らの負担により災害補償が行われている場合とこれに代わるものとしての同法〔労災保険法〕に基づく保険給付が行われている場合とで、同項〔労働基準法第19条第１項〕ただし書の適用の有無につき取扱いを異にすべきものとはいい難い。また、後者の場合には　 A 　として相当額の支払がされても傷害又は疾病が治るまでの間は労災保険法に基づき必要な療養補償給付がされることなども勘案すれば、これらの場合につき同項ただし書の適用の有無につき異なる取扱いがされなければ労働者の利益につきその保護を欠くことになるものともいい難い。

　そうすると、労災保険法12条の８第１項１号の療養補償給付を受ける労働者は、解雇制限に関する労働基準法19条１項の適用に関しては、同項ただし書が　 A 　の根拠規定として掲げる同法81条にいう同法75条の規定によって補償を受ける労働者に含まれるものとみるのが相当である。

　したがって、労災保険法12条の８第１項１号の療養補償給付を受ける労働者が、療養開始後　 B 　を経過しても疾病等が治らない場合には、労働基準法75条による療養補償を受ける労働者が上記の状況にある場合と同様に、使用者は、当該労働者につき、同法81条の規定による　 A 　の支払をすることにより、解雇制限の除外事由を定める同法19条１項ただし書の適用を受けることができるものと解するのが相当である。」

2　労働基準法第38条の４で定めるいわゆる企画業務型裁量労働制について、同条第１項第１号はその対象業務を、「事業の運営に関する事項についての企画、立案、調査及び分析の業務であつて、当該業務の性質上これを適切に遂行するにはその遂行の方法を大幅に労働者の裁量に委ねる必要があるため、当該業務の遂行の手段及び時間配分の決定等に関し　 C 　こととする業務」としている。

146

3 労働安全衛生法第10条第2項において、「総括安全衛生管理者は、　D　をもって充てなければならない。」とされている。

4 労働安全衛生法第66条の10により、事業者が労働者に対し実施することが求められている医師等による心理的な負担の程度を把握するための検査における医師等とは、労働安全衛生規則第52条の10において、医師、保健師のほか、検査を行うために必要な知識についての研修であって厚生労働大臣が定めるものを修了した歯科医師、看護師、　E　又は公認心理師とされている。

── 選択肢 ──
① 6か月
② 1 年
③ 2 年
④ 3 年
⑤ 障害補償
⑥ 休業補償
⑦ 打切補償
⑧ 損害賠償
⑨ 使用者が具体的な指示をしない
⑩ 使用者が業務に関する具体的な指示をすることが困難なものとして所轄労働基準監督署長の認定を受けて、労働者に就かせる
⑪ 使用者が具体的な指示をすることが困難なものとして厚生労働省令で定める業務のうち、労働者に就かせる
⑫ 使用者が具体的な指示をすることが困難なものとして労使委員会で定める業務のうち、労働者に就かせる
⑬ 当該事業場において選任することが義務づけられている安全管理者及び衛生管理者の資格を有する者
⑭ 当該事業場においてその事業の実施を統括管理する者
⑮ 当該事業場において、3年以上安全衛生管理の実務に従事した経験を有する者
⑯ 当該事業場における安全衛生委員会委員の互選により選任された者
⑰ 社会福祉士
⑱ 精神保健福祉士
⑲ 臨床検査技師
⑳ 労働衛生コンサルタント

★答2 労基法38条の4,1項1号、最二小平成27.6.8専修大学事件、安衛法10条2項、法66条の10,1項、則52条の10,1項。
A ⑦ 打切補償
B ④ 3 年
C ⑨ 使用者が具体的な指示をしない
D ⑭ 当該事業場においてその事業の実施を統括管理する者
E ⑱ 精神保健福祉士

　　次の文中の　□□□□□　の部分を選択肢の中の最も適切な語句で埋め、完全な文章とせよ。

1　最高裁判所は、労働者が長期かつ連続の年次有給休暇の時季指定をした場合に対する、使用者の時季変更権の行使が問題となった事件において、次のように判示した。

「労働者が長期かつ連続の年次有給休暇を取得しようとする場合においては、それが長期のものであればあるほど、使用者において代替勤務者を確保することの困難さが増大するなど　A　に支障を来す蓋然性が高くなり、使用者の業務計画、他の労働者の休暇予定等との事前の調整を図る必要が生ずるのが通常である。［…（略）…］労働者が、右の調整を経ることなく、その有する年次有給休暇の日数の範囲内で始期と終期を特定して長期かつ連続の年次有給休暇の時季指定をした場合には、これに対する使用者の時季変更権の行使については、［…（略）…］使用者にある程度の　B　の余地を認めざるを得ない。もとより、使用者の時季変更権の行使に関する右　B　は、労働者の年次有給休暇の権利を保障している労働基準法39条の趣旨に沿う、合理的なものでなければならないのであって、右　B　が、同条の趣旨に反し、使用者が労働者に休暇を取得させるための状況に応じた配慮を欠くなど不合理であると認められるときは、同条3項［現5項］ただし書所定の時季変更権行使の要件を欠くものとして、その行使を違法と判断すべきである。」

2　産前産後の就業について定める労働基準法第65条にいう「出産」については、その範囲を妊娠　C　以上（1か月は28日として計算する。）の分娩とし、生産のみならず死産も含むものとされている。

3　労働安全衛生法第28条の2では、いわゆるリスクアセスメントの実施について、「事業者は、厚生労働省令で定めるところにより、建設物、設備、原材料、ガス、蒸気、粉じん等による、又は作業行動その他業務に起因する　D　（第57条第1項の政令で定める物及び第57条の2第1項に規定する通知対象物による　D　を除く。）を調査し、その結果に基づいて、この法律又はこれに基づく命令の規定による措置を講ずるほか、労働者の危険又は健康障害を防止するため必要な措置を講ずるように努めなければならない。」と定めている。

4　労働安全衛生法第65条の3は、いわゆる労働衛生の3管理の一つである作業管理について、「事業者は、労働者の　E　に配慮して、労働者の従事する作業を適切に管理するように努めなければならない。」と定めている。

┌─ 選択肢 ─────────────────────────────
① 4か月　　　　　　　　② 5か月

③ 6か月　　　　　　　　④ 7か月

⑤ 一方的決定

⑥ 危害を防止するための法基準の遵守状況

⑦ 危険性又は有害性等　　⑧ 健　康

⑨ 合理的変更　　　　　　⑩ 災害事例における原因

⑪ 災害に関する統計情報　⑫ 作業能力

⑬ 作業に関する要望　　　⑭ 裁量的判断

⑮ 事業の正常な運営　　　⑯ 専権的配分

⑰ 体　格　　　　　　　　⑱ 繁忙期の人員の配置

⑲ 労働時間の適切な管理　⑳ 労働者の安全配慮義務
└──────────────────────────────────────

★**答3**　最三小平成4.6.23時事通信社事件、昭和23.12.23基発1885号、安
衛法28条の2,1項、法65条の3。

A　⑮　**事業の正常な運営**

B　⑭　**裁量的判断**

C　①　**4か月**

D　⑦　**危険性又は有害性等**

E　⑧　**健　康**

★問4 次の文中の □ の部分を選択肢の中の最も適切な語句で埋め、完全な文章とせよ。

1 日日雇い入れられる者には労働基準法第20条の解雇の予告の規定は適用されないが、その者が □ A □ を超えて引き続き使用されるに至った場合においては、この限りでない。

2 生後満1年に達しない生児を育てる女性は、労働基準法第34条の休憩時間のほか、1日2回各々少なくとも □ B □ 、その生児を育てるための時間を請求することができる。

3 最高裁判所は、同業他社への転職者に対する退職金の支給額を一般の退職の場合の半額と定めた退職金規則の効力が問題となった事件において、次のように判示した。

「原審の確定した事実関係のもとにおいては、被上告会社が営業担当社員に対し退職後の同業他社への就職をある程度の期間制限することをもつて直ちに社員の職業の自由等を不当に拘束するものとは認められず、したがつて、被上告会社がその退職金規則において、右制限に反して同業他社に就職した退職社員に支給すべき退職金につき、その点を考慮して、支給額を一般の自己都合による退職の場合の半額と定めることも、本件退職金が □ C □ 的な性格を併せ有することにかんがみれば、合理性のない措置であるとすることはできない。」

4 労働安全衛生法で定義される作業環境測定とは、作業環境の実態を把握するため空気環境その他の作業環境について行う □ D □ 、サンプリング及び分析(解析を含む。)をいう。

5 労働安全衛生法第44条の2第1項では、一定の機械等で政令で定めるものを製造し、又は輸入した者は、厚生労働省令で定めるところにより、厚生労働大臣の登録を受けた者が行う当該機械等の型式についての検定を受けなければならない旨定めているが、その機械等には、クレーンの過負荷防止装置やプレス機械の安全装置の他 □ E □ などが定められている。

選択肢

① 15 分　　　　　　　　② 30 分
③ 45 分　　　　　　　　④ 1 時間
⑤ 14 日　　　　　　　　⑥ 30 日
⑦ 1 か月　　　　　　　⑧ 2 か月
⑨ アーク溶接作業用紫外線防護めがね
⑩ 気流の測定　　　　　⑪ 功労報償
⑫ 作業状況の把握
⑬ 就業規則を遵守する労働者への生活の補助
⑭ 成果給　　　　　　　⑮ 墜落災害防止用安全帯
⑯ デザイン　　　　　　⑰ 転職の制約に対する代償措置
⑱ 放射線作業用保護具　⑲ モニタリング
⑳ ろ過材及び面体を有する防じんマスク

★答4　労基法21条1号、法67条1項、最二小昭和52.8.9三晃社事件、安衛法2条4号、法44条の2,1項、令14条の2,5号。

A　⑦　**1 か月**

B　②　**30 分**

C　⑪　**功労報償**

D　⑯　**デザイン**

E　⑳　**ろ過材及び面体を有する防じんマスク**

★問5　次の文中の　□□□□　の部分を選択肢の中の最も適切な語句で埋め、完全な文章とせよ。

1　最高裁判所は、使用者がその責めに帰すべき事由による解雇期間中の賃金を労働者に支払う場合における、労働者が解雇期間中、他の職に就いて得た利益額の控除が問題となった事件において、次のように判示した。

　　「使用者の責めに帰すべき事由によつて解雇された労働者が解雇期間中に他の職に就いて利益を得たときは、使用者は、右労働者に解雇期間中の賃金を支払うに当たり右利益(以下「中間利益」という。)の額を賃金額から控除することができるが、右賃金額のうち労働基準法12条1項所定の　A　の6割に達するまでの部分については利益控除の対象とすることが禁止されているものと解するのが相当である」「使用者が労働者に対して有する解雇期間中の賃金支払債務のうち　A　額の6割を超える部分から当該賃金の　B　内に得た中間利益の額を控除することは許されるものと解すべきであり、右利益の額が　A　額の4割を超える場合には、更に　A　算定の基礎に算入されない賃金(労働基準法12条4項所定の賃金)の全額を対象として利益額を控除することが許されるものと解せられる」

2　労働基準法第27条は、出来高払制の保障給として、「使用者は、　C　に応じ一定額の賃金の保障をしなければならない。」と定めている。

3　労働安全衛生法は、その目的を第1条で「労働基準法(昭和22年法律第49号)と相まつて、労働災害の防止のための危害防止基準の確立、責任体制の明確化及び自主的活動の促進の措置を講ずる等その防止に関する総合的計画的な対策を推進することにより職場における労働者の安全と健康を確保するとともに、　D　の形成を促進することを目的とする。」と定めている。

4　衛生管理者は、都道府県労働局長の免許を受けた者その他厚生労働省令で定める資格を有する者のうちから選任しなければならないが、厚生労働省令で定める資格を有する者には、医師、歯科医師のほか　E　などが定められている。

```
┌─ 選択肢 ──────────────────────────────────────────┐
│ ①  安全衛生に対する事業者意識    ②  安全衛生に対する労働者意識 │
│ ③  衛生管理士            ④  快適な職場環境        │
│ ⑤  看護師              ⑥  業務に対する熟練度      │
│ ⑦  勤続期間             ⑧  勤務時間数に応じた賃金    │
│ ⑨  作業環境測定士                          │
│ ⑩  支給対象期間から2年を超えない期間              │
│ ⑪  支給対象期間から5年を超えない期間              │
│ ⑫  支給対象期間と時期的に対応する期間              │
│ ⑬  諸手当を含む総賃金        ⑭  全支給対象期間      │
│ ⑮  そのための努力を持続させる職場環境              │
│ ⑯  特定最低賃金           ⑰  平均賃金          │
│ ⑱  労働衛生コンサルタント      ⑲  労働時間         │
│ ⑳  労働日数                             │
└──────────────────────────────────────────────┘
```

★答5　労基法26条、法27条、最一小昭和62.4.2あけぼのタクシー事件、
　　　安衛法1条、法12条1項、則10条3号。

　A　⑰　**平均賃金**
　B　⑫　**支給対象期間と時期的に対応する期間**
　C　⑲　**労働時間**
　D　④　**快適な職場環境**
　E　⑱　**労働衛生コンサルタント**

次の文中の _____ の部分を選択肢の中の最も適切な語句で埋め、完全な文章とせよ。

1　使用者は、常時10人以上の労働者を就業させる事業、厚生労働省令で定める危険な事業又は衛生上有害な事業の附属寄宿舎を設置し、移転し、又は変更しようとする場合においては、労働基準法第96条の規定に基づいて発する厚生労働省令で定める危害防止等に関する基準に従い定めた計画を、　 A 　に、行政官庁に届け出なければならない。

2　最高裁判所は、自己の所有するトラックを持ち込んで特定の会社の製品の運送業務に従事していた運転手が、労働基準法上の労働者に当たるか否かが問題となった事件において、次のように判示した。

　「上告人は、業務用機材であるトラックを所有し、自己の危険と計算の下に運送業務に従事していたものである上、Ｆ紙業は、運送という業務の性質上当然に必要とされる運送物品、運送先及び納入時刻の指示をしていた以外には、上告人の業務の遂行に関し、特段の指揮監督を行っていたとはいえず、　 B 　の程度も、一般の従業員と比較してはるかに緩やかであり、上告人がＦ紙業の指揮監督の下で労務を提供していたと評価するには足りないものといわざるを得ない。そして、　 C 　等についてみても、上告人が労働基準法上の労働者に該当すると解するのを相当とする事情はない。そうであれば、上告人は、専属的にＦ紙業の製品の運送業務に携わっており、同社の運送係の指示を拒否する自由はなかったこと、毎日の始業時刻及び終業時刻は、右運送係の指示内容のいかんによって事実上決定されることになること、右運賃表に定められた運賃は、トラック協会が定める運賃表による運送料よりも１割５分低い額とされていたことなど原審が適法に確定したその余の事実関係を考慮しても、上告人は、労働基準法上の労働者ということはできず、労働者災害補償保険法上の労働者にも該当しないものというべきである。」

3　事業者は、労働者を本邦外の地域に　 D 　以上派遣しようとするときは、あらかじめ、当該労働者に対し、労働安全衛生規則第44条第1項各号に掲げる項目及び厚生労働大臣が定める項目のうち医師が必要であると認める項目について、医師による健康診断を行わなければならない。

4　事業者は、高さ又は深さが　 E 　メートルを超える箇所で作業を行うときは、当該作業に従事する労働者が安全に昇降するための設備等を設けなければならない。ただし、安全に昇降するための設備等を設けることが作業の性質上著しく困難なときは、この限りでない。

┌─ 選択肢 ─────────────────────────────
① 0.7　　　　　　　　　　　　② 1
③ 1.5　　　　　　　　　　　　④ 2
⑤ 1　月　　　　　　　　　　　⑥ 3　月
⑦ 6　月　　　　　　　　　　　⑧ 1　年
⑨ 業務遂行条件の変更　　　　　⑩ 業務量、時間外労働
⑪ 工事着手後 1 週間を経過するまで　⑫ 工事着手30日前まで
⑬ 工事着手14日前まで　　　　　⑭ 工事着手日まで
⑮ 公租公課の負担、F 紙業が必要経費を負担していた事実
⑯ 時間的、場所的な拘束
⑰ 事業組織への組入れ、F 紙業が必要経費を負担していた事実
⑱ 事業組織への組入れ、報酬の支払方法
⑲ 制裁、懲戒処分
⑳ 報酬の支払方法、公租公課の負担
└──────────────────────────────────

★答6　労基法96条の2,1項、最一小平成8.11.28横浜南労働基準監督署長
　　　事件、安衛法21条 2 項、法66条 1 項、則45条の2,1項、則526条 1
　　　項。
　A　⑬　**工事着手14日前まで**
　B　⑯　**時間的、場所的な拘束**
　C　⑳　**報酬の支払方法、公租公課の負担**
　D　⑦　**6　月**
　E　③　**1.5**

次の文中の [＿＿＿] の部分を選択肢の中の最も適切な語句で埋め、完全な文章とせよ。

1 賠償予定の禁止を定める労働基準法第16条における「違約金」とは、労働契約に基づく労働義務を労働者が履行しない場合に労働者本人若しくは親権者又は [A] の義務として課せられるものをいう。

2 最高裁判所は、歩合給の計算に当たり売上高等の一定割合に相当する金額から残業手当等に相当する金額を控除する旨の定めがある賃金規則に基づいてされた残業手当等の支払により労働基準法第37条の定める割増賃金が支払われたといえるか否かが問題となった事件において、次のように判示した。

「使用者が労働者に対して労働基準法37条の定める割増賃金を支払ったとすることができるか否かを判断するためには、割増賃金として支払われた金額が、[B] に相当する部分の金額を基礎として、労働基準法37条等に定められた方法により算定した割増賃金の額を下回らないか否かを検討することになるところ、その前提として、労働契約における賃金の定めにつき、[B] に当たる部分と同条の定める割増賃金に当たる部分とを判別することができることが必要である [⋯(略)⋯]。そして、使用者が、労働契約に基づく特定の手当を支払うことにより労働基準法37条の定める割増賃金を支払ったと主張している場合において、上記の判別をすることができるというためには、当該手当が時間外労働等に対する対価として支払われるものとされていることを要するところ、当該手当がそのような趣旨で支払われるものとされているか否かは、当該労働契約に係る契約書等の記載内容のほか諸般の事情を考慮して判断すべきであり [⋯(略)⋯]、その判断に際しては、当該手当の名称や算定方法だけでなく、[⋯(略)⋯] 同条の趣旨を踏まえ、[C] 等にも留意して検討しなければならないというべきである。」

3 事業者は、中高年齢者その他労働災害の防止上その就業に当たって特に配慮を必要とする者については、これらの者の [D] に応じて適正な配置を行うように努めなければならない。

4 事業者は、高さが [E] 以上の箇所(作業床の端、開口部等を除く。)で作業を行う場合において墜落により労働者に危険を及ぼすおそれのあるときは、足場を組み立てる等の方法により作業床を設けなければならない。

┌─ 選択肢 ─────────────────────────────
① 1メートル　　　　　　　② 1.5メートル
③ 2メートル　　　　　　　④ 3メートル
⑤ 2親等内の親族　　　　　⑥ 6親等内の血族
⑦ 家族手当、通勤手当その他厚生労働省令で定める賃金
⑧ 希望する仕事　　　　　　⑨ 就業経験
⑩ 心身の条件　　　　　　　⑪ 通常の労働時間の賃金
⑫ 当該手当に関する労働者への情報提供又は説明の内容
⑬ 当該歩合給
⑭ 当該労働契約の定める賃金体系全体における当該手当の位置付け
⑮ 同種の手当に関する我が国社会における一般的状況
⑯ 配偶者
⑰ 平均賃金にその期間の総労働時間を乗じた金額
⑱ 身元保証人　　　　　　　⑲ 労働時間
⑳ 労働者に対する不利益の程度
└──────────────────────────────────

★答7　労基法16条、最一小令和2.3.30国際自動車事件、安衛法62条、則518条1項。

A　⑱　身元保証人
B　⑪　通常の労働時間の賃金
C　⑭　当該労働契約の定める賃金体系全体における当該手当の位置付け
D　⑩　心身の条件
E　③　2メートル

次の文中の □□□□ の部分を選択肢の中の最も適切な語句で埋め、完全な文章とせよ。

1　労働基準法第20条により、いわゆる解雇予告手当を支払うことなく9月30日の終了をもって労働者を解雇しようとする使用者は、その解雇の予告は、少なくとも 　A　 までに行わなければならない。

2　最高裁判所は、全国的規模の会社の神戸営業所勤務の大学卒営業担当従業員に対する名古屋営業所への転勤命令が権利の濫用に当たるということができるか否かが問題となった事件において、次のように判示した。

　「使用者は業務上の必要に応じ、その裁量により労働者の勤務場所を決定することができるものというべきであるが、転勤、特に転居を伴う転勤は、一般に、労働者の生活関係に少なからぬ影響を与えずにはおかないから、使用者の転勤命令権は無制約に行使することができるものではなく、これを濫用することの許されないことはいうまでもないところ、当該転勤命令につき業務上の必要性が存しない場合又は業務上の必要性が存する場合であつても、当該転勤命令が 　B　 なされたものであるとき若しくは労働者に対し通常 　C　 とき等、特段の事情の存する場合でない限りは、当該転勤命令は権利の濫用になるものではないというべきである。右の業務上の必要性についても、当該転勤先への異動が余人をもつては容易に替え難いといつた高度の必要性に限定することは相当でなく、労働力の適正配置、業務の能率増進、労働者の能力開発、勤務意欲の高揚、業務運営の円滑化など企業の合理的運営に寄与する点が認められる限りは、業務上の必要性の存在を肯定すべきである。」

3　労働安全衛生法第59条において、事業者は、労働者を雇い入れたときは、当該労働者に対し、厚生労働省令で定めるところにより、その従事する業務に関する安全又は衛生のための教育を行わなければならないが、この教育は、 　D　 についても行わなければならないとされている。

4　労働安全衛生法第3条において、「事業者は、単にこの法律で定める労働災害の防止のための最低基準を守るだけでなく、 　E　 と労働条件の改善を通じて職場における労働者の安全と健康を確保するようにしなければならない。また、事業者は、国が実施する労働災害の防止に関する施策に協力するようにしなければならない。」と規定されている。

─ 選択肢 ─

① 8月30日 　　　　　　② 8月31日
③ 9月1日 　　　　　　④ 9月16日
⑤ 行うべき転居先の環境の整備をすることなくなされたものである
⑥ 快適な職場環境の実現
⑦ 甘受すべき程度を著しく超える不利益を負わせるものである
⑧ 現在の業務に就いてから十分な期間をおくことなく
⑨ 他の不当な動機・目的をもつて
⑩ 当該転勤先への異動を希望する他の労働者がいるにもかかわらず
⑪ 配慮すべき労働条件に関する措置が講じられていない
⑫ 予想し得ない転勤命令がなされたものである
⑬ より高度な基準の自主設定
⑭ 労働災害の絶滅に向けた活動
⑮ 労働災害の防止に関する新たな情報の活用
⑯ 労働者が90日以上欠勤等により業務を休み、その業務に復帰したとき
⑰ 労働者が再教育を希望したとき
⑱ 労働者が労働災害により30日以上休業し、元の業務に復帰したとき
⑲ 労働者に対する事前の説明を経ることなく
⑳ 労働者の作業内容を変更したとき

★答8 　労基法20条1項、最二小昭和61.7.14東亜ペイント事件、安衛法
　　　 3条1項、法59条1項、2項。

A 　② 　8月31日
B 　⑨ 　他の不当な動機・目的をもつて
C 　⑦ 　甘受すべき程度を著しく超える不利益を負わせるものである
D 　⑳ 　労働者の作業内容を変更したとき
E 　⑥ 　快適な職場環境の実現

次の文中の _____ の部分を選択肢の中の最も適切な語句で埋め、完全な文章とせよ。

1　労働基準法の規定による災害補償その他の請求権（賃金の請求権を除く。）はこれを行使することができる時から ___A___ 間行わない場合においては、時効によって消滅することとされている。

2　最高裁判所は、労働者の指定した年次有給休暇の期間が開始し又は経過した後にされた使用者の時季変更権行使の効力が問題となった事件において、次のように判示した。

「労働者の年次有給休暇の請求（時季指定）に対する使用者の時季変更権の行使が、労働者の指定した休暇期間が開始し又は経過した後にされた場合であつても、労働者の休暇の請求自体がその指定した休暇期間の始期にきわめて接近してされたため使用者において時季変更権を行使するか否かを事前に判断する時間的余裕がなかつたようなときには、それが事前にされなかつたことのゆえに直ちに時季変更権の行使が不適法となるものではなく、客観的に右時季変更権を行使しうる事由が存し、かつ、その行使が ___B___ されたものである場合には、適法な時季変更権の行使があつたものとしてその効力を認めるのが相当である。」

3　最高裁判所は、マンションの住み込み管理員が所定労働時間の前後の一定の時間に断続的な業務に従事していた場合において、上記一定の時間が、管理員室の隣の居室に居て実作業に従事していない時間を含めて労働基準法上の労働時間に当たるか否かが問題となった事件において、次のように判示した。

「労働基準法32条の労働時間（以下「労基法上の労働時間」という。）とは、労働者が使用者の指揮命令下に置かれている時間をいい、実作業に従事していない時間（以下「不活動時間」という。）が労基法上の労働時間に該当するか否かは、労働者が不活動時間において使用者の指揮命令下に置かれていたものと評価することができるか否かにより客観的に定まるものというべきである〔…(略)…〕。そして、不活動時間において、労働者が実作業に従事していないというだけでは、使用者の指揮命令下から離脱しているということはできず、当該時間に労働者が労働から離れることを保障されていて初めて、労働者が使用者の指揮命令下に置かれていないものと評価することができる。したがって、不活動時間であっても ___C___ が保障されていない場合には労基法上の労働時間に当たるというべきである。そして、当該時間において労働契約上の役務の提供が義務付けられていると評価される場合には、___C___ が保

されているとはいえず、労働者は使用者の指揮命令下に置かれているというのが相当である」。

4 労働安全衛生法第35条は、重量の表示について、「一の貨物で、重量が　D　以上のものを発送しようとする者は、見やすく、かつ、容易に消滅しない方法で、当該貨物にその重量を表示しなければならない。ただし、包装されていない貨物で、その重量が一見して明らかであるものを発送しようとするときは、この限りでない。」と定めている。

5 労働安全衛生法第68条は、「事業者は、伝染性の疾病その他の疾病で、厚生労働省令で定めるものにかかつた労働者については、厚生労働省令で定めるところにより、　E　しなければならない。」と定めている。

―選択肢―
① 2年　　② 3年　　③ 5年　④ 10年
⑤ 100キログラム　⑥ 500キログラム　⑦ 1トン　⑧ 3トン
⑨ 役務の提供における諾否の自由　⑩ 企業運営上の必要性から
⑪ 休業を勧奨　　　　　　　⑫ 行政官庁の許可を受けて
⑬ 厚生労働省令で定めるところにより
⑭ 使用者の指揮命令下に置かれていない場所への移動
⑮ その就業を禁止　　　　　⑯ 遅滞なく
⑰ 当該時間の自由利用　　　⑱ 必要な療養を勧奨
⑲ 病状回復のために支援　　⑳ 労働からの解放

★答9　労基法115条、最一小昭和57.3.18此花電報電話局事件、最二小平成19.10.19大林ファシリティーズ事件、安衛法35条、法68条。

A ① 2年
B ⑯ 遅滞なく
C ⑳ 労働からの解放
D ⑦ 1トン
E ⑮ その就業を禁止

★**問10** 次の文中の _____ の部分を選択肢の中の最も適切な語句で埋
☐☐☐ め、完全な文章とせよ。
R6-選

1 年少者の労働に関し、最低年齢を設けている労働基準法第56条第1
項は、「使用者は、 A 、これを使用してはならない。」と定めて
いる。

2 最高裁判所は、労働者が始業時刻前及び終業時刻後の作業服及び保護
具等の着脱等並びに始業時刻前の副資材等の受出し及び散水に要した時
間が労働基準法上の労働時間に該当するかが問題となった事件におい
て、次のように判示した。

「労働基準法(昭和62年法律第99号による改正前のもの)32条の労働
時間(以下「労働基準法上の労働時間」という。)とは、労働者が使用者
の B に置かれている時間をいい、右の労働時間に該当するか否
かは、労働者の行為が使用者の B に置かれたものと評価するこ
とができるか否かにより客観的に定まるものであって、労働契約、就業
規則、労働協約等の定めのいかんにより決定されるべきものではないと
解するのが相当である。そして、労働者が、就業を命じられた業務の準
備行為等を事業所内において行うことを使用者から義務付けられ、又は
これを余儀なくされたときは、当該行為を所定労働時間外において行う
ものとされている場合であっても、当該行為は、特段の事情のない限
り、使用者の B に置かれたものと評価することができ、当該行
為に要した時間は、それが社会通念上必要と認められるものである限
り、労働基準法上の労働時間に該当すると解される。」

3 最高裁判所は、賃金に当たる退職金債権放棄の効力が問題となった事
件において、次のように判示した。

本件事実関係によれば、本件退職金の「支払については、同法〔労働
基準法〕24条1項本文の定めるいわゆる全額払の原則が適用されるも
のと解するのが相当である。しかし、右全額払の原則の趣旨とするとこ
ろは、使用者が一方的に賃金を控除することを禁止し、もって労働者に
賃金の全額を確実に受領させ、労働者の経済生活をおびやかすことのな
いようにしてその保護をはかろうとするものというべきであるから、本
件のように、労働者たる上告人が退職に際しみずから賃金に該当する本
件退職金債権を放棄する旨の意思表示をした場合に、右全額払の原則が
右意思表示の効力を否定する趣旨のものであるとまで解することはでき
ない。もっとも、右全額払の原則の趣旨とするところなどに鑑みれば、
右意思表示の効力を肯定するには、それが上告人の C ものであ
ることが明確でなければならないものと解すべきである」。

4　労働安全衛生法第45条により定期自主検査を行わなければならない機械等には、同法第37条第1項に定める特定機械等のほか　　D　　が含まれる。

5　事業者は、労働者が労働災害その他就業中又は事業場内若しくはその付属建設物内における負傷、窒息又は急性中毒により死亡し、又は休業（休業の日数が4日以上の場合に限る。）したときは、　　E　　、所轄労働基準監督署長に報告しなければならない。

選択肢

① 7日以内に　　　　　　　　　　② 14日以内に
③ 30日以内に　　　　　　　　　④ 管理監督下
⑤ 空気調和設備　　　　　　　　⑥ 研削盤
⑦ 権利濫用に該当しない　　　　⑧ 構内運搬車
⑨ 指揮命令下
⑩ 児童が満15歳に達した日以後の最初の3月31日が終了するまで
⑪ 児童が満18歳に達した日以後の最初の3月31日が終了するまで
⑫ 支配管理下　　　　　　　　　⑬ 自由な意思に基づく
⑭ 従属関係下
⑮ 退職金債権放棄同意書への署名押印により行われた
⑯ 退職に接着した時期においてされた
⑰ 遅滞なく　　　　　　　　　　⑱ フォークリフト
⑲ 満15歳に満たない者については　⑳ 満18歳に満たない者については

★答10　労基法56条1項、最一小平成12.3.9三菱重工長崎造船所事件、最二小昭和48.1.19シンガー・ソーイング・メシーン事件、安衛法45条1項、2項、令15条1項1号、2項、則97条、則151条の21 ～則151条の24。

A　⑩　**児童が満15歳に達した日以後の最初の3月31日が終了するまで**
B　⑨　**指揮命令下**
C　⑬　**自由な意思に基づく**
D　⑱　**フォークリフト**
E　⑰　**遅滞なく**

2　安衛
（労働安全衛生法）

労働安全衛生法

凡　例

法	→労働安全衛生法
令	→労働安全衛生法施行令
則	→労働安全衛生規則
派遣法	→労働者派遣事業の適正な運営の確保及び派遣労働者の保護等に関する法律
事務所則	→事務所衛生基準規則
クレーン則	→クレーン等安全規則
基発	→厚生労働省労働基準局長名で発する通達
厚労告	→厚生労働省告示
発基	→労働基準局関係の労働事務次官名通達
特化則	→特定化学物質障害予防規則
有機則	→有機溶剤中毒予防規則
鉛則	→鉛中毒予防規則
高圧則	→高気圧作業安全衛生規則

安衛：目次

1 目的等……………………………………………………………………………… 168
2 大規模事業場の安全衛生管理体制……………………………………………… 178
3 小規模事業場又は危険有害作業における安全衛生管理体制………… 186
4 委員会…………………………………………………………………………… 188
5 大規模作業の安全衛生管理体制……………………………………………… 190
6 事業者の講ずべき措置………………………………………………………… 194
7 元方事業者の講ずべき措置…………………………………………………… 196
8 特定機械等に関する規制……………………………………………………… 198
9 構造規格等の具備を要する機械等に関する規制………………………… 198
10 定期自主検査…………………………………………………………………… 200
11 危険・有害性が判明している物質に関する規制………………………… 202
12 危険・有害性が不明である物質に関する規制…………………………… 202
13 就業制限等……………………………………………………………………… 204
14 安全衛生教育…………………………………………………………………… 206
15 健康診断の種類等……………………………………………………………… 208
16 一般健康診断…………………………………………………………………… 210
17 記録の保存及び事後措置等…………………………………………………… 212
18 面接指導………………………………………………………………………… 214
19 心理的な負担の程度を把握するための検査等…………………………… 220
20 計画の届出等…………………………………………………………………… 222
21 監督組織等……………………………………………………………………… 224
22 雑則等…………………………………………………………………………… 224

安衛：択一式出題ランキング

1位　目的等（21問）
2位　大規模事業場の安全衛生管理体制（18問）
3位　面接指導（11問）

1 目的等

1問1
□□□
H29-8E
　労働安全衛生法は、労働基準法と一体的な関係にあるので、例えば「この法律で定める労働条件の基準は最低のものであるから、」に始まる労働基準法第1条第2項に定めるような労働憲章的部分は、労働安全衛生法の施行においても基本となる。

1問2
□□□
H28-9B
　労働安全衛生法における「労働災害」は、労働者の就業に係る建設物、設備、原材料、ガス、蒸気、粉じん等により、又は作業行動その他業務に起因して、労働者が負傷し、疾病にかかり、又は死亡することをいうが、例えばその負傷については、事業場内で発生したことだけを理由として「労働災害」とするものではない。

1問3
□□□
R3-8A
　労働安全衛生法では、「労働者」は、労働基準法第9条に規定する労働者だけをいうものではなく、建設業におけるいわゆる一人親方(労災保険法第35条第1項の規定により保険給付を受けることができることとされた者)も下請負人として建設工事の業務に従事する場合は、元方事業者との関係において労働者としている。

1問4
□□□
H28-9A
　労働安全衛生法における「事業者」は、労働基準法第10条に規定する「使用者」とはその概念を異にするが、「労働者」は、労働基準法第9条に規定する労働者(同居の親族のみを使用する事業又は事務所に使用される者及び家事使用人を除く。)をいう。

1問5
□□□
R2-9A
　労働安全衛生法は、同居の親族のみを使用する事業又は事務所については適用されない。また、家事使用人についても適用されない。

1答1 ○　昭和47.9.18発基91号。設問の通り正しい。労働安全衛生法は、形式的には労働基準法から分離独立したものとなっているが、安全衛生に関する事項は労働者の労働条件の重要な一端を占めるものであり、第1条［目的］、第3条第1項［事業者の責務］、労働基準法第42条［労働者の安全及び衛生に関する労働安全衛生法への委任］等の規定により、労働安全衛生法と労働条件についての一般法である労働基準法とは**一体としての関係**に立つものであることが明らかにされている。したがって、労働基準法の労働憲章的部分は、労働安全衛生法の施行にあたっても当然その基本とされなければならない。

1答2 ○　法2条1号。設問の通り正しい。

1答3 ×　法2条2号。労働安全衛生法における「労働者」とは、労働基準法9条に規定する労働者(同居の親族のみを使用する事業又は事務所に使用される者及び家事使用人を除く。)をいう。

1答4 ○　法2条2号、3号、昭和47.9.18発基91号。設問の通り正しい。「事業者」とは、その事業における経営主体のことをいい、個人企業にあってはその事業主個人、法人企業であれば法人そのものを指す。

1答5 ○　法2条2号、3号、昭和47.9.18発基91号。設問の通り正しい。なお、家事使用人のほか、船員法の適用を受ける船員や、国家公務員も労働安全衛生法は適用されない。

❶問6
□□□
R2-9B
労働安全衛生法は、事業場を単位として、その業種、規模等に応じて、安全衛生管理体制、工事計画の届出等の規定を適用することにしており、この法律による事業場の適用単位の考え方は、労働基準法における考え方と同一である。

❶問7
□□□
H28-9C
労働安全衛生法における事業場の業種の区分については、その業態によって個別に決するものとし、経営や人事等の管理事務をもっぱら行なっている本社、支店などは、その管理する系列の事業場の業種とは無関係に決定するものとしており、たとえば、製鉄所は製造業とされるが、当該製鉄所を管理する本社は、製造業とはされない。

❶問8
□□□
H27-9A
事業者は、常時50人以上の労働者を使用する事業場ごとに衛生管理者を選任しなければならないが、この労働者数の算定に当たって、派遣就業のために派遣され就業している労働者については、当該労働者を派遣している派遣元事業場及び当該労働者を受け入れている派遣先事業場双方の労働者として算出する。

❶問9
□□□
H30-8A
派遣元事業者は、派遣労働者を含めて常時使用する労働者数を算出し、それにより算定した事業場の規模等に応じて、総括安全衛生管理者、衛生管理者、産業医を選任し、衛生委員会の設置をしなければならない。

❶問10
□□□
H30-8D
派遣就業のために派遣され就業している労働者に関する機械、器具その他の設備による危険や原材料、ガス、蒸気、粉じん等による健康障害を防止するための措置は、派遣先事業者が講じなければならず、当該派遣中の労働者は当該派遣元の事業者に使用されないものとみなされる。

1答6 ○ 昭和47.9.18発基91号。設問の通り正しい。

1答7 ○ 昭和47.9.18発基91号。設問の通り正しい。なお、当該製鉄所を管理する本社は「その他の業種」とされる。

1答8 ○ 法12条1項、令4条、派遣法45条1項、同令6条3項。設問の通り正しい。

> 派遣労働者がいる場合の常時使用する労働者数の算定
> ・総括安全衛生管理者、衛生管理者、安全衛生推進者、衛生推進者、産業医…派遣元事業場及び派遣先事業場の双方の労働者とみなす → それぞれの事業場において、派遣中の労働者を含めて算定
> ・安全管理者…派遣先事業場の労働者とみなす → 派遣先事業場において、派遣中の労働者を含めて算定

1答9 ○ 法10条1項、法12条1項、法13条1項、法18条1項、派遣法45条1項、令6条3項、平成27.9.30基発0930第5号。設問の通り正しい。**1答8** の プラスα 参照。

1答10 ○ 法20条1号、法22条1号、派遣法45条3項、5項。設問の通り正しい。

❶問11
□□□
H27-9B
　派遣就業のために派遣される労働者に対する労働安全衛生法第59条第1項の規定に基づくいわゆる雇入れ時の安全衛生教育の実施義務については、当該労働者を受け入れている派遣先の事業者に課せられている。

❶問12
□□□
H30-8C
　派遣労働者に対する労働安全衛生法第59条第1項の規定に基づく雇入れ時の安全衛生教育は、派遣先事業者に実施義務が課せられており、派遣労働者を就業させるに際して実施すべきものとされている。

❶問13
□□□
H27-9C
　派遣就業のために派遣され就業している労働者に対する労働安全衛生法第59条第3項の規定に基づくいわゆる危険・有害業務に関する特別の教育の実施義務については、当該労働者を派遣している派遣元の事業者及び当該労働者を受け入れている派遣先の事業者の双方に課せられている。

❶問14
□□□
H27-9D
　派遣就業のために派遣され就業している労働者に対して行う労働安全衛生法に定める医師による健康診断については、同法第66条第1項に規定されているいわゆる一般定期健康診断のほか、例えば屋内作業場において有機溶剤を取り扱う業務等の有害な業務に従事する労働者に対して実施するものなど同条第2項に規定されている健康診断も含めて、その雇用主である派遣元の事業者にその実施義務が課せられている。

❶問15
□□□
H30-8B
　派遣労働者に関する労働安全衛生法第66条第2項に基づく有害業務従事者に対する健康診断（以下本肢において「特殊健康診断」という。）の結果の記録の保存は、派遣先事業者が行わなければならないが、派遣元事業者は、派遣労働者について、労働者派遣法第45条第11項の規定に基づき派遣先事業者から送付を受けた当該記録の写しを保存しなければならず、また、当該記録の写しに基づき、派遣労働者に対して特殊健康診断の結果を通知しなければならない。

❶答11 ✕ 法59条1項、派遣法45条。雇入れ時の安全衛生教育の実施義務は、**派遣元**の事業者に課せられている。

> **Point** 派遣労働者については、次のように派遣元事業者又は派遣先事業者が安全衛生教育を実施する義務を負う。
> ①雇入れ時 ⇒ 派遣元
> ②作業内容変更時 ⇒ 派遣元及び派遣先
> ③特別教育・職長教育 ⇒ 派遣先

❶答12 ✕ 法59条1項、派遣法45条。雇入れ時の安全衛生教育の実施義務は、**派遣元**の事業者に課せられている。**❶答11**の **Point** 参照。

❶答13 ✕ 法59条3項、派遣法45条3項、5項。特別の教育の実施義務は、**派遣先**の事業者のみに課せられている。**❶答11**の **Point** 参照。

❶答14 ✕ 法66条1項、2項、派遣法45条。法66条2項に規定されている健康診断(特殊健康診断)については、「**派遣先**」の事業者に実施義務が課せられている。なお、一般定期健康診断については、設問の通り、派遣元の事業者に実施義務が課せられている。

> **Point** 派遣労働者に対する健康診断の実施
>
> | 種類 | 実施が義務付けられている事業者 |
> | --- | --- |
> | 一般健康診断 | 派遣元の事業者 |
> | 特殊健康診断 | 派遣先の事業者 |

❶答15 ◯ 法66条2項、法66条の3、派遣法45条3項、10項、11項、平成27.9.30基発0930第5号。設問の通り正しい。

> **プラスα** 派遣元事業主は、派遣先が行った特殊健康診断の結果に基づく就業上の措置の内容に関する情報の提供を求めることとされている。

❶問16 派遣元事業者は、派遣労働者が労働災害に被災したことを把握
□□□ した場合、派遣先事業者から送付された所轄労働基準監督署長に
H30-8E 提出した労働者死傷病報告の写しを踏まえて労働者死傷病報告を
作成し、派遣元の事業場を所轄する労働基準監督署長に提出しな
ければならない。

❶問17 労働安全衛生法は、機械、器具その他の設備を設計し、製造し、
□□□ 又は輸入する者にも、これらの物の設計、製造又は輸入に際して、
H29-8C これらの物が使用されることによる労働災害の発生の防止に資す
るよう努めることを求めている。

❶問18 労働安全衛生法は、原材料を製造し、又は輸入する者にも、こ
□□□ れらの物の製造又は輸入に際して、これらの物が使用されること
H29-8D による労働災害の発生の防止に資するよう努めることを求めてい
る。

❶問19 労働安全衛生法は、事業者の責務を明らかにするだけではなく、
□□□ 機械等の設計者、製造者又は輸入者、原材料の製造者又は輸入者、
R2-9D 建設物の建設者又は設計者、建設工事の注文者等についても、そ
れぞれの立場において労働災害の発生の防止に資するよう努める
べき責務を有していることを明らかにしている。

❶問20 二以上の建設業に属する事業の事業者が、一の場所において行
□□□ われる当該事業の仕事を共同連帯して請け負った場合においては、
R3-8B 厚生労働省令で定めるところにより、そのうちの一人を代表者と
して定め、これを都道府県労働局長に届け出なければならないが、
この場合においては、当該事業をその代表者のみの事業と、当該
代表者のみを当該事業の事業者と、当該事業の仕事に従事する労
働者を下請負人の労働者も含めて当該代表者のみが使用する労働
者とそれぞれみなして、労働安全衛生法が適用される。

1答16 ○ 法100条、則97条1項、派遣法45条15項、同則42条、平成27. 9.30基発0930第5号。設問の通り正しい。なお、労働者死傷病報告については、改正があったが、派遣元事業者の具体的な取扱いは通達に定められており、改正に伴う内容の通達が2024年9月2日現在出ていないため、設問は出題当時の内容のままである。

1答17 ○ 法3条2項。設問の通り正しい。

機械、器具その他の設備を設計し、若しくは輸入する者、原材料を製造し、若しくは輸入する者又は建設物を建設し、若しくは設計する者について、これらの物の設計、製造、輸入又は建設に際して、これらの物が使用されることによる労働災害の発生の防止に資するように努めなければならない。

1答18 ○ 法3条2項。設問の通り正しい。

1答19 ○ 法3条2項、3項、昭和47.9.18発基91号。設問の通り正しい。

「建設工事の注文者等」には、建設工事以外の注文者も含まれる。また、必ずしも発注者に限られるものではなく、例えば、建設工事の元方事業者が専門工事業者等にその建設工事の一部を請け負わせる場合も含まれる。

1答20 × 法5条、昭和47.11.15基発725号。設問のいわゆるジョイント・ベンチャーの場合、当該事業の仕事に従事する労働者を、当該代表者のみが使用する労働者とみなすが、ジョイント・ベンチャーから工事を請け負う下請事業者及び当該下請事業者の労働者に関しては、この規定は適用されない。なお、その他の記述は正しい。

厚生労働大臣は、労働政策審議会の意見をきいて、労働災害防止計画を策定しなければならないこととされており、現在、「死亡災害の撲滅を目指して、平成24年と比較して、平成29年までに労働災害による死者の数を15％以上減少させること」などを盛り込んだ平成25年4月から平成30年3月までの5年間にわたる計画が進められている。

1答21 ○　法 6 条、平成25.3.8公示「第12次労働災害防止計画」。設問の通り正しい。「第12次労働災害防止計画」は、平成25年度から平成29年度までを計画期間として、労働災害を減少させるために国が重点的に取り組む事項を定めた計画である。その目標として、「平成24年と比較して、平成29年までに、①死亡災害の撲滅を目指して、労働災害による死亡者の数を15％以上減少させること、②労働災害による休業 4 日以上の死傷者の数を15％以上減少させること」を掲げ、当該目標を計画期間中に達成することを目指す、としている。

プラスα

現在は、2023年度（令和 5 年度）を初年度として 5 年間にわたる「第14次労働災害防止計画」が策定されている。当該計画では、対象とする重点事項における取組の進捗状況を確認する指標（アウトプット指標）を設定し、アウトカム指標（達成目標）を定めることで、①死亡災害については、2022年と比較して2027年までに 5 ％以上減少させること、②死傷災害については、2021年までの増加傾向に歯止めをかけ、死傷者数については、2022年と比較して2027年までに減少に転じさせること、としている。

2 大規模事業場の安全衛生管理体制

最新問題

2 問 1
□□□
R6-8

次に示す業態をとる株式会社についての安全衛生管理に関する記述のうち、誤っているものはどれか。

なお、衛生管理者については、選任の特例(労働安全衛生規則第8条)を考えないものとする。

　　W市に本社を置き、人事、総務等の管理業務を行っている。
　　　使用する労働者数　　常時30人
　　X市に第1工場を置き、金属部品の製造及び加工を行っている。
　　　・工場は1直7:00～15:00及び2直15:00～23:00の2交替で操業しており、1グループ150人計300人の労働者が交替で就業している。
　　　・工場には動力により駆動されるプレス機械が10台設置され、当該機械による作業が行われている。
　　Y市に第2工場を置き、金属部品の製造及び加工を行っている。
　　　・工場は1直7:00～15:00及び2直15:00～23:00の2交替で操業しており、1グループ40人計80人の労働者が交替で就業している。
　　　・工場には動力により駆動されるプレス機械が5台設置され、当該機械による作業が行われている。
　　Z市に営業所を置き、営業活動を行っている。
　　　使用する労働者数　　常時12人(ただし、この事業場のみ、うち6人は1日4時間労働の短時間労働者)

A　W市にある本社には、安全管理者も衛生管理者も選任する義務はない。

B　W市にある本社には、総括安全衛生管理者を選任しなければならない。

C　X市にある第1工場及びY市にある第2工場には、それぞれ安全管理者及び衛生管理者を選任しなければならないが、X市にある第1工場には、衛生管理者を二人以上選任しなければならない。

D　X市にある第1工場及びY市にある第2工場には、プレス機械作業主任者を、それぞれの工場に、かつ1直2直それぞれに選任しなければならない。

E　Z市にある営業所には、衛生推進者を選任しなければならない。

②答1　正解　B

A　○　法11条1項、法12条1項、令2条3号、令3条、令4条、昭和47.9.18発基91号。設問の通り正しい。労働安全衛生法は事業場（工場）を単位として適用することとされている。W市にある本社では、労働者数が常時30人で、常時50人以上ではなく、また、業種は令2条3号の「その他の業種」に該当する。したがって、安全管理者も衛生管理者も選任する義務はない。

B　×　法10条1項、令2条3号、昭和47.9.18発基91号。W市にある本社では、その業種は令2条3号の「その他の業種」に該当するが、労働者数が常時1,000人以上ではないため、総括安全衛生管理者を選任する必要はない。

C　○　法11条1項、法12条1項、令3条、令4条、則7条1項4号。設問の通り正しい。X市にある第1工場及びY市にある第2工場では、それぞれ常時50人以上の労働者を使用し、その業種は製造業であるため、いずれの工場でも安全管理者及び衛生管理者を選任しなければならない。また、X市にある第1工場では、常時使用する労働者数が300人であり、200人を超え500人以下であるので、衛生管理者は2人以上選任しなければならない。

D　○　法14条、令6条7号、則16条1項、則別表第1、昭和48.3.19基発145号。設問の通り正しい。X市にある第1工場及びY市にある第2工場では、それぞれ、動力により駆動されるプレス機械を5台以上有し、当該プレス機械による作業を行っているため、プレス機械作業主任者を選任しなければならない。また、交替制で行われる作業において、ボイラー取扱作業主任者、第1種圧力容器取扱作業主任者及び乾燥設備作業主任者「以外」の作業主任者については各直ごとに選任しなければならないため、これらの工場では、プレス機械作業主任者は1直2直それぞれに選任しなければならない。

E　○　法12条の2、則12条の2、昭和47.9.18発基91号、昭和47.9.18基発602号。設問の通り正しい。安全衛生推進者又は衛生推進者の選任に関し、「常時10人以上50人未満の労働者」には、設問の短時間労働者も含まれる。また、Z市の営業所の業種は、安全管理者の選任を要する業種以外のものであるため、当該営業所では衛生推進者を選任することとなる。

2 問 1
□□□
R3-9ア

総括安全衛生管理者は、労働安全衛生法施行令で定める業種の事業場の企業全体における労働者数を基準として、企業全体の安全衛生管理を統括管理するために、その選任が義務づけられている。

2 問 2
□□□
R3-9イ

総括安全衛生管理者は、労働者の危険又は健康障害を防止するための措置に関することを統括管理する。

2 問 3
□□□
R3-9ウ

総括安全衛生管理者は、労働者の安全又は衛生のための教育の実施に関することを統括管理する。

2 問 4
□□□
R3-9エ

総括安全衛生管理者は、健康診断の実施その他健康の保持増進のための措置に関することを統括管理する。

2 問 5
□□□
R3-9オ

総括安全衛生管理者は、労働災害の原因の調査及び再発防止対策に関することを統括管理する。

2 問 6
□□□
R2-9C

総括安全衛生管理者は、当該事業場においてその事業の実施を統括管理する者をもって充てなければならないが、必ずしも安全管理者の資格及び衛生管理者の資格を共に有する者のうちから選任しなければならないものではない。

2答1 × 法10条１項、令２条、昭和47.9.18発基91号。総括安全衛生管理者は、労働安全衛生法施行令で定める業種の事業場の労働者数を基準として選任するのであり、当該事業場の企業全体における労働者数を基準として選任するのではない。なお、「事業場」とは、工場、鉱山、事務所、店舗等のように一定の場所において、相関連する組織の下に継続的に行われる作業の一体をいう。

2答2 ○ 法10条１項１号。設問の通り正しい。

2答3 ○ 法10条１項２号。設問の通り正しい。

2答4 ○ 法10条１項３号。設問の通り正しい。

2答5 ○ 法10条１項４号。設問の通り正しい。

2答6 ○ 法10条２項、昭和47.9.18基発602号。設問の通り正しい。総括安全衛生管理者となるためには、安全管理者、衛生管理者、産業医と異なり特段の資格や免許等は必要ない。

　産業医を選任した事業者は、その事業場における産業医に対する健康相談の申出の方法などを、常時各作業場の見やすい場所に掲示し、又は備え付けることその他の厚生労働省令で定める方法により、労働者に周知させなければならないが、この義務は常時100人以上の労働者を使用する事業場に課せられている。

　安全管理者又は衛生管理者を選任した事業者は、その事業場における安全管理者又は衛生管理者の業務の内容その他の安全管理者又は衛生管理者の業務に関する事項で厚生労働省令で定めるものを、常時各作業場の見やすい場所に掲示し、又は備え付けることその他の厚生労働省令で定める方法により、労働者に周知させる義務がある。

2答7 ✕ 法101条2項、則98条の2,2項。設問の周知義務は、産業医の選任をした事業場に課せられており、常時100人以上の労働者を使用する事業場に限るものではない。

> 産業医は、労働衛生コンサルタント試験に合格した医師でその試験の区分が保健衛生である者のほか、厚生労働大臣の指定する者（法人に限る。）が行う労働者の健康管理等を行うのに必要な医学に関する知識についての研修を修了した医師、産業医科大学その他の大学であって厚生労働大臣が指定するものにおいて所定の課程を修めて卒業した者であって、その大学が行う実習を履修した医師等の中から選任しなければならない。

2答8 ✕ 法11条、法12条。設問のような周知義務はない。

　次に示す業態をとる株式会社についての安全衛生管理に関する記述のうち、正しいものはどれか。なお、衛生管理者及び産業医については、選任の特例（労働安全衛生規則第 8 条及び同規則第13条第 3 項）を考えないものとする。

X市に本社を置き、人事、総務等の管理業務と営業活動を行っている。

　　　　　使用する労働者数　　　常時40人

Y市に工場を置き、食料品を製造している。

　　　　　工場は24時間フル操業で、1 グループ150人で構成する 4 つのグループ計600人の労働者が、1 日を 3 つに区分した時間帯にそれぞれ順次交替で就業するいわゆる 4 直 3 交替で、業務に従事している。したがって、この600人の労働者は全て、1 月に 4 回以上輪番で深夜業に従事している。なお、労働基準法第36条第 6 項第 1 号に規定する健康上特に有害な業務に従事する者はいない。

Z市に 2 店舗を置き、自社製品を小売りしている。

　　　　　Z 1 店舗　使用する労働者数　　　常時15人
　　　　　Z 2 店舗　使用する労働者数　　　常時15人（ただし、この事業場のみ、うち12人は 1 日 4 時間労働の短時間労働者）

A　X市にある本社には、総括安全衛生管理者、衛生管理者及び産業医を選任しなければならない。

B　Y市にある工場には、安全委員会及び衛生委員会を設置しなければならず、それぞれの委員会の設置に代えて、安全衛生委員会を設置することができるが、産業医については、その工場に専属の者を選任しなければならない。

C　Y市にある工場には衛生管理者を 3 人選任しなければならないが、そのうち少なくとも 1 人を衛生工学衛生管理者免許を受けた者のうちから選任しなければならない。

D　X市にある本社に衛生管理者が選任されていれば、Z市にある Z 1 店舗には衛生推進者を選任しなくてもよい。

E　Z市にある Z 2 店舗には衛生推進者の選任義務はない。

2答9 **正解　B**

A　×　法10条1項、法12条1項、法13条1項、令2条3号、令4条、令5条、昭和47.9.18発基91号。労働安全衛生法は事業場を単位として適用することとされているため、X市にある本社の労働者数は常時40人となり、業種は令2条3号の「その他の業種」に該当する。したがって、総括安全衛生管理者、衛生管理者及び産業医のいずれも選任する必要はない。

B　○　法17条1項、法18条1項、法19条1項、令8条2号、令9条、則13条1項3号ヌ、昭和47.9.18発基91号。設問の通り正しい。Y市にある工場（食料品製造業）の常時使用労働者数は600人であるため、安全委員会及び衛生委員会の設置義務があり、これらの設置に代えて安全衛生委員会を設置することも可能である。また、深夜業を含む業務に常時500人以上（600人）の労働者を従事させているため、その工場に専属の産業医を選任しなければならない。

C　×　則7条1項4号、6号、昭和47.9.18発基91号。常時500人を超える労働者を使用する事業場で、健康上特に有害な業務（労働基準法36条6項1号に規定する健康上特に有害な業務）のうち一定の業務に常時30人以上の労働者を従事させる場合は、衛生管理者のうち1人を衛生工学衛生管理者免許を受けた者のうちから選任しなければならないが、Y市にある工場には当該有害業務に従事する者はいないため、この選任義務はない。なお、Y市にある工場は常時使用労働者数が500人を超え1,000人以下であるため、衛生管理者を3人以上選任しなければならないという記述は正しい。

D　×　法12条の2、則12条の2～12条の4。設問のような規定はない。

E　×　法12条の2、則12条の2、昭和47.9.18発基91号、昭和47.9.18基発602号。常時使用労働者数の算定においては、短時間労働者も含めることとされているため、Z市にあるZ2店舗の労働者数は常時10人以上50人未満（15人）である。また、当該店舗の業種は「飲食料品小売業」に該当し、これは日本標準産業分類上「各種商品小売業」に含まれず、安全管理者の選任が必要な業種には該当しないため、衛生推進者を選任しなければならない。

過去問

3 問 1
☐☐☐
H29-10改

労働安全衛生法第14条において作業主任者を選任すべきものとされている作業に関する次の記述が正しければ○、誤っていれば×とせよ。

A　木材加工用機械(丸のこ盤、帯のこ盤、かんな盤、面取り盤及びルーターに限るものとし、携帯用のものを除く。)を５台以上(当該機械のうちに自動送材車式帯のこ盤が含まれている場合には、３台以上)有する事業場において行う当該機械による作業

B　高さが２メートル以上のはい(倉庫、上屋又は土場に積み重ねられた荷(小麦、大豆、鉱石等のばら物の荷を除く。)の集団をいう。)のはい付け又ははい崩しの作業(荷役機械の運転者のみによって行われるものを除く。)

C　つり足場(ゴンドラのつり足場を除く。)、張出し足場又は高さが５メートル以上の構造の足場の組立て、解体又は変更の作業

D　動力により駆動されるプレス機械を５台以上有する事業場において行う当該機械による作業

E　屋内において鋼材をアーク溶接する作業

3 問 2
☐☐☐
R4-9E

労働安全衛生法第14条において、作業主任者は、選任を必要とする作業について、経験、知識、技能を勘案し、適任と判断される者のうちから、事業者が選任することと規定されている。

3 問 3
☐☐☐
R4-9A
難

労働安全衛生法施行令第６条第18号に該当する特定化学物質を取り扱う作業については特定化学物質作業主任者を選任しなければならないが、作業が交替制で行われる場合、作業主任者は各直ごとに選任する必要がある。

3 問 4
☐☐☐
R4-9C
難

労働安全衛生法施行令第６条第18号に該当する特定化学物質を取り扱う作業については特定化学物質作業主任者を選任しなければならないが、金属製品を製造する工場において、関係請負人の労働者が当該作業に従事する場合、作業主任者は元方事業者が選任しなければならない。

安
衛

③答1

 A ○ 法14条、令6条6号。設問の通り正しい。設問の作業については、作業主任者を選任すべきものとされている。

 B ○ 法14条、令6条12号。設問の通り正しい。設問の作業については、作業主任者を選任すべきものとされている。

 C ○ 法14条、令6条15号。設問の通り正しい。設問の作業については、作業主任者を選任すべきものとされている。

 D ○ 法14条、令6条7号。設問の通り正しい。設問の作業については、作業主任者を選任すべきものとされている。

 E ○ 法14条、令6条18号。設問の通り正しい。設問の作業については、作業主任者を選任すべきものとされている。

 ※出題当時は、Eは誤りであったが、法改正により作業主任者を選任すべきものとされたため、A～Eまですべて、○となった。

③答2 × 法14条。労働安全衛生法第14条においては、作業主任者は、「都道府県労働局長の免許を受けた者又は都道府県労働局長の登録を受けた者が行う技能講習を修了した者」のうちから、作業の区分に応じて、事業者が選任することと規定されている。

③答3 ○ 法14条、令6条18号、則16条1項、則別表第1、昭和48.3.19基発145号。設問の通り正しい。交替制で行われる作業について作業主任者を選任する場合、作業主任者のうち、ボイラー取扱作業主任者、第1種圧力容器取扱作業主任者及び乾燥設備作業主任者については、必ずしも各直ごとに選任する必要はないが、それ以外の作業主任者については、労働者を直接指揮する必要があるため、各直ごとに選任しなければならない。

③答4 × 法14条、令6条18号、則16条1項、則別表第1。設問の場合、作業主任者の選任義務は、「元方事業者」ではなく「関係請負人」にある。

3 問5
☐☐☐
R4-9B
(難)

特定化学物質作業主任者の職務は、作業に従事する労働者が特定化学物質に汚染され、又はこれらを吸入しないように、作業の方法を決定し、労働者を指揮することにあり、当該作業のために設置されているものであっても、局所排気装置、除じん装置等の装置を点検することは、その職務に含まれない。

3 問6
☐☐☐
R4-9D

事業者は、作業主任者を選任したときは、当該作業主任者の氏名及びその者に行わせる事項を作業場の見やすい箇所に掲示する等により関係労働者に周知するよう努めなければならないとされている。

4 委員会

過去問

4 問1
☐☐☐
R4-10B

安全委員会は、政令で定める業種に限定してその設置が義務付けられているが、製造業、建設業、運送業、電気業、ガス業、通信業、各種商品小売業及び旅館業はこれに含まれる。

4 問2
☐☐☐
R4-10A

衛生委員会は、企業全体で常時50人以上の労働者を使用する企業において、当該企業全体を統括管理する事業場に設置しなければならないとされている。

4 問3
☐☐☐
R4-10D

安全委員会及び衛生委員会の委員には、労働基準法第41条第2号に定める監督若しくは管理の地位にある者又は機密の事務を取り扱う者を選任してはならないとされている。

4 問4
☐☐☐
R4-10C

安全委員会及び衛生委員会を設けなければならないとされている場合において、事業者はそれぞれの委員会の設置に代えて、安全衛生委員会を設置することができるが、これは、企業規模が300人以下の場合に限られている。

4 問5
☐☐☐
R4-10E

事業者は、安全衛生委員会を構成する委員には、安全管理者及び衛生管理者のうちから指名する者を加える必要があるが、産業医を委員とすることについては努力義務とされている。

❸答5 ×　特化則28条1号、2号。設問の「局所排気装置、除じん装置等の装置を点検すること」も、特定化学物質作業主任者の職務に含まれる。

❸答6 ×　則18条。設問の事業者による周知は、「周知するよう努めなければならない」とする努力義務ではなく、「周知させなければならない」とする義務である。

❹答1 ○　法17条1項、令8条。設問の通り正しい。安全委員会を設置すべき業種は、安全管理者を選任すべき業種と同じである。

❹答2 ×　法18条1項、令9条。衛生委員会は、常時50人以上の労働者を使用する事業場ごとに設置しなければならないとされている。

❹答3 ×　法17条2項、法18条2項。安全委員会及び衛生委員会の委員として、労働基準法第41条第2号に定める監督若しくは管理の地位にある者又は機密の事務を取り扱う者を選任してはならないとする規定はない。

❹答4 ×　法19条1項。安全委員会及び衛生委員会を設けなければならないときは、事業者は、それぞれの委員会の設置に代えて、安全衛生委員会を設置することができるとされており、「企業規模が300人以下の場合」に限られるというような制限の規定はない。

❹答5 ×　法19条2項。産業医のうちから事業者が指名した者についても、安全管理者及び衛生管理者のうちから事業者が指名した者と同様、安全衛生委員会の委員に加える必要がある（努力義務ではない。）。

5 問 1

□□□
R元-8

次に示す建設工事現場における安全衛生管理に関する記述のうち、誤っているものはどれか。

甲社：本件建設工事の発注者

乙社：本件建設工事を甲社から請け負って当該建設工事現場で仕事をしている事業者。常時10人の労働者が現場作業に従事している。

丙社：乙社から工事の一部を請け負って当該建設工事現場で仕事をしているいわゆる一次下請事業者。常時30人の労働者が現場作業に従事している。

丁社：丙社から工事の一部を請け負って当該建設工事現場で仕事をしているいわゆる二次下請事業者。常時20人の労働者が現場作業に従事している。

A 乙社は、自社の労働者、丙社及び丁社の労働者の作業が同一の場所において行われることによって生ずる労働災害を防止するため、協議組織を設置しなければならないが、この協議組織には、乙社が直接契約を交わした丙社のみならず、丙社が契約を交わしている丁社も参加させなければならず、丙社及び丁社はこれに参加しなければならない。

B 乙社は、特定元方事業者として統括安全衛生責任者を選任し、その者に元方安全衛生管理者の指揮をさせなければならない。

C 丙社及び丁社は、それぞれ安全衛生責任者を選任しなければならない。

D 丁社の労働者が、当該仕事に関し、労働安全衛生法に違反していると認めるときに、その是正のために元方事業者として必要な指示を行う義務は、丙社に課せられている。

E 乙社が足場を設置し、自社の労働者のほか丙社及び丁社の労働者にも使用させている場合において、例えば、墜落により労働者に危険を及ぼすおそれのある箇所に労働安全衛生規則で定める足場用墜落防止設備が設けられていなかった。この場合、乙社、丙社及び丁社は、それぞれ事業者として自社の労働者の労働災害を防止するための措置義務を負うほか、乙社は、丙社及び丁社の労働者の労働災害を防止するため、注文者としての措置義務も負う。

5答1　正解　D

A　○　法15条１項、法30条１項１号、則635条。設問の通り正しい。特定元方事業者は、特定元方事業者及びすべての関係請負人が参加する協議組織を設置しなければならない。また、関係請負人は、特定元方事業者が設置する協議組織に参加しなければならない。

B　○　法15条１項、令７条２項２号。設問の通り正しい。乙社は、建設業であり、同一の作業場所において関係請負人の労働者を含めて常時50人以上の労働者が従事しているので、統括安全衛生責任者を選任しなければならない。

C　○　法16条１項。設問の通り正しい。統括安全衛生責任者が選任された場合において、統括安全衛生責任者を選任すべき事業者以外の請負人で、当該仕事を自ら行うものは、安全衛生責任者を選任しなければならない。

D　×　法15条１項、法29条２項。設問の場合は、最も先次の請負契約における注文者である事業者(乙社)に義務が課せられている。

E　○　法21条２項、法24条、法31条１項、則563条、則567条、則655条。設問の通り正しい。

　下記に示す事業者が一の場所において行う建設業の事業に関する次の記述のうち、誤っているものはどれか。

　なお、この場所では甲社の労働者及び下記乙①社から丙②社までの4社の労働者が作業を行っており、作業が同一の場所において行われることによって生じる労働災害を防止する必要がある。

　　甲社　　鉄骨造のビル建設工事の仕事を行う元方事業者
　　　　　　当該場所において作業を行う労働者数　　常時5人
　　乙①社　甲社から鉄骨組立工事一式を請け負っている事業者
　　　　　　当該場所において作業を行う労働者数　　常時10人
　　乙②社　甲社から壁面工事一式を請け負っている事業者
　　　　　　当該場所において作業を行う労働者数　　常時10人
　　丙①社　乙①社から鉄骨組立作業を請け負っている事業者
　　　　　　当該場所において作業を行う労働者数　　常時14人
　　丙②社　乙②社から壁材取付作業を請け負っている事業者
　　　　　　当該場所において作業を行う労働者数　　常時14人

A　甲社は、統括安全衛生責任者を選任しなければならない。

B　甲社は、元方安全衛生管理者を選任しなければならない。

C　甲社は、当該建設工事の請負契約を締結している事業場に、当該建設工事における安全衛生の技術的事項に関する管理を行わせるため店社安全衛生管理者を選任しなければならない。

D　甲社は、労働災害を防止するために協議組織を設置し運営しなければならないが、この協議組織には自社が請負契約を交わした乙①社及び乙②社のみならず丙①社及び丙②社も参加する組織としなければならない。

E　甲社は、丙②社の労働者のみが使用するために丙②社が設置している足場であっても、その設置について労働安全衛生法又はこれに基づく命令の規定に違反しないよう必要な指導を行わなければならない。

5 答 2 正解　C

A　○　法15条1項、令7条2項2号。設問の通り正しい。甲社は、建設業（鉄骨造のビル建設工事）であり、同一の作業場所において関係請負人（乙①社から丙②社までの4社）の労働者を含めて常時50人以上の労働者が従事しているので、統括安全衛生責任者を選任しなければならない。

B　○　法15条の2,1項。設問の通り正しい。

 Point 統括安全衛生責任者を選任した建設業に属する事業を行う特定元方事業者は、元方安全衛生管理者を選任しなければならないが、造船業に属する事業を行う特定元方事業者には、元方安全衛生管理者の選任は義務付けられていない。

C　×　法15条の3,1項カッコ書、則18条の6,1項。設問の建設業の事業は、統括安全衛生責任者を選任しなければならない場所において作業を行うものであるので、甲社に店社安全衛生管理者の選任義務はない。

D　○　法15条1項、法30条1項1号、則635条1項1号。設問の通り正しい。特定元方事業者は、当該特定元方事業者及びすべての関係請負人が参加する協議組織を設置しなければならない。

E　○　法29条1項。設問の通り正しい。

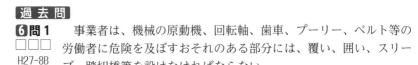

6 事業者の講ずべき措置

過 去 問

6問1
□□□
H27-8B

事業者は、機械の原動機、回転軸、歯車、プーリー、ベルト等の労働者に危険を及ぼすおそれのある部分には、覆い、囲い、スリーブ、踏切橋等を設けなければならない。

6問2
□□□
H27-8E
難

事業者は、一の荷でその重量が100キログラム以上のものを貨物自動車に積む作業又は貨物自動車から卸す作業を行うときは、当該作業を指揮する者を定め、その者に、作業手順及び作業手順ごとの作業の方法を決定し作業を直接指揮することなど所定の事項を行わせなければならない。

6問3
□□□
H28-8A
難

事業者は、回転中の研削といしが労働者に危険を及ぼすおそれのあるときは、覆いを設けなければならない。ただし、直径が50ミリメートル未満の研削といしについては、この限りでない。

6問4
□□□
H28-8B
難

事業者は、木材加工用丸のこ盤(製材用丸のこ盤及び自動送り装置を有する丸のこ盤を除く。)には、歯の接触予防装置を設けなければならない。

6問5
□□□
H28-8C

事業者は、機械(刃部を除く。)の掃除、給油、検査、修理又は調整の作業を行う場合において、労働者に危険を及ぼすおそれのあるときは、機械の運転を停止しなければならない。ただし、機械の運転中に作業を行わなければならない場合において、危険な箇所に覆いを設ける等の措置を講じたときは、この限りでない。

6問6
□□□
H28-8D
難

事業者は、ボール盤、面取り盤等の回転する刃物に作業中の労働者の手が接触するおそれのあるときは、当該労働者に手袋を使用させなければならない。

⑥答1 ○　法20条1号、法27条1項、則101条1項。設問の通り正しい。設問は、法20条1号(事業者は、機械、器具その他の設備による危険を防止するため必要な措置を講じなければならない。)に関する必要な措置である。

⑥答2 ○　法20条1号、法27条1項、則151条の70。設問の通り正しい。**⑥答1**参照。

⑥答3 ○　法20条1号、法27条1項、則117条。設問の通り正しい。**⑥答1**参照。

⑥答4 ○　法20条1号、法27条1項、則123条。設問の通り正しい。**⑥答1**参照。

⑥答5 ○　法20条1号、法27条1項、則107条1項。設問の通り正しい。**⑥答1**参照。

⑥答6 ×　法20条1号、法27条1項、則111条1項。事業者は、ボール盤、面取り盤等の回転する刃物に作業中の労働者の手が巻き込まれるおそれのあるときは、当該労働者に手袋を使用させてはならないとされている。

⑥問7 事業者は、高さが2メートル以上の作業床の端、開口部等で墜
□□□ 落により労働者に危険を及ぼすおそれのある箇所には、囲い、手す
H27-8A改 り、覆い等を設けなければならず、それが著しく困難なとき又は作
難 業の必要上臨時に囲い等を取りはずすときは、防網を張り、労働者
に要求性能墜落制止用器具を使用させる等墜落による労働者の危険
を防止するための措置を講じなければならない。

⑥問8 事業者は、屋内に設ける通路について、通路面は、用途に応じた
□□□ 幅を有することとするほか、つまずき、すべり、踏抜等の危険のな
H28-8E い状態に保持すると共に、通路面から高さ1.8メートル以内に障害
難 物を置かないようにしなければならない。

⑥問9 事業者は、事務所の室(感光材料の取扱い等特殊な作業を行う室
□□□ を除く。)における一般的な事務作業を行う作業面の照度を、300ル
H27-8D改 クス以上としなければならない。

⑥問10 労働者は、労働安全衛生法第26条により、事業者が同法の規定
□□□ に基づき講ずる危険又は健康障害を防止するための措置に応じて、
H28-9E 必要な事項を守らなければならないが、その違反に対する罰則の規
定は設けられていない。

7 元方事業者の講ずべき措置

過去問

⑦問1 特定元方事業者は、その労働者及び関係請負人の労働者の作業が
□□□ 同一の場所において行われることによって生ずる労働災害を防止す
H27-8C るために、作業期間中少なくとも1週間に1回、作業場所を巡視
しなければならない。

6答7 ○　法21条2項、法27条1項、則519条。設問の通り正しい。設問は、法21条2項(事業者は、労働者が墜落するおそれのある場所、土砂等が崩壊するおそれのある場所等に係る危険を防止するため必要な措置を講じなければならない。)に関する必要な措置である。

6答8 ○　法23条、法27条1項、則542条。設問の通り正しい。設問は、法23条(事業者は、労働者を就業させる建設物その他の作業場について、通路、床面、階段等の保全並びに換気、採光、照明、保温、防湿、休養、避難及び清潔に必要な措置その他労働者の健康、風紀及び生命の保持のため必要な措置を講じなければならない。)に関する必要な措置である。

6答9 ○　法23条、法27条1項、事務所則10条1項。設問の通り正しい。**6答8**参照。

6答10 ×　法26条、法120条1号。設問の規定に違反する者は、50万円以下の罰金に処せられる。

7答1 ×　法30条1項3号、則637条1項。特定元方事業者は、「作業期間中少なくとも1週間に1回」ではなく、「**毎作業日に少なくとも1回**」作業場所を巡視しなければならない。

8 特定機械等に関する規制

8 問 1

R5-8

労働安全衛生法第37条第1項の「特定機械等」(特に危険な作業を必要とする機械等であって、これを製造しようとする者はあらかじめ都道府県労働局長の許可を受けなければならないもの)として、労働安全衛生法施行令に掲げられていないものはどれか。ただし、いずれも本邦の地域内で使用されないことが明らかな場合を除くものとする。

A 「ボイラー(小型ボイラー並びに船舶安全法の適用を受ける船舶に用いられるもの及び電気事業法(昭和39年法律第170号)の適用を受けるものを除く。)」

B 「つり上げ荷重が3トン以上(スタツカー式クレーンにあつては、1トン以上)のクレーン」

C 「つり上げ荷重が3トン以上の移動式クレーン」

D 「積載荷重(エレベーター(簡易リフト及び建設用リフトを除く。以下同じ。)、簡易リフト又は建設用リフトの構造及び材料に応じて、これらの搬器に人又は荷をのせて上昇させることができる最大の荷重をいう。以下同じ。)が1トン以上のエレベーター」

E 「機体重量が3トン以上の車両系建設機械」

9 構造規格等の具備を要する機械等に関する規制

過 去 問

9 問 1

R元-9

労働安全衛生法第42条により、厚生労働大臣が定める規格又は安全装置を具備しなければ、譲渡し、貸与し、又は設置してはならないとされているものとして掲げた次の機械等(本邦の地域内で使用されないことが明らかな場合を除く。)のうち、誤っているものはどれか。

A プレス機械又はシャーの安全装置

B 木材加工用丸のこ盤及びその反発予防装置又は歯の接触予防装置

C 保護帽

D 墜落制止用器具

E 天板の高さが1メートル以上の脚立

8答1 **正解　E**

A　×　法37条1項、令12条1項1号。設問のボイラーは、施行令に掲げられている(特定機械等に該当する。)。

B　×　法37条1項、令12条1項3号。設問のクレーンは、施行令に掲げられている(特定機械等に該当する。)。

C　×　法37条1項、令12条1項4号。設問の移動式クレーンは、施行令に掲げられている(特定機械等に該当する。)。

D　×　法37条1項、令12条1項6号。設問のエレベーターは、施行令に掲げられている(特定機械等に該当する。)。

E　○　法37条1項、令12条。設問の「機体重量が3トン以上の車両系建設機械」は、施行令に掲げられていない(特定機械等に該当しない。)。

9答1 **正解　E**

A　○　法42条、法別表第2,5号。設問の通り正しい。

B　○　法42条、法別表第2,10号。設問の通り正しい。

C　○　法42条、法別表第2,15号。設問の通り正しい。

D　○　法42条、令13条3項28号。設問の通り正しい。

E　×　法42条、法別表第2、令13条。天板の高さが1メートル以上の脚立は、法42条による規制の対象となる機械等には含まれていない。

10 定期自主検査

過 去 問

10問1
□□□
H30-9E

　事業者は、定期自主検査を行ったときは、その結果を記録し、これを5年間保存しなければならない。

10問2
□□□
H30-9D
難

　屋内作業場において、有機溶剤中毒予防規則に定める第1種有機溶剤等又は第2種有機溶剤等を用いて行う印刷の業務に労働者を従事させている事業者は、当該有機溶剤作業を行っている場所で稼働させている局所排気装置について、1年以内ごとに1回、定期に、定められた事項について自主検査を行わなければならない。

10問3
□□□
H30-9A
難

　事業者は、現に使用している動力プレスについては、1年以内ごとに1回、定期に、労働安全衛生規則で定める自主検査を行わなければならないとされているが、加工材料に加える圧力が3トン未満の動力プレスは除かれている。

10問4
□□□
H30-9B
難

　事業者は、現に使用しているフォークリフトについては、1年を超えない期間ごとに1回、定期に、労働安全衛生規則で定める自主検査を行わなければならないとされているが、最大荷重が1トン未満のフォークリフトは除かれている。

10問5
□□□
H30-9C

　作業床の高さが2メートル以上の高所作業車は、労働安全衛生法第45条第2項に定める特定自主検査の対象になるので、事業者は、その使用する労働者には当該検査を実施させることが認められておらず、検査業者に実施させなければならない。

⑩答 1 ✕　法45条 1 項、則135条の 2 他。定期自主検査を行ったときの記録の保存期間は「 5 年間」ではなく「 3 年間」である。

⑩答 2 ○　法45条 1 項、有機則 5 条、同則20条。設問の通り正しい。

⑩答 3 ✕　法45条 1 項、 2 項、則134条の 3 、則135条の3,1項。動力プレスの自主検査について、「加工材料に加える圧力が 3 トン未満の動力プレスは除く。」という規定はない。

機械等の安全を確保するためには、様々な規制に加えて、事業者が当該機械等の使用過程において一定の期間ごとに自主的にその機能をチェックし、異常の早期発見と補修に努める必要がある。このような趣旨から定期自主検査及びその結果の記録が義務付けられている。

⑩答 4 ✕　法45条 1 項、 2 項、則151条の21、則151条の24,1項。フォークリフトの自主検査について、「最大荷重が 1 トン未満のフォークリフトは除く。」という規定はない。

⑩答 5 ✕　法45条 2 項、令15条 2 項。設問の作業床の高さが 2 メートル以上の高所作業車は、特定自主検査の対象となるが、当該特定自主検査は、検査業者のみならず、その使用する労働者で一定の資格を有する者にも実施させることができる。

11 危険・有害性が判明している物質に関する規制

過 去 問

11問 1
□□□
R3-8C

労働安全衛生法では、事業者は、作業方法又は作業手順を新規に採用し、又は変更したときは、1か月以内に建設物、設備、原材料、ガス、蒸気、粉じん等による、又は作業行動その他業務に起因する危険性又は有害性等を調査し、その結果に基づいて、労働安全衛生法又はこれに基づく命令の規定による措置を講ずるほか、労働者の危険又は健康障害を防止するため必要な措置を講ずるように努めなければならないとされている。

11問 2
□□□
R3-10C

事業者は、労働安全衛生法第57条の2第1項の規定(労働者に危険又は健康障害を生ずるおそれのある物で政令で定めるもの等通知対象物を譲渡又は提供する者に課せられた危険有害性等に関する文書の交付等義務)により通知された事項を、化学物質、化学物質を含有する製剤その他の物で当該通知された事項に係るものを取り扱う各作業場の見やすい場所に常時掲示し、又は備え付けることその他の厚生労働省令で定める方法により、当該物を取り扱う労働者に周知させる義務がある。

12 危険・有害性が不明である物質に関する規制

過 去 問

12問 1
□□□
R3-8D

労働安全衛生法では、化学物質による労働者の健康障害を防止するため、新規化学物質を製造し、又は輸入しようとする事業者は、あらかじめ、厚生労働省令で定めるところにより、厚生労働大臣の定める基準に従って有害性の調査(当該新規化学物質が労働者の健康に与える影響についての調査をいう。)を行うよう努めなければならないとされている。

11 答 1 × 法28条の2,1項、則24条の11,1項 3 号。設問の調査は、「1 か月以内」ではなく、「作業方法又は作業手順を新規に採用し、又は変更するとき」に行うものとされている。

11 答 2 ○ 法101条 4 項。設問の通り正しい。

【周知方法】
①通知された事項に係る物を取り扱う各作業場の見やすい場所に常時掲示し、又は備え付けること。
②書面を、通知された事項に係る物を取り扱う労働者に交付すること。
③事業者の使用に係る電子計算機に備えられたファイル又は電磁的記録媒体をもって調製するファイルに記録し、かつ、通知された事項に係る物を取り扱う各作業場に当該物を取り扱う労働者が当該記録の内容を常時確認できる機器を設置すること。

12 答 1 × 法57条の4,1項。「有害性の調査を行うよう努めなければならない」ではなく、「有害性の調査を行い、当該新規化学物質の名称、有害性の調査の結果その他の事項を厚生労働大臣に届け出なければならない」とされている。

⓬問 2
□□□
R3-8E

労働安全衛生法では、厚生労働大臣は、化学物質で、がんその他の重度の健康障害を労働者に生ずるおそれのあるものについて、当該化学物質による労働者の健康障害を防止するため必要があると認めるときは、厚生労働省令で定めるところにより、当該化学物質を製造し、輸入し、又は使用している事業者その他厚生労働省令で定める事業者に対し、政令で定める有害性の調査(当該化学物質が労働者の健康障害に及ぼす影響についての調査をいう。)を行い、その結果を報告すべきことを指示することができることとされ、また、その指示を行おうとするときは、あらかじめ、厚生労働省令で定めるところにより、学識経験者の意見を聴かなければならないとされている。

13 就業制限等

過去問

⓭問 1
□□□
H28-10C

つり上げ荷重が5トンのクレーンのうち床上で運転し、かつ、当該運転をする者が荷の移動とともに移動する方式のものの運転の業務は、クレーン・デリック運転士免許を受けていなくても、床上操作式クレーン運転技能講習を修了した者であればその業務に就くことができる。

⓭問 2
□□□
H28-10D

クレーン・デリック運転士免許を受けた者は、つり上げ荷重が5トンの移動式クレーンの運転(道路上を走行させる運転を除く。)の業務に就くことができる。

⓭問 3
□□□
H28-10A

産業労働の場において、事業者は、例えば最大荷重が1トン以上のフォークリフトの運転(道路上を走行させる運転を除く。)の業務については、都道府県労働局長の登録を受けた者が行うフォークリフト運転技能講習を修了した者その他厚生労働省令で定める資格を有する者でなければ、当該業務に就かせてはならないが、個人事業主である事業者自らが当該業務を行うことについては制限されていない。

12答2 ○ 法57条の5,1項、3項。設問の通り正しい。

厚生労働大臣は、化学物質の有害性の調査の結果について事業者から報告を受けたときは、その内容を当該報告を受けた後1年以内に、労働政策審議会に報告するものとされている。

13答1 ○ 法61条1項、令20条6号、則41条、則別表第3、クレーン則22条。設問の通り正しい。

13答2 × 法61条1項、2項、令20条7号、則41条、則別表第3、クレーン則68条。つり上げ荷重が5トンの移動式クレーンの運転(道路上を走行させる運転を除く。)の業務については、「移動式クレーン運転士免許」を受けた者でなければ就くことができない。

13答3 × 法61条1項、2項、令20条11号、則41条、則別表第3。設問の就業制限の規定は、労働者だけでなく個人事業主である事業者についても適用される。

就業制限に関する規定に違反して、事業者が無資格者を就業制限業務に就かせたときは、当該事業者に対して罰則の規定(6月以下の懲役又は50万円以下の罰金)が適用される。

⑬問4
□□□
H28-10E

作業床の高さが5メートルの高所作業車の運転(道路上を走行させる運転を除く。)の業務は、高所作業車運転技能講習を修了した者でなければその業務に就くことはできない。

⑬問5
□□□
H28-10B

建設機械の一つである機体重量が3トン以上のブル・ドーザーの運転(道路上を走行させる運転を除く。)の業務に係る就業制限は、建設業以外の事業を行う事業者には適用されない。

14 安全衛生教育

過去問

⑭問1
□□□
R2-10C

安全衛生教育の実施に要する時間は労働時間と解されるので、当該教育が法定労働時間外に行われた場合には、割増賃金が支払われなければならない。

⑭問2
□□□
R2-10A

事業者は、常時使用する労働者を雇い入れたときは、当該労働者に対し、厚生労働省令で定めるところにより、その従事する業務に関する安全又は衛生のための教育を行わなければならない。臨時に雇用する労働者については、同様の教育を行うよう努めなければならない。

⑭問3
□□□
R2-10B

事業者は、作業内容を変更したときにも新規に雇い入れたときと同様の安全衛生教育を行わなければならない。

⑭問4
□□□
R2-10D

事業者は、最大荷重1トン未満のフォークリフトの運転(道路交通法(昭和35年法律第105号)第2条第1項第1号の道路上を走行させる運転を除く。)の業務に労働者を就かせるときは、当該業務に関する安全又は衛生のための特別の教育を行わなければならない。

⓭**答4** × 法61条1項、令20条15号、則41条、則別表第3。設問の就業制限の規定が適用されるのは、作業床の高さが「10メートル以上」の高所作業車の運転(道路上を走行させる運転を除く。)の業務である。

⓭**答5** × 法61条1項、令20条12号、令別表第7。設問の業務に係る就業制限は、建設業に限られていない(建設業以外の事業を行う事業者にも適用される。)。

⓮**答1** ○ 法59条、法60条、昭和47.9.18基発602号。設問の通り正しい。

⓮**答2** × 法59条1項、則35条1項。臨時に雇用する労働者についても、雇い入れ時の安全衛生教育は行わなければならない。

⓮**答3** ○ 法59条2項、則35条1項。設問の通り正しい。なお、「作業内容を変更したとき」とは、異なる作業に転換をしたときや作業設備、作業方法等について大幅な変更があったときをいい、これらについての軽易な変更があったときは含まない趣旨である。

⓮**答4** ○ 法59条3項、則36条5号。設問の通り正しい。なお、事業者は、特別教育を行ったときは、当該特別教育の受講者、科目等の記録を作成して、これを3年間保存しなければならない。

Point 安全衛生教育(雇入れ時・作業内容変更時の安全衛生教育、特別教育、職長教育)のうち、特別教育についてのみ記録の作成及び保存が義務付けられている。

安衛

⑭問5
□□□
R2-10E

事業者は、その事業場の業種が金属製品製造業に該当するときは、新たに職務に就くこととなった職長その他の作業中の労働者を直接指導又は監督する者(作業主任者を除く。)に対し、作業方法の決定及び労働者の配置に関すること等について、厚生労働省令で定めるところにより、安全又は衛生のための教育を行わなければならない。

15 健康診断の種類等

過去問

⑮問1
□□□
H27-10オ

健康診断の受診に要した時間に対する賃金の支払について、労働者一般に対し行われるいわゆる一般健康診断の受診に要した時間については当然には事業者の負担すべきものとされていないが、特定の有害な業務に従事する労働者に対し行われるいわゆる特殊健康診断の実施に要する時間については労働時間と解されているので、事業者の負担すべきものとされている。

⑮問2
□□□
R元-10A

事業者は、常時使用する労働者に対し、定期に、所定の項目について医師による健康診断を行わなければならないとされているが、その費用については、事業者が全額負担すべきことまでは求められていない。

⓮答 5 ○ 法60条、令19条 2 号。設問の通り正しい。

> ・職長教育が義務付けられている業種
> 建設業・製造業(一定のものを除く。)・電気業・ガス業・自動車整備業・機械修理業
> ・作業主任者には職長教育を行う必要がない。また、教育事項の全部又は一部について十分な知識及び技能を有していると認められる者については、当該事項に関する教育を省略することができる。

⓯答 1 ○ 法66条、昭和47.9.18基発602号。設問の通り正しい。

> **Point** 労働安全衛生法において、労働時間と解すべきものであるか否かについては、次のような取扱いになっている。なお、このほか、高度プロフェッショナル制度対象労働者に対する面接指導に要する時間は、健康管理時間と解される。
>
> | | 労働時間と解される |
> |---|:---:|
> | 安全委員会・衛生委員会・安全衛生委員会の会議の開催に要する時間 | ○ |
> | 安全衛生教育の実施に要する時間 | ○ |
> | 一般健康診断の実施に要する時間 | × |
> | 特殊健康診断の実施に要する時間 | ○ |
> | 研究開発業務従事者に対する面接指導の実施に要する時間 | ○ |
> | 長時間労働者に対する面接指導の実施に要する時間 | × |
> | ストレスチェック及びこれに基づく面接指導の実施に要する時間 | × |
>
> ○…労働時間と解される(法定労働時間外に行った場合には割増賃金の支払が必要)
> ×…労働時間と解されない

⓯答 2 × 法66条 1 項、昭和47.9.18基発602号。設問のいわゆる定期健康診断の費用については、事業者が全額負担しなければならない。

⑮問3
□□□
H27-107
　常時使用する労働者に対して、事業者に実施することが義務づけられている健康診断は、通常の労働者と同じ所定労働時間で働く労働者であっても1年限りの契約で雇い入れた労働者については、その実施義務の対象から外されている。

⑮問4
□□□
R元-10C
　期間の定めのない労働契約により使用される短時間労働者に対する一般健康診断の実施義務は、1週間の労働時間数が当該事業場において同種の業務に従事する通常の労働者の1週間の所定労働時間数の4分の3以上の場合に課せられているが、1週間の労働時間数が当該事業場において同種の業務に従事する通常の労働者の1週間の所定労働時間数のおおむね2分の1以上である者に対しても実施することが望ましいとされている。

⑮問5
□□□
R元-10D

　産業医が選任されている事業場で法定の健康診断を行う場合は、産業医が自ら行うか、又は産業医が実施の管理者となって健診機関に委託しなければならない。

16 一般健康診断

過去問

⑯問1
□□□
R元-10B
　事業者は、常時使用する労働者を雇い入れるときは、当該労働者に対し、所定の項目について医師による健康診断を行わなければならないが、医師による健康診断を受けた後、6か月を経過しない者を雇い入れる場合において、その者が当該健康診断の結果を証明する書面を提出したときは、当該健康診断の項目については、この限りでない。

⑯問2
□□□
R5-10B
　事業者は、常時使用する労働者を雇い入れるときは、当該労働者に対し、所定の項目について医師による健康診断を行わなければならないが、医師による健康診断を受けた後、6月を経過しない者を雇い入れる場合において、その者が当該健康診断の結果を証明する書面を提出したときは、当該健康診断の項目に相当する項目については、この限りでない。

⒖答3 ×　法66条1項、則43条、平成26.7.24基発0724第2号他。通常の労働者と同じ所定労働時間で働く労働者は、期間の定めがある労働契約により雇い入れられた労働者であっても、当該契約の契約期間が1年以上(設問の労働者は、契約期間が1年であるのでこれに該当する。)であれば、健康診断の実施義務の対象となる。

⒖答4 〇　法66条1項、平成26.7.24基発0724第2号他。設問の通り正しい。

⒖答5 ×　法66条1項、則14条1項1号、昭和48.3.15基発145号。設問の場合、健診機関に委託して実施して差し支えないものとされているのであって、委託しなければならないわけではない。なお、法13条(産業医等)の規定の趣旨から最後の判定は、産業医に行わせることが望ましいとされている。

⒗答1 ×　法66条1項、則43条。設問文中の「6か月を経過しない者」を、「3か月を経過しない者」とすると正しい記述となる。

⒗答2 ×　法66条1項、則43条。設問文中の「6月を経過しない者」を、「3月を経過しない者」とすると正しい記述となる。

16 問 3
□□□
H27-10イ
　　事業者は、深夜業を含む業務に常時従事する労働者については、当該業務への配置替えの際及び6月以内ごとに1回、定期に、労働安全衛生規則に定める項目について健康診断を実施しなければならない。

16 問 4
□□□
H27-10ウ
　　事業者は、高さ10メートル以上の高所での作業に従事する労働者については、当該業務への配置替えの際及び6月以内ごとに1回、定期に、労働安全衛生規則に定める項目について健康診断を実施しなければならない。

16 問 5
□□□
R5-10E
　　労働者は、労働安全衛生法の規定により事業者が行う健康診断を受けなければならない。ただし、事業者の指定した医師又は歯科医師が行う健康診断を受けることを希望しない場合において、その旨を明らかにする書面を事業者に提出したときは、この限りでない。

17 記録の保存及び事後措置等

過 去 問

17 問 1
□□□
H27-10エ
　　事業者は、労働安全衛生規則に定める健康診断については、その結果に基づき健康診断個人票を作成して、その個人票を少なくとも3年間保存しなければならない。

17 問 2
□□□
R元-10E
　　事業者は、厚生労働省令で定めるところにより、受診したすべての労働者の健康診断の結果を記録しておかなければならないが、健康診断の受診結果の通知は、何らかの異常所見が認められた労働者に対してのみ行えば足りる。

17 問 3
□□□
R5-10C改
　　事業者(常時100人以上の労働者を使用する事業者に限る。)は、労働安全衛生規則第44条の定期健康診断又は同規則第45条の特定業務従事者の健康診断(定期のものに限る。)を行ったときは、遅滞なく、電子情報処理組織を使用して、所定の事項を所轄労働基準監督署長に報告しなければならない。

⑯答3 ○　法66条1項、則13条1項3号ヌ、則45条1項。設問の通り正しい。深夜業を含む業務に常時従事する労働者は、設問のいわゆる特定業務従事者の健康診断の対象となる。

⑯答4 ×　法66条1項、則13条1項3号、則45条1項。高さ10メートル以上の高所での作業に従事する労働者については、設問のいわゆる特定業務従事者の健康診断の対象とならない。

⑯答5 ×　法66条5項。労働者は、労働安全衛生法の規定により事業者が行う健康診断を受けなければならないが、事業者の指定した医師又は歯科医師が行う健康診断を受けることを希望しない場合において、他の医師又は歯科医師の行う同法の規定による健康診断に相当する健康診断を受け、その結果を証明する書面を事業者に提出したときは、この限りでないとされている。

⑰答1 ×　法66条の3、則51条。健康診断個人票は、「3年間」ではなく「5年間」保存しなければならない。

Point 健康診断個人票の作成及び保存の義務については、健康診断の種類及び事業場の規模を問わない。

⑰答2 ×　法66条の3、法66条の6、則51条の4。健康診断の受診の結果の通知は、受診したすべての労働者に通知しなければならない。

⑰答3 ×　則52条1項。電子情報処理組織を使用して、所定の事項を所轄労働基準監督署長に報告しなければならないのは、常時「50人以上」の労働者を使用する事業者である。

Point 定期健康診断結果報告……常時50人以上の場合
健康診断の実施・健康診断個人票・定期の特殊健康診断に係る健康診断結果報告…人数の規定はない

安衛

17問4
☐☐☐
R5-10A
事業者は、労働安全衛生法第66条第1項の規定による健康診断の結果（当該健康診断の項目に異常の所見があると診断された労働者に係るものに限る。）に基づき、当該労働者の健康を保持するために必要な措置について、厚生労働省令で定めるところにより、医師又は歯科医師の意見を聴かなければならない。

17問5
☐☐☐
R5-10D
事業者は、労働安全衛生規則第44条の定期健康診断を受けた労働者に対し、遅滞なく、当該健康診断の結果（当該健康診断の項目に異常の所見があると診断された労働者に係るものに限る。）を通知しなければならない。

18 面接指導

最新問題

18問1
☐☐☐
R6-9A
労働安全衛生法第66条の8第1項において、事業者が医師による面接指導を行わなければならないとされている労働者の要件は、休憩時間を除き1週間当たり40時間を超えて労働させた場合におけるその超えた時間が一月当たり80時間を超え、かつ、疲労の蓄積が認められる者（所定事由に該当する労働者であって面接指導を受ける必要がないと医師が認めたものを除く。）である。

18問2
☐☐☐
R6-9B
労働安全衛生法第66条の8の2において、新たな技術、商品又は役務の研究開発に係る業務に従事する者（労働基準法第41条各号に掲げる者及び労働安全衛生法第66条の8の4第1項に規定する者を除く。）に対して事業者が医師による面接指導を行わなければならないとされている労働時間に関する要件は、休憩時間を除き1週間当たり40時間を超えて労働させた場合におけるその超えた時間が一月当たり100時間を超える者とされている。

⒄答4 ○ 法66条の4。設問の通り正しい。
※設問文に「労働安全衛生法第66条第1項の規定による健康診断」とあるが、当該健康診断は医師による健康診断であるので、設問の意見聴取は、「医師」から行うこととなると考えられる。

⒄答5 × 則51条の4。定期健康診断の結果は、当該健康診断の項目に異常の所見があると診断された労働者に限らず、当該健康診断を受けたすべての労働者に通知しなければならない。

⒅答1 ○ 法66条の8,1項、則52条の2,1項。設問の通り正しい。

⒅答2 ○ 法66条の8の2,1項、則52条の7の2,1項。設問の通り正しい。

⑱問 3
R6-9D

　労働安全衛生法第66条の8及び同法第66条の8の2により行われる医師による面接指導に要する費用については、いずれも事業者が負担すべきものであるとされているが、当該面接指導に要した時間に係る賃金の支払については、当然には事業者の負担すべきものではなく、事業者が支払うことが望ましいとされている。

⑱問 4
R6-9C

　事業者は、労働安全衛生法の規定による医師による面接指導を実施するため、厚生労働省令で定める方法により労働者の労働時間の状況を把握しなければならないとされているが、この労働者には、労働基準法第41条第2号に規定する監督若しくは管理の地位にある者又は機密の事務を取り扱う者も含まれる。

⑱問 5
R6-9E

　派遣労働者に対する医師による面接指導については、派遣元事業主に実施義務が課せられている。

　次の**⑱問 1**から**⑱問 6**は、労働安全衛生法第66条の8から第66条の8の4までに定める面接指導等に関する問題である。

過去問

⑱問 1
R2-8A

　事業者は、休憩時間を除き1週間当たり40時間を超えて労働させた場合におけるその超えた時間が1月当たり60時間を超え、かつ、疲労の蓄積が認められる労働者から申出があった場合は、面接指導を行わなければならない。

⑱答3 ✕ 法66条の8,1項、法66条の8の2,1項、平成18.2.24基発0224003号、平成31.3.29基発0329第2号。面接指導に要した時間に係る賃金の支払について、法66条の8による長時間労働者に対する面接指導の場合は、設問の通り、当然には事業者の負担すべきものでなく、事業者が支払うことが望ましいとされているが、法66条の8の2による研究開発業務従事者に対する面接指導の場合は、当該面接指導に要する時間は労働時間と解されるため、当然に事業者の負担すべきものである。なお、面接指導に要する費用についての記述は正しい。

⑱答4 ◯ 法66条の8の3、平成31.3.29基発0329第2号。設問の通り正しい。

⑱答5 ◯ 法66条の8,1項、派遣法45条1項〜3項、平成18.2.24基発0224003号他。設問の通り正しい。

---

⑱答1 ✕ 法66条の8,1項、則52条の2,1項。「1月当たり60時間を超え」ではなく、「1月当たり80時間を超え」である。

休憩時間を除き1週間当たり40時間を超えて労働させた場合におけるその超えた時間の算定に係る期日前1月以内に長時間労働者に対する面接指導又は研究開発業務従事者に対する面接指導を受けた労働者その他これに類する労働者であって長時間労働者に対する面接指導を受ける必要がないと医師が認めたものについては、当該面接指導の対象とならない。また、設問の面接指導は、**労働者からの申出**があったときに、**遅滞なく**、行わなければならない。

18問2
□□□
H27-9E
派遣就業のために派遣され就業している労働者に対して労働安全衛生法第66条の8第1項に基づき行う医師による面接指導については、当該労働者が派遣され就業している派遣先事業場の事業者にその実施義務が課せられている。

18問3
□□□
R2-8E
事業者は、労働安全衛生法に定める面接指導の結果については、当該面接指導の結果の記録を作成して、これを保存しなければならないが、その保存すべき年限は3年と定められている。

18問4
□□□
R2-8B
事業者は、研究開発に係る業務に従事する労働者については、休憩時間を除き1週間当たり40時間を超えて労働させた場合におけるその超えた時間が1月当たり80時間を超えた場合は、労働者からの申出の有無にかかわらず面接指導を行わなければならない。

18問5
□□□
R2-8C
事業者は、労働基準法第41条の2第1項の規定により労働する労働者(いわゆる高度プロフェッショナル制度により労働する労働者)については、その健康管理時間(同項第3号に規定する健康管理時間をいう。)が1週間当たり40時間を超えた場合におけるその超えた時間が1月当たり100時間を超えるものに対し、労働者からの申出の有無にかかわらず医師による面接指導を行わなければならない。

18問6
□□□
R2-8D
事業者は、労働安全衛生法に定める面接指導を実施するため、厚生労働省令で定めるところにより、労働者の労働時間の状況を把握しなければならないが、労働基準法第41条によって労働時間等に関する規定の適用が除外される労働者及び同法第41条の2第1項の規定により労働する労働者(いわゆる高度プロフェッショナル制度により労働する労働者)はその対象から除いてもよい。

18答2 × 法66条の8,1項、派遣法45条1項～3項、平成18.2.24基発0224003号。設問の面接指導については、「**派遣元**」の事業者に実施義務が課せられている。

18答3 × 法66条の8,3項、則52条の6,1項他。設問の記録を保存すべき年限は「5年」とされている。

> 【記録の記載事項】
> ①実施年月日
> ②当該労働者の氏名
> ③面接指導を行った医師の氏名
> ④当該労働者の疲労の蓄積の状況
> ⑤上記①～④に掲げるもののほか、当該労働者の心身の状況
> ⑥面接指導の結果に基づき**医師から聴取した意見**

18答4 × 法66条の8の2,1項、則52条の7の2,1項。「1月当たり80時間を超えた場合」ではなく、「1月当たり**100時間**を超えた場合」である。

18答5 ○ 法66条の8の4,1項、則52条の7の4,1項。設問の通り正しい。

18答6 × 法66条の8の3、平成31.3.29基発0329第2号。労働時間の状況の把握に関して、高度プロフェッショナル制度により労働する労働者は、その対象から除かれるが、労働基準法第41条によって労働時間等に関する規定の適用が除外される労働者はその対象となる。

19 心理的な負担の程度を把握するための検査等

　次の**19問1**から**19問5**において「ストレスチェック」とは、「労働安全衛生法第66条の10に定める医師等による心理的な負担の程度を把握するための検査」のことである。

過去問

19問1
□□□
H30-10A
　常時50人以上の労働者を使用する事業者は、常時使用する労働者に対し、1年以内ごとに1回、定期に、ストレスチェックを行わなければならない。

19問2
□□□
H30-10B
　ストレスチェックの項目には、ストレスチェックを受ける労働者の職場における心理的な負担の原因に関する項目を含めなければならない。

19問3
□□□
H30-10D
　ストレスチェックの項目には、ストレスチェックを受ける労働者の心理的な負担による心身の自覚症状に関する項目を含めなければならない。

19問4
□□□
H30-10C
　ストレスチェックの項目には、ストレスチェックを受ける労働者への職場における他の労働者による支援に関する項目を含めなければならない。

19問5
□□□
H30-10E
　ストレスチェックを受ける労働者について解雇、昇進又は異動に関して直接の権限を持つ監督的地位にある者は、検査の実施の事務に従事してはならないので、ストレスチェックを受けていない労働者を把握して、当該労働者に直接、受検を勧奨してはならない。

安
衛

⑲答1 ○ 法66条の10,1項、法附則4条、則52条の9。設問の通り正しい。

Point ストレスチェックの実施は義務とされているが、産業医の選任が義務付けられていない事業場（常用労働者50人未満の事業場）については、当分の間、努力義務（行うように努めなければならない。）とされている。

⑲答2 ○ 法66条の10,1項、則52条の9,1号。設問の通り正しい。

プラスα ストレスチェックの実施者は、医師、保健師のほか、検査を行うために必要な知識についての研修であって厚生労働大臣が定めるものを修了した歯科医師、看護師、精神保健福祉士又は公認心理師とされている。

⑲答3 ○ 法66条の10,1項、則52条の9,2号。設問の通り正しい。

⑲答4 ○ 法66条の10,1項、則52条の9,3号。設問の通り正しい。

⑲答5 × 法66条の10,1項、則52条の10,2項、平成27.5.1基発0501第3号。ストレスチェックを受けていない労働者に対する受検の勧奨については、設問の監督的地位にある者が行っても差し支えないとされている。

プラスα 「解雇、昇進又は異動に関して直接の権限を持つ」とは，当該労働者の人事を決定する権限を持つこと又は人事について一定の判断を行う権限を持つことをいい、人事を担当する部署に所属する者であっても、こうした権限を持たない場合は、該当しないものであるとされている。

20 計画の届出等

【最新問題】

20 問 1
□□□
R6-10A

労働安全衛生法第88条第1項柱書きは、「事業者は、機械等で、危険若しくは有害な作業を必要とするもの、危険な場所において使用するもの又は危険若しくは健康障害を防止するため使用するもののうち、厚生労働省令で定めるものを設置し、若しくは移転し、又はこれらの主要構造部分を変更しようとするときは、その計画を当該工事の開始の日の14日前までに、厚生労働省令で定めるところにより、労働基準監督署長に届け出なければならない。」と定めている。

20 問 2
□□□
R6-10D

機械等で、危険な作業を必要とするものとして計画の届出が必要とされるものにはクレーンが含まれるが、つり上げ荷重が1トン未満のものは除かれる。

20 問 3
□□□
R6-10E

機械等で、危険な作業を必要とするものとして計画の届出が必要とされるものには動力プレス(機械プレスでクランク軸等の偏心機構を有するもの及び液圧プレスに限る。)が含まれるが、圧力能力が5トン未満のものは除かれる。

20 問 4
□□□
R6-10B

事業者は、建設業に属する事業の仕事のうち重大な労働災害を生ずるおそれがある特に大規模な仕事で、厚生労働省令で定めるものを開始しようとするときは、その計画を当該仕事の開始の日の30日前までに、厚生労働省令で定めるところにより、都道府県労働局長に届け出なければならない。

20 問 5
□□□
R6-10C

事業者は、建設業に属する事業の仕事(重大な労働災害を生ずるおそれがある特に大規模な仕事で、厚生労働省令で定めるものを除く。)で、厚生労働省令で定めるものを開始しようとするときは、その計画を当該仕事の開始の日の14日前までに、厚生労働省令で定めるところにより、労働基準監督署長に届け出なければならない。

⑳答1 ×　法88条1項。設問の計画は、工事の開始の日の「**30日前**」までに届け出なければならない。なお、次の①②の措置を講じているものとして、労働基準監督署長が認定した事業者については、設問の届出を要しない。
①法28条の2,1項又は法57条の3,1項及び2項の危険性又は有害性等の調査及びその結果に基づき講ずる措置
②上記①のほか、則24条の2の指針［労働安全衛生マネジメントシステムに関する指針］に従って事業者が行う自主的活動

⑳答2 ×　法88条1項、則85条、クレーン則2条1号、同則44条。危険な作業を必要とするものとして計画の届出が必要とされるクレーンから除かれるのは、つり上げ荷重が「**0.5トン未満**」のものである。

⑳答3 ×　法88条1項、則85条、則別表第7,1号。危険な作業を必要とするものとして計画の届出が必要とされる動力プレスから圧力能力5トン未満のものを除くとする定めはない。

⑳答4 ×　法88条2項。設問の計画は、「**厚生労働大臣**」に届け出なければならない。

⑳答5 ○　法88条3項。設問の通り正しい。

21 監督組織等

21問1
□□□
H29-8B改
　労働者が事業場内における負傷により休業した場合は、その負傷が明らかに業務に起因するものではないと判断される場合であっても、事業者は、労働安全衛生規則第97条の労働者死傷病報告を所轄労働基準監督署長にしなければならない。

21問2
□□□
R3-10E
　事業者は、労働者が労働災害により死亡し、又は4日以上休業したときは、その発生状況及び原因その他の厚生労働省令で定める事項を各作業場の見やすい場所に掲示し、又は備え付けることその他の厚生労働省令で定める方法により、労働者に周知させる義務がある。

22 雑則等

22問1
□□□
R3-10A
　事業者は、この法律及びこれに基づく命令の要旨を各作業場の見やすい場所に掲示し、又は備え付けることその他の厚生労働省令で定める方法により、労働者に周知させなければならないが、この義務は常時10人以上の労働者を使用する事業場に課せられている。

22問2
□□□
H29-8A
　労働安全衛生法は、基本的に事業者に措置義務を課しているため、事業者から現場管理を任されている従業者が同法により事業者に課せられている措置義務に違反する行為に及んだ場合でも、事業者が違反の責めを負い、従業者は処罰の対象とならない。

22問3
□□□
R2-9E
　労働安全衛生法は、第20条で、事業者は、機械等による危険を防止するため必要な措置を講じなければならないとし、その違反には罰則規定を設けているが、措置義務は事業者に課せられているため、例えば法人の従業者が違反行為をしたときは、原則として当該従業者は罰則の対象としない。

21答1 ○　法100条1項、則97条。設問の通り正しい。設問の労働者死傷病報告は、労働者が労働災害その他就業中又は事業場内若しくはその附属建設物内における負傷、窒息又は急性中毒により死亡し、又は休業したときにすることとされている。

21答2 ×　則97条。設問のような周知義務はない。設問の場合は、遅滞なく、電子情報処理組織を使用して、所定の事項を所轄労働基準監督署長に報告しなければならない。

22答1 ×　法101条1項。設問の周知義務は、常時10人以上の労働者を使用する事業場に限られているわけではない。

22答2 ×　法122条。設問の場合、従業者についても、行為者として処罰の対象となる。

22答3 ×　法119条1号、法122条。法人の従業者が設問の違反行為をしたときは、行為者として罰則の対象となる。

労働安全衛生法の対象となる作業・業務について、同法に基づく規則に関する次の記述のうち、誤っているものはどれか。

A　金属をアーク溶接する作業には、特定化学物質障害予防規則の適用がある。

B　自然換気が不十分な場所におけるはんだ付けの業務には、鉛中毒予防規則の適用がある。

C　重量の5パーセントを超えるトルエンを含む塗料を用いて行う塗装の業務には、有機溶剤中毒予防規則の適用がある。

D　潜水業務(潜水器を用い、かつ、空気圧縮機若しくは手押しポンプによる送気又はボンベからの給気を受けて、水中において行う業務をいう。)には、酸素欠乏症等防止規則の適用がある。

E　フォークリフトを用いて行う作業には、労働安全衛生規則の適用がある。

22答4 **正解 D**

A ○ 特化則38条の21他。設問の通り正しい。

B ○ 令別表第4,13号、鉛則1条5号リ他。設問の通り正しい。

C ○ 令別表第6の2,37号、有機則1条1号、2号、6号リ他。設問の通り正しい。

D × 令20条9号、高圧則1条の2,3号、同則8条、同則9条、同則12条他。設問の潜水業務は、「酸素欠乏症等防止規則」ではなく「高気圧作業安全衛生規則」の適用がある。

E ○ 則36条5号、則151条の16～則151条の26他。設問の通り正しい。

3 労災
（労働者災害補償保険法）

労働者災害補償保険法

凡　例

労災保険	→労働者災害補償保険
法、労災保険法	→労働者災害補償保険法
法附則	→労働者災害補償保険法附則
令	→労働者災害補償保険法施行令
則	→労働者災害補償保険法施行規則
則附則	→労働者災害補償保険法施行規則附則
整備政令	→失業保険法及び労働者災害補償保険法の一部を改正する法律及び労働保険の保険料の徴収等に関する法律の施行に伴う関係政令の整備等に関する政令
特別支給金規則	→労働者災害補償保険特別支給金支給規則
徴収法	→労働保険の保険料の徴収等に関する法律
労基法	→労働基準法
労基則	→労働基準法施行規則
障害者総合支援法	→障害者の日常生活及び社会生活を総合的に支援するための法律
労保審法	→労働保険審査官及び労働保険審査会法
基発	→厚生労働省労働基準局長名通達
発基	→労働基準局関係の労働事務次官名通達
基収	→厚生労働省労働基準局長が疑義に応えて発する通達
基災発	→厚生労働省労働基準局労災補償部長又は労災補償課長名通達
厚労告	→厚生労働省告示〔平成12年以前：労働省告示(労告)〕

※本書においては、業務災害に関する保険給付、複数業務要因災害に関する保険給付及び通勤災害に関する保険給付について併せて記載する場合には、「療養(補償)等給付」のように「補償」の文字を「(補償)等」と表記し、「葬祭料」については「葬祭料等(葬祭給付)」と表記している。

労災：目次

1	適用	232
2	業務災害	236
3	通勤災害	268
4	給付基礎日額	288
5	保険給付の種類等	294
6	療養(補償)等給付	296
7	休業(補償)等給付	302
8	傷病(補償)等年金	306
9	障害(補償)等給付	312
10	介護(補償)等給付	318
11	遺族(補償)等年金	320
12	遺族(補償)等一時金	326
13	二次健康診断等給付	328
14	給付通則	330
15	社会保険との併給調整	338
16	支給制限・一時差止め	340
17	費用徴収	342
18	第三者行為災害による損害賠償との調整	348
19	民事損害賠償との調整	350
20	社会復帰促進等事業	352
21	社会復帰促進等事業(特別支給金)	358
22	特別加入の対象者	364
23	特別加入の効果	370
24	不服申立て	374
25	雑則等	376
★	選択式	384

労災：択一式出題ランキング

1位 業務災害(82問)
2位 通勤災害(35問)
3位 障害(補償)等給付(21問)

1 適用

1 問 1
□□□
H29-4D

労災保険法は、国の直営事業で働く労働者には適用されない。

1 問 2
□□□
H29-4C

労災保険法は、非現業の一般職の国家公務員に適用される。

1 問 3
□□□
H28-1E

都道府県労働委員会の委員には、労災保険法が適用されない。

1 問 4
□□□
H29-4A

労災保険法は、市の経営する水道事業の非常勤職員には適用されない。

1 問 5
□□□
H29-4E

労災保険法は、常勤の地方公務員に適用される。

1答1 ○ 法3条2項、平成13.2.22基発93号。設問の通り正しい。なお、現在のところ、国の直営事業に該当する事業はない。

1答2 × 法3条2項、平成13.2.22基発93号。非現業の一般職の国家公務員には、国家公務員災害補償法が適用され、労災保険法は適用されない。

1答3 ○ 法3条2項、昭和25.8.28基収2414号。設問の通り正しい。都道府県労働委員会の委員は、非現業の地方公務員であり、労災保険法は適用されない。

> 地方公務員のうち労災保険法が適用されるのは、現業の非常勤職員(一定の者を除く。)のみである。
>
> | 地方公務員 | 現業部門 | 非現業部門 |
> |---|---|---|
> | 常勤職員 | 地方公務員災害補償法 | 地方公務員災害補償法 |
> | 非常勤職員
(一定の者を除く。) | 労災保険法 | 地方公務員災害補償法に基づく条例 |

1答4 × 法3条2項、平成13.2.22基発93号。市の経営する水道事業(地方公共団体の現業部門)の非常勤の地方公務員には、労災保険法が適用される。**1答3** の プラスα 参照。

1答5 × 法3条2項、平成13.2.22基発93号。常勤の地方公務員には、地方公務員災害補償法が適用され、労災保険法は適用されない。**1答3** の プラスα 参照。

❶問6
□□□
H29-4B

労災保険法は、行政執行法人の職員に適用される。

❶問7
□□□
H30-4オ

試みの使用期間中の者にも労災保険法は適用される。

❶問8
□□□
H27-5C

出向労働者が、出向先事業の組織に組み入れられ、出向先事業場の他の労働者と同様の立場（身分関係及び賃金関係を除く。）で、出向先事業主の指揮監督を受けて労働に従事し、出向元事業主と出向先事業主とが行った契約等により当該出向労働者が出向元事業主から賃金名目の金銭給付を受けている場合に、出向先事業主が当該金銭給付を出向先事業の支払う賃金として当該事業の賃金総額に含め保険料を納付する旨を申し出たとしても、当該金銭給付を出向先事業から受ける賃金とみなし当該出向労働者を出向先事業に係る保険関係によるものとして取り扱うことはできないこととされている。

❶問9
□□□
H28-1A

障害者総合支援法に基づく就労継続支援を行う事業場と雇用契約を締結せずに就労の機会の提供を受ける障害者には、基本的には労災保険法が適用されない。

①答6 × 法3条2項、平成13.2.22基発93号。行政執行法人の職員には、国家公務員災害補償法が適用され、労災保険法は適用されない。

プラス α

行政執行法人以外の独立行政法人の職員には、労災保険法が適用される。

①答7 ○ 法3条1項、法12条の8,2項。設問の通り正しい。試みの使用期間中の者は、労働基準法上の労働者であるから、労災保険法が適用される。

①答8 × 法3条1項、法12条の8,2項、昭和35.11.2基発932号。出向労働者が、出向先事業の組織に組み入れられ、出向先事業場の他の労働者と同様の立場（ただし、身分関係及び賃金関係を除く。）で、出向先事業主の指揮監督を受けて労働に従事している場合には、たとえ、当該出向労働者が、出向元事業主と出向先事業主とが行った契約等により、出向元事業主から賃金名目の金銭給付を受けている場合であっても、出向先事業主が、当該金銭給付を出向先事業の支払う賃金として、徴収法に規定する事業の賃金総額に含め、保険料を納付する旨を申し出た場合には当該金銭給付を出向先事業から受ける賃金とみなし、当該出向労働者を出向先事業に係る保険関係によるものとして取り扱うこととされている。

プラス α

移籍型出向労働者の場合は、出向先とのみ労働契約関係があるので、労災保険法の適用については、出向先事業主の事業に係る保険関係により取り扱われる。

①答9 ○ 法3条1項、法12条の8,2項、平成18.10.2障障発1002003号。設問の通り正しい。雇用契約を締結せずに就労継続支援を受ける障害者には、基本的には労災保険法が適用されない。労災保険法は、労働者を使用する事業に適用されるが、ここにいう「労働者」とは、労働基準法9条に規定する労働者と同義である。

プラス α

障害者総合支援法に基づく「就労継続支援」には、①就労継続支援Ａ（雇用契約あり）、②就労継続支援Ａ（雇用契約なし）、③就労継続支援Ｂがあり、このうち唯一雇用契約がある就労継続支援である①就労継続支援Ａ（雇用契約あり）を受ける障害者のみ、労災保険法が適用される。

労災

❶問10 法人のいわゆる重役で業務執行権又は代表権を持たない者が、工
□□□ 場長、部長の職にあって賃金を受ける場合は、その限りにおいて労
H28-1B 災保険法が適用される。

❶問11 個人開業の医院が、2、3名の者を雇用して看護師見習の業務
□□□ に従事させ、かたわら家事その他の業務に従事させる場合は、労災
H28-1C 保険法が適用されない。

❶問12 インターンシップにおいて直接生産活動に従事しその作業の利益
□□□ が当該事業場に帰属し、かつ事業場と当該学生との間に使用従属関
H28-1D 係が認められる場合には、当該学生に労災保険法が適用される。

2 業務災害

最新問題

❷問1 労働者が、退勤時にタイムカードを打刻し、更衣室で着替えをし
□□□ て事業場施設内の階段を降りる途中、ズボンの裾が靴に絡んだため
R6-2D に足を滑らせ、階段を5段ほど落ちて腰部を強打し負傷した場合、
通勤災害とは認められない。

　次の❷問2から問6において「認定基準」とは、厚生労働省労働基準
局長通知「心理的負荷による精神障害の認定基準」（令和5年9月1日
付け基発0901第2号）のことであり、「対象疾病」とは「認定基準で対象
とする疾病」のことである。

1 答10 ○ 法 3 条 1 項、法12条の8,2項、昭和23.3.17基発461号。設問の通り正しい。設問の者は、その限りにおいて労働基準法 9 条の労働者であり、労災保険法が適用される。

1 答11 × 法 3 条 1 項、法12条の8,2項、昭和24.4.13基収886号。設問の場合、看護師見習が本来の業務であり、通常これに従事する場合は、労災保険法が適用される。なお、個人開業の医院で、家事使用人として雇用し看護師の業務を手伝わせる場合には、労災保険法は適用されない。

1 答12 ○ 法 3 条 1 項、法12条の8,2項、平成9.9.18基発636号。設問の通り正しい。なお、インターンシップにおいての実習が、見学や体験的なものであり使用者から業務に係る指揮命令を受けていると解されないなど使用従属関係が認められない場合には、労働基準法9 条に規定される労働者に該当せず、労災保険法は適用されない。

2 答 1 ○ 法 7 条 1 項 1 号、昭和50.12.25基収1724号。設問の通り正しい。設問の場合は、「通勤災害」ではなく、「業務災害」と認められる。設問の災害は、次の①及び②の理由から、業務災害として取り扱われる。
① 事業場施設内における業務に就くための出勤又は業務を終えた後の退勤で「業務」と接続しているものは、業務行為そのものではないが、業務に通常付随する準備後始末行為と認められる。
② 設問の災害に係る退勤は、終業直後の行為であって、業務と接続する行為と認められること、当該災害が労働者の積極的な私的行為又は恣意行為によるものとは認められないこと、及び当該災害は、通常発生しうるような災害であることからみて事業主の支配下に伴う危険が現実化した災害であると認められる。

2 問2
□□□
R6-3ア
対象疾病には、統合失調症や気分障害等のほか、頭部外傷等の器質性脳疾患に付随する精神障害、及びアルコールや薬物等による精神障害も含まれる。

2 問3
□□□
R6-3イ
対象疾病を発病して治療が必要な状態にある者について、認定基準別表1の特別な出来事があり、その後おおむね6か月以内に対象疾病が自然経過を超えて著しく悪化したと医学的に認められる場合には、当該特別な出来事による心理的負荷が悪化の原因であると推認し、当該悪化した部分について業務起因性を認める。

2 問4
□□□
R6-3ウ
難
対象疾病を発病して治療が必要な状態にある者について、認定基準別表1の特別な出来事がない場合には、対象疾病の悪化の前おおむね6か月以内の業務による強い心理的負荷によって当該対象疾病が自然経過を超えて著しく悪化したものと精神医学的に判断されたとしても、当該悪化した部分について業務起因性は認められない。

2 問5
□□□
R6-3エ
対象疾病の症状が現れなくなった又は症状が改善し安定した状態が一定期間継続している場合や、社会復帰を目指して行ったリハビリテーション療法等を終えた場合であって、通常の就労が可能な状態に至ったときには、投薬等を継続していても通常は治ゆ（症状固定）の状態にあると考えられるところ、対象疾病がいったん治ゆ（症状固定）した後において再びその治療が必要な状態が生じた場合は、新たな疾病と取り扱う。

2 問6
□□□
R6-3オ
業務によりうつ病を発病したと認められる者が自殺を図り死亡した場合には、当該疾病によって正常の認識、行為選択能力が著しく阻害され、あるいは自殺行為を思いとどまる精神的抑制力が著しく阻害されている状態に至ったものと推定し、当該死亡につき業務起因性を認める。

2答2 ✕　令和5.9.1基発0901第 2 号。頭部外傷等の器質性脳疾患に付随する精神障害、アルコールや薬物等による精神障害は、対象疾病には含まれない。

2答3 〇　令和5.9.1基発0901第 2 号。設問の通り正しい。

2答4 ✕　令和5.9.1基発0901第 2 号。認定基準別表第 1 の特別な出来事がなくとも、悪化の前に業務による強い心理的負荷が認められる場合には、当該業務による強い心理的負荷、本人の個体側要因（悪化前の精神障害の状況）と業務以外の心理的負荷、悪化の態様やこれに至る経緯（悪化後の症状やその程度、出来事と悪化との近接性、発病から悪化までの期間など）等を十分に検討し、業務による強い心理的負荷によって精神障害が自然経過を超えて著しく悪化したものと精神医学的に判断されるときには、悪化した部分について業務起因性が認められる。

2答5 〇　令和5.9.1基発0901第 2 号。設問の通り正しい。なお、設問の場合、新たな疾病について、改めて認定要件に基づき業務起因性が認められるかを判断することとなる。

2答6 〇　令和5.9.1基発0901第 2 号。設問の通り正しい。

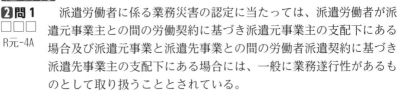

過去問

2 問1
□□□
R元-4A
派遣労働者に係る業務災害の認定に当たっては、派遣労働者が派遣元事業主との間の労働契約に基づき派遣元事業主の支配下にある場合及び派遣元事業と派遣先事業との間の労働者派遣契約に基づき派遣先事業主の支配下にある場合には、一般に業務遂行性があるものとして取り扱うこととされている。

2 問2
□□□
R元-4B
派遣労働者に係る業務災害の認定に当たっては、派遣元事業場と派遣先事業場との間の往復の行為については、それが派遣元事業主又は派遣先事業主の業務命令によるものであれば一般に業務遂行性が認められるものとして取り扱うこととされている。

2 問3
□□□
H28-2E
以前にも退勤時に約10分間意識を失ったことのある労働者が、工場の中の2℃の場所で作業している合間に暖を採るためストーブに近寄り、急な温度変化のために貧血を起こしてストーブに倒れ込み火傷により死亡した場合、業務上の死亡と認められる。

2 問4
□□□
H29-1E
川の護岸築堤工事現場で土砂の切取り作業をしていた労働者が、土蜂に足を刺され、そのショックで死亡した。蜂の巣は、土砂の切取り面先約30センチメートル程度の土の中にあったことが後でわかり、当日は数匹の蜂が付近を飛び回っており、労働者も使用者もどこかに巣があるのだろうと思っていた。この場合、業務上として取り扱われる。

2 問5
□□□
H27-3C
配管工が、早朝に、前夜運搬されてきた小型パイプが事業場の資材置場に乱雑に荷下ろしされていたためそれを整理していた際、材料が小型のため付近の草むらに投げ込まれていないかと草むらに探しに入ったところ、その草むらの中に棲息していた毒蛇に足を咬まれて負傷した場合、業務上の負傷に該当する。

2 問6
□□□
H29-1D
会社が人員整理のため、指名解雇通知を行い、労働組合はこれを争い、使用者は裁判所に被解雇者の事業場立入禁止の仮処分申請を行い、労働組合は裁判所に協議約款違反による無効確認訴訟を提起し、併せて被解雇者の身分保全の仮処分を申請していたところ、労働組合は裁判所の決定を待たずに被解雇者らを就労させ、作業中に負傷事故が発生した。この場合、業務外として取り扱われる。

2答 1 ○　昭和61.6.30基発383号。設問の通り正しい。なお、派遣労働者については、**派遣元**事業の労災保険に係る保険関係に基づき、適用労働者となる。

2答 2 ○　昭和61.6.30基発383号。設問の通り正しい。

2答 3 ○　法 7 条 1 項 1 号、昭和38.9.30基収2868号。設問の通り正しい。

2答 4 ○　法 7 条 1 項 1 号、昭和25.10.27基収2693号。設問の通り正しい。

2答 5 ○　法 7 条 1 項 1 号、昭和27.9.6基災収3026号。設問の通り正しい。

2答 6 ○　法 7 条 1 項 1 号、昭和28.12.18基収4466号。設問の通り正しい。設問の被解雇者らの就労は、「労働者が労働契約に基づいて事業主の支配下にある状態」で行われたものではなく、業務遂行性が認められないため、業務外として取り扱われる。

2 問7

□□□

R4-4エ

仕事で用いるトラックの整備をしていた労働者が、ガソリンの出が悪いため、トラックの下にもぐり、ガソリンタンクのコックを開いてタンクの掃除を行い、その直後に職場の喫煙所でたばこを吸うため、マッチに点火した瞬間、ガソリンのしみこんだ被服に引火し火傷を負った場合、業務災害と認められる。

2 問8

□□□

R4-4ア

工場に勤務する労働者が、作業終了後に更衣を済ませ、班長に挨拶して職場を出て、工場の階段を降りる途中に足を踏み外して転落して負傷した場合、業務災害と認められる。

2 問9

□□□

R4-4イ

日雇労働者が工事現場での一日の作業を終えて、人員点呼、器具の点検の後、現場責任者から帰所を命じられ、器具の返還と賃金受領のために事業場事務所へと村道を歩き始めた時、交通事故に巻き込まれて負傷した場合、業務災害と認められる。

2 問10

□□□

R4-4オ

鉄道事業者の乗客係の労働者が、T駅発N駅行きの列車に乗車し、折り返しのT駅行きの列車に乗車することとなっており、N駅で帰着点呼を受けた後、指定された宿泊所に赴き、数名の同僚と飲酒・雑談ののち就寝し、起床後、宿泊所に食事の設備がないことから、食事をとるために、同所から道路に通じる石段を降りる途中、足を滑らせて転倒し、負傷した場合、業務災害と認められる。

2 問11

□□□

H27-3A

勤務時間中に、作業に必要な私物の眼鏡を自宅に忘れた労働者が、上司の了解を得て、家人が届けてくれた眼鏡を工場の門まで自転車で受け取りに行く途中で、運転を誤り、転落して負傷した場合、業務上の負傷に該当する。

2 問12

□□□

H29-1B

A会社の大型トラックを運転して会社の荷物を運んでいた労働者Bは、Cの運転するD会社のトラックと出会ったが、道路の幅が狭くトラックの擦れ違いが不可能であったため、D会社のトラックはその後方の待避所へ後退するため約20メートルバックしたところで停止し、徐行に相当困難な様子であった。これを見かねたBが、Cに代わって運転台に乗り、後退しようとしたが運転を誤り、道路から断崖を墜落し即死した場合、業務上として取り扱われる。

2 答7 ○ 法7条1項1号、昭和30.5.12基発298号。設問の通り正しい。

2 答8 ○ 法7条1項1号、昭和50.12.25基収1724号。設問の通り正しい。設問のように、事業場施設内における業務を終えた後の退勤で「業務」と接続しているものは、業務そのものではないが、業務に通常付随する準備後始末行為と認められるので、業務災害と認められる。

2 答9 ○ 法7条1項1号、昭和28.11.14基収5088号。設問の通り正しい。

2 答10 ○ 法7条1項1号、昭和41.6.8基災収38号。設問の通り正しい。

2 答11 ○ 法7条1項1号、昭和32.7.20基収3615号。設問の通り正しい。

2 答12 ○ 法7条1項1号、昭和31.3.31 30基収5597号。設問の通り正しい。Bによる設問の行為（D会社のトラックの運転）は、Bの本来の業務ではないが、Bの本来の業務（A会社の大型トラックの運転）を遂行するために必要な行為であり、業務上として取り扱われる。

2 問13
□□□
H28-5イ

業務に従事している労働者が緊急行為を行ったとき、事業主の命令がある場合には、当該業務に従事している労働者として行うべきものか否かにかかわらず、その行為は業務として取り扱われる。

2 問14
□□□
H28-5ウ

業務に従事していない労働者が、使用されている事業の事業場又は作業場等において災害が生じている際に、業務に従事している同僚労働者等とともに、労働契約の本旨に当たる作業を開始した場合には、事業主から特段の命令がないときであっても、当該作業は業務に当たると推定される。

2答13 ○ 法7条1項1号、平成21.7.23基発0723第14号。設問の通り正しい。

 プラス α

〈緊急行為（業務に従事している場合）〉
業務に従事している場合の緊急行為については、「事業主の命令があるか否か」の区分により、次に掲げる場合には、業務として取り扱われる。

事業主の命令あり	同僚労働者等の救護、事業場施設の防護等当該業務に従事している労働者として行うべきものか否かにかかわらず、業務として取り扱う。
事業主の命令なし	(1) 同僚労働者等の救護、事業場施設の防護等当該業務に従事している労働者として行うべきものについては、業務として取り扱う。 (2) 次の①〜③の3つの要件をすべて満たす場合には、同僚労働者等の救護、事業場施設の防護等当該業務に従事している労働者として行うべきものか否かにかかわらず、業務として取り扱う。 ①労働者が緊急行為を行った（行おうとした）際に発生した災害が、労働者が使用されている事業の業務に従事している際に被災する蓋然性が高い災害であること ②緊急行為を行うことが、業界団体等の行う講習の内容等から、職務上要請されていることが明らかであること ③緊急行為を行う者が付近に存在していないこと、災害が重篤であり、人の命に関わりかねない一刻を争うものであったこと、被災者から救助を求められたこと等、緊急行為が必要とされると認められる状況であったこと

2答14 ○ 法7条1項1号、平成21.7.23基発0723第14号。設問の通り正しい。

 プラス α

〈緊急行為（業務に従事していない場合）〉
業務に従事していない場合の緊急行為については、「事業主の命令があるか否か」の区分により、次に掲げる場合には、業務として取り扱われる。

事業主の命令あり	同僚労働者等の救護、事業場施設の防護等当該業務に従事している労働者として行うべきものか否かにかかわらず、業務として取り扱う。
事業主の命令なし	業務に従事していない労働者が、使用されている事業の事業場又は作業場等において災害が生じている際に、業務に従事している同僚労働者等とともに、労働契約の本旨に当たる作業を開始した場合には、特段の命令がないときであっても、当該作業は業務に当たると推定する。

労災

2 問15 海岸道路の開設工事の作業に従事していた労働者が、12時に監督者から昼食休憩の指示を受け、遠く離れた休憩施設ではなく、いつもどおり、作業場のすぐ近くの崖下の日陰の平らな場所で同僚と昼食をとっていた時に、崖を落下してきた岩石により負傷した場合、業務災害と認められる。

□□□
R4-4ウ

2 問16 炭鉱で採掘の仕事に従事している労働者が、作業中泥に混じっているのを見つけて拾った不発雷管を、休憩時間中に針金でつついて遊んでいるうちに爆発し、手の指を負傷した場合、業務上の負傷と認められる。

□□□
H28-2B

2 問17 道路清掃工事の日雇い労働者が、正午からの休憩時間中に同僚と作業場内の道路に面した柵にもたれて休憩していたところ、道路を走っていた乗用車が運転操作を誤って柵に激突した時に逃げ遅れ、柵と自動車に挟まれて胸骨を骨折した場合、業務上の負傷と認められる。

□□□
H28-2A

2 問18 戸外での作業の開始15分前に、いつもと同様に、同僚とドラム缶に薪を投じて暖をとっていた労働者が、あまり薪が燃えないため、若い同僚が機械の掃除用に作業場に置いてあった石油を持ってきて薪にかけて燃やした際、火が当該労働者のズボンに燃え移って火傷した場合、業務上の負傷と認められる。

□□□
H28-2C

2 問19 乗組員6名の漁船が、作業を終えて帰港途中に、船内で夕食としてフグ汁が出された。乗組員のうち、船酔いで食べなかった1名を除く5名が食後、中毒症状を呈した。海上のため手当てできず、そのまま帰港し、直ちに医師の手当てを受けたが重傷の1名が死亡した。船中での食事は、会社の給食として慣習的に行われており、フグの給食が慣習になっていた。この場合、業務上として取り扱われる。

□□□
H29-1C

2 問20 労働者が上司から直ちに2泊3日の出張をするよう命じられ、勤務先を出てすぐに着替えを取りに自宅に立ち寄り、そこから出張先に向かう列車に乗車すべく駅に向かって自転車で進行中に、踏切で列車に衝突し死亡した場合、その路線が通常の通勤に使っていたものであれば、通勤災害と認められる。

□□□
R4-6A

2答15 ○ 法7条1項1号、昭和27.10.13基災収3552号。設問の通り正しい。

2答16 × 法7条1項1号、昭和27.12.1基災収3907号。休憩時間中の災害が業務上の災害とされるのは、事業場施設(又はその管理)に起因して発生したもの及び業務付随行為とみるべき行為により発生したと認められるものである。設問のように、休憩時間中の積極的な私的行為(不発雷管を針金でつついて遊ぶ)による負傷は、業務上の負傷と認められない。

2答17 ○ 法7条1項1号、昭和25.6.8基災収1252号。設問の通り正しい。

2答18 ○ 法7条1項1号、昭和23.6.1基発1458号。設問の通り正しい。

2答19 ○ 法7条1項1号、昭和26.2.16基災発111号。設問の通り正しい。設問の場合、船中の食事が会社の給食として慣習的に行われており、フグの給食が慣習となっていたことから、漁船の給食施設(又はその管理)に起因して発生した災害と認められるので、業務上として取り扱われる。

2答20 × 法7条1項1号、昭和34.7.15基収2980号他。設問の災害は出張過程において発生したものであり、一般に業務災害となる。

労災

2 問21
□□□
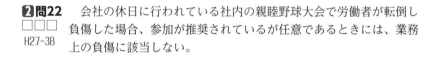
R4-6B
労働者が上司の命により、同じ社員寮に住む病気欠勤中の同僚の容体を確認するため、出勤してすぐに社員寮に戻る途中で、電車にはねられ死亡した場合、通勤災害と認められる。

2 問22
□□□
H27-3B
会社の休日に行われている社内の親睦野球大会で労働者が転倒し負傷した場合、参加が推奨されているが任意であるときには、業務上の負傷に該当しない。

2 問23
□□□
H29-1A
企業に所属して、労働契約に基づき労働者として野球を行う者が、企業の代表選手として実業団野球大会に出場するのに備え、事業主が定めた練習計画以外の自主的な運動をしていた際に負傷した場合、業務上として取り扱われる。

2 問24
□□□
H28-2D
建設中のクレーンが未曽有の台風の襲来により倒壊するおそれがあるため、暴風雨のおさまるのを待って倒壊を防ぐ応急措置を施そうと、監督者が労働者16名に、建設現場近くの、山腹谷合の狭地にひな壇式に建てられた労働者の宿舎で待機するよう命じたところ、風で宿舎が倒壊しそこで待機していた労働者全員が死亡した場合、その死亡は業務上の死亡と認められる。

2 問25
□□□
H27-5A
業務に従事している場合又は通勤途上である場合において被った負傷であって、他人の故意に基づく暴行によるものについては、当該故意が私的怨恨に基づくもの、自招行為によるものその他明らかに業務に起因しないものを除き、業務に起因する又は通勤によるものと推定することとされている。

答21 ×　法7条1項1号、昭和24.12.15基収3001号他。設問の災害は上司の命による行動中に発生したものであり、労働契約に基づき事業主の支配下にある状態において発生したものであるから、一般に業務災害となる。

答22 ○　法7条1項1号、平成12.5.18基発366号、平成18.3.31基発0331042号。設問の通り正しい。なお、設問のような会社のレクリエーション行事（親睦野球大会）であっても、厚生課員が仕事としてその行事の運営に当たる場合には業務となり、運営業務中に生じた事故は業務上の災害となる。

〈事業場内の運動競技会〉
事業場内の運動競技会については、次に掲げる①及び②のいずれの要件も満たす場合に「業務行為」となる。
①運動競技会は、同一事業場又は同一企業に所属する労働者全員の出場を意図して行われるものであること
②運動競技会当日は、勤務を要する日とされ、出場しない場合には欠勤したものとして取り扱われること

答23 ×　法7条1項1号、平成12.5.18基発366号。運動競技の練習に伴う災害については、事業主があらかじめ定めた練習計画に従って行われるものであれば業務上として取り扱われる。設問のように、練習計画とは別に労働者が行う自主的な運動の際の負傷等は、業務上として取り扱われない。

答24 ○　法7条1項1号、昭和29.11.24基収5564号。設問の通り正しい。天災地変による災害の場合にはたとえ業務遂行中に発生したものであっても、一般的に業務起因性は認められないが、天災地変に際して発生した災害も同時に災害を被りやすい業務上の事情（業務に伴う危険）があり、それが天災地変を契機として現実化したものと認められる場合に限り、業務起因性が認められる。設問の場合、暴風雨の中、立地条件の悪い宿舎に待機を命じられていた際に生じた災害であり、業務上の死亡と認められる。

答25 ○　法7条1項1号、3号、平成21.7.23基発0723第12号。設問の通り正しい。

②問26 業務災害に関する次の記述のうち、誤っているものはどれか。

A 業務上左脛骨横骨折をした労働者が、直ちに入院して加療を受け退院した後に、医師の指示により通院加療を続けていたところ、通院の帰途雪の中ギプスなしで歩行中に道路上で転倒して、ゆ合不完全の状態であった左脛骨を同一の骨折線で再骨折した場合、業務災害と認められる。

B 業務上右大腿骨を骨折し入院手術を受け退院して通院加療を続けていた労働者が、会社施設の浴場に行く途中、弟の社宅に立ち寄り雑談した後に、浴場へ向かうため同社宅の玄関から土間に降りようとして転倒し、前回の骨折部のやや上部を骨折したが、既に手術後は右下肢の短縮と右膝関節の硬直を残していたため、通常の者より転倒しやすく、また骨が幾分細くなっていたため骨折しやすい状態だった場合、業務災害と認められる。

C 業務上右腓骨を不完全骨折し、病院で手当を受け、帰宅して用便のため松葉杖を使用して土間を隔てた便所へ行き、用便後便所から土間へ降りる際に松葉杖が滑って転倒し当初の骨折を完全骨折した場合、業務災害と認められる。

D 業務上脊髄を損傷し入院加療中の労働者が、医師の指示に基づき療養の一環としての手動式自転車に乗車する機能回復訓練中に、第三者の運転する軽四輪貨物自動車に自転車を引っかけられ転倒し負傷した場合、業務災害と認められる。

E 業務上右大腿骨を骨折し入院治療を続けて骨折部のゆ合がほぼ完全となりマッサージのみを受けていた労働者が、見舞いに来た友人のモーターバイクに乗って運転中に車体と共に転倒し、右大腿部を再度骨折した場合、業務災害と認められない。

②問27 業務上の疾病の範囲は、労働基準法施行規則別表第一の二の各号

に掲げられているものに限定されている。

2答26 正解　**B**

A　○　法7条1項1号、昭和34.5.11基収2212号。設問の通り正しい。

B　×　法7条1項1号、昭和27.6.5基災収1241号。設問の場合、業務災害と認められない。

C　○　法7条1項1号、昭和34.10.13基収5040号。設問の通り正しい。

D　○　法7条1項1号、昭和42.1.24 41基収7808号。設問の通り正しい。

E　○　法7条1項1号、昭和32.12.25基収6636号。設問の通り正しい。

2答27　○　法7条1項1号、労基法75条2項、労基則35条、同則別表第1の2。設問の通り正しい。**業務上の疾病**の範囲は、**労働基準法施行規則別表第1の2に掲げるものに限定されている。**

業務上の疾病は、労働基準法施行規則別表第1の2に具体的な疾病名が列挙されており、また、具体的に疾病名が列挙されている疾病に該当しなくても、同別表第11号に定める「**その他業務に起因することの明らかな疾病**」であれば、保険給付の対象となる。

❷問28 医師、看護師等医療従事者の新型インフルエンザの予防接種（以下、本肢において「予防接種」という。）については、必要な医療体制を維持する観点から業務命令等に基づいてこれを受けざるを得ない状況にあると考えられるため、予防接種による疾病、障害又は死亡（以下、本肢において「健康被害」という。）が生じた場合（予防接種と健康被害との間に医学的な因果関係が認められる場合に限る。）、当該予防接種が明らかに私的な理由によるものと認められる場合を除き、労働基準法施行規則第35条別表第1の2の6号の5の業務上疾病又はこれに起因する死亡等と取り扱うこととされている。

H27-5B

❷問29 業務上の疾病が治って療養の必要がなくなった場合には、その後にその疾病が再発しても、新たな業務上の事由による発病でない限り、業務上の疾病とは認められない。

H28-5I

❷問30 業務起因性が認められる傷病が一旦治ゆと認定された後に「再発」した場合は、保険給付の対象となるが、「再発」であると認定する要件として次のアからエの記述のうち、正しいものの組合せは、後記AからEまでのうちどれか。

R4-7

ア　当初の傷病と「再発」とする症状の発現との間に医学的にみて相当因果関係が認められること

イ　当初の傷病の治ゆから「再発」とする症状の発現までの期間が3年以内であること

ウ　療養を行えば、「再発」とする症状の改善が期待できると医学的に認められること

エ　治ゆ時の症状に比べ「再発」時の症状が増悪していること

A（アとイ）　　　　　　B（アとエ）　　　　　　C（アとイとエ）
D（アとウとエ）　　　　E（アとイとウとエ）

2答28 ○　法7条1項1号、労基則35条、同則別表第1の2,6号の5、平成21.12.16基労補発1216第1号。設問の通り正しい。なお、労働者本人の自由意思によって行われる予防接種は、当該労働者の業務として行われるものとは認められないことから、当該予防接種により疾病、障害又は死亡が生じたとしても、業務に起因するものとは一般に認められず、労災保険給付の対象とならない。

2答29 ×　法7条1項1号、昭和23.1.9基災発13号。業務上の疾病の再発は、原因である業務上の疾病の連続であって、独立した別個の疾病ではないため、設問の再発による疾病は業務上の疾病と認められる。

2答30　正解　D（アとウとエ）
ア　○　労働保険審査会裁決事案他。「再発」であると認定する要件の1つとして正しい。なお、「再発」と認められるには、「①その症状の悪化が当初の業務上又は通勤上の傷病と医学的相当因果関係があると認められること、②治ゆ時の状態からみて明らかに症状が悪化していること、③療養を行えばその症状の改善が期待できると医学的に認められること」のいずれの要件も満たす必要がある。
イ　×　労働保険審査会裁決事案他。「再発」であると認定する要件とされていない。解説ア参照。
ウ　○　労働保険審査会裁決事案他。「再発」であると認定する要件の1つとして正しい。解説ア参照。
エ　○　労働保険審査会裁決事案他。「再発」であると認定する要件の1つとして正しい。解説ア参照。

問31 上肢作業に基づく疾病の業務上外の認定基準(平成9年2月3日付け基発第65号)によれば、⑴上肢等に負担のかかる作業を主とする業務に相当期間従事した後に発症したものであること、⑵発症前に過重な業務に就労したこと、⑶過重な業務への就労と発症までの経過が、医学上妥当なものと認められることのいずれの要件も満たし、医学上療養が必要であると認められる上肢障害は、労働基準法施行規則別表第1の2第3号4又は5に該当する疾病として取り扱うこととされている。この認定要件の運用基準又は認定に当たっての留意事項に関する次の記述のうち、誤っているものはどれか。

A 「相当期間」とは原則として6か月程度以上をいうが、腱鞘炎等については、作業従事期間が6か月程度に満たない場合でも、短期間のうちに集中的に過度の負担がかかった場合には、発症することがあるので留意することとされている。

B 業務以外の個体要因(例えば年齢、素因、体力等)や日常生活要因(例えば家事労働、育児、スポーツ等)をも検討した上で、上肢作業者が、業務により上肢を過度に使用した結果発症したと考えられる場合に、業務に起因することが明らかな疾病として取り扱うものとされている。

C 上肢障害には、加齢による骨・関節系の退行性変性や関節リウマチ等の類似疾病が関与することが多いことから、これが疑われる場合には、専門医からの意見聴取や鑑別診断等を実施することとされている。

D 「上肢等に負担のかかる作業」とは、⑴上肢の反復動作の多い作業、⑵上肢を上げた状態で行う作業、⑶頸部、肩の動きが少なく、姿勢が拘束される作業、⑷上肢等の特定の部位に負担のかかる状態で行う作業のいずれかに該当する上肢等を過度に使用する必要のある作業をいうとされている。

E 一般に上肢障害は、業務から離れ、あるいは業務から離れないまでも適切な作業の指導・改善等を行い就業すれば、症状は軽快し、また、適切な療養を行うことによっておおむね1か月程度で症状が軽快すると考えられ、手術が施行された場合でも一般的におおむね3か月程度の療養が行われれば治ゆするものと考えられるので留意することとされている。

2 答31 正解　E

A　○　平成9.2.3基発65号。設問の通り正しい。

B　○　平成9.2.3基発65号。設問の通り正しい。

C　○　平成9.2.3基発65号。設問の通り正しい。

D　○　平成9.2.3基発65号。設問の通り正しい。

E　×　平成9.2.3基発65号。一般に上肢障害は、業務から離れ、あるいは業務から離れないまでも適切な作業の指導・改善等を行い就業すれば、症状は軽快し、また、適切な療養を行うことによっておおむね「3か月」程度で症状が軽快すると考えられ、手術が施行された場合でも一般的におおむね「6か月」程度の療養が行われれば治ゆするものと考えられるので留意することとされている。

労災

厚生労働省労働基準局長通知(「血管病変等を著しく増悪させる業務による脳血管疾患及び虚血性心疾患等の認定基準について」令和3年9月14日付け基発0914第1号)において、発症に近接した時期において、特に過重な業務(以下「短期間の過重業務」という。)に就労したことによる明らかな過重負荷を受けたことにより発症した脳・心臓疾患は、業務上の疾病として取り扱うとされている。「短期間の過重業務」に関する次の記述のうち、誤っているものはどれか。

A 特に過重な業務とは、日常業務に比較して特に過重な身体的、精神的負荷を生じさせたと客観的に認められる業務をいうものであり、ここでいう日常業務とは、通常の所定労働時間内の所定業務内容をいう。

B 発症に近接した時期とは、発症前おおむね1週間をいう。

C 特に過重な業務に就労したと認められるか否かについては、業務量、業務内容、作業環境等を考慮し、同種労働者にとっても、特に過重な身体的、精神的負荷と認められる業務であるか否かという観点から、客観的かつ総合的に判断することとされているが、ここでいう同種労働者とは、当該疾病を発症した労働者と職種、職場における立場や職責、年齢、経験等が類似する者をいい、基礎疾患を有する者は含まない。

D 業務の過重性の具体的な評価に当たって十分検討すべき負荷要因の一つとして、拘束時間の長い勤務が挙げられており、拘束時間数、実労働時間数、労働密度(実作業時間と手待時間との割合等)、休憩・仮眠時間数及び回数、休憩・仮眠施設の状況(広さ、空調、騒音等)、業務内容等の観点から検討し、評価することとされている。

2答32 正解　C

A　○　令和3.9.14基発0914第1号、令和5.10.18基発1018第1
号。設問の通り正しい。なお、日常業務に就労する上で受ける
負荷の影響は、血管病変等の自然経過の範囲にとどまるもので
ある、とされている。

B　○　令和3.9.14基発0914第1号、令和5.10.18基発1018第1
号。設問の通り正しい。

C　×　令和3.9.14基発0914第1号、令和5.10.18基発1018第1
号。「基礎疾患を有する者は含まない」とする部分が誤りであ
る。同種労働者とは、当該労働者と職種、職場における立場や
職責、年齢、経験等が類似する者をいい、基礎疾患を有してい
たとしても日常業務を支障なく遂行できる者を含む。

D　○　令和3.9.14基発0914第1号、令和5.10.18基発1018第1
号。設問の通り正しい。

「血管病変等を著しく増悪させる業務による脳血管疾患及び虚血性心疾患等の認定基準（令和3年9月14日付け基発0914第1号）」に関する次の記述のうち、正しいものはどれか。

A　発症前1か月間におおむね100時間又は発症前2か月間ないし6か月間にわたって、1か月当たりおおむね80時間を超える時間外労働が認められない場合には、これに近い労働時間が認められたとしても、業務と発症との関連性が強いと評価することはできない。

B　心理的負荷を伴う業務については、精神障害の業務起因性の判断に際して、負荷の程度を評価する視点により検討、評価がなされるが、脳・心臓疾患の業務起因性の判断に際しては、同視点による検討、評価の対象外とされている。

C　短期間の過重業務については、発症直前から前日までの間に特に過度の長時間労働が認められる場合や、発症前おおむね1週間継続して深夜時間帯に及ぶ時間外労働を行うなど過度の長時間労働が認められる場合に、業務と発症との関連性が強いと評価できるとされている。

D　急激な血圧変動や血管収縮等を引き起こすことが医学的にみて妥当と認められる「異常な出来事」と発症との関連性については、発症直前から1週間前までの間が評価期間とされている。

E　業務の過重性の検討、評価に当たり、2以上の事業の業務による「長期間の過重業務」については、異なる事業における労働時間の通算がなされるのに対して、「短期間の過重業務」については労働時間の通算はなされない。

2答33 **正解** **C**

A × 令和3.9.14基発0914第1号、令和5.10.18基発1018第1号。設問の認定基準では、「これ（発症前1か月間におおむね100時間又は発症前2か月間ないし6か月間にわたって、1か月当たりおおむね80時間を超える時間外労働）に近い時間外労働が認められる場合には、特に他の負荷要因の状況を十分に考慮し、そのような時間外労働に加えて一定の労働時間以外の負荷が認められるときには、業務と発症との関連性が強いと評価できる」としている。

B × 令和3.9.14基発0914第1号、令和5.10.18基発1018第1号。心理的負荷を伴う業務については、脳・心臓疾患の業務起因性の判断に際しても、設問の認定基準の別表1及び別表2に掲げられている日常的に心理的負荷を伴う業務又は心理的負荷を伴う具体的出来事等について、負荷の程度を評価する視点により検討し、評価することとされている。

C ○ 令和3.9.14基発0914第1号、令和5.10.18基発1018第1号。設問の通り正しい。なお、労働時間の長さのみで過重負荷の有無を判断できない場合には、労働時間と労働時間以外の負荷要因を総合的に考慮して判断する必要がある。

D × 令和3.9.14基発0914第1号、令和5.10.18基発1018第1号。「異常な出来事」と発症との関連性については、通常、負荷を受けてから24時間以内に症状が出現するとされているので、発症直前から前日までの間を評価期間とする。

E × 令和3.9.14基発0914第1号、令和5.10.18基発1018第1号。2以上の事業の業務による「短期間の過重業務」についても、業務の過重性の検討、評価に当たり、異なる事業における労働時間の通算がなされる。

労災

2 問34　「血管病変等を著しく増悪させる業務による脳血管疾患及び虚血性心疾患等の認定基準について」（令和３年９月14日付け基発0914第１号）で取り扱われる対象疾病に含まれるものは、次のアからオの記述のうちいくつあるか。

R5-3

ア　狭心症
イ　心停止（心臓性突然死を含む。）
ウ　重篤な心不全
エ　くも膜下出血
オ　大動脈解離
A　一つ
B　二つ
C　三つ
D　四つ
E　五つ

　　次の**2**問35から**2**問39において「認定基準」とは、厚生労働省労働基準局長通知（「心理的負荷による精神障害の認定基準について」令和５年９月１日付け基発0901第２号）のことであり、「対象疾病」とは、「認定基準で対象とする疾病」のことである。

2答34 **E（ア〜オの五つ）**

ア ○ 令和3.9.14基発0914第１号、令和5.10.18基発1018第１
号。設問の通り正しい。「狭心症」は、認定基準で取り扱われ
る対象疾病に含まれる。

イ ○ 令和3.9.14基発0914第１号、令和5.10.18基発1018第１
号。設問の通り正しい。「心停止（心臓性突然死を含む。）」は、
認定基準で取り扱われる対象疾病に含まれる。

ウ ○ 令和3.9.14基発0914第１号、令和5.10.18基発1018第１
号。設問の通り正しい。「重篤な心不全」は、認定基準で取り
扱われる対象疾病に含まれる。

エ ○ 令和3.9.14基発0914第１号、令和5.10.18基発1018第１
号。設問の通り正しい。「くも膜下出血」は、認定基準で取り
扱われる対象疾病に含まれる。

オ ○ 令和3.9.14基発0914第１号、令和5.10.18基発1018第１
号。設問の通り正しい。「大動脈解離」は、認定基準で取り扱
われる対象疾病に含まれる。

労
災

Point

労働基準法施行規則別表第１の2,8号では、「長期間にわたる長時間の
業務その他血管病変等を著しく増悪させる業務による脳出血、くも膜
下出血、脳梗塞、高血圧性脳症、心筋梗塞、狭心症、心停止（心臓性突
然死を含む。）、重篤な心不全若しくは大動脈解離又はこれらの疾病に
付随する疾病」と規定されており、設問の認定基準では、次に掲げる
疾病を対象疾病としている。

脳血管疾患		
① 脳内出血（脳出血）	② くも膜下出血	③ 脳梗塞
④ 高血圧性脳症		

虚血性心疾患等		
① 心筋梗塞	② 狭心症	③ 心停止（心臓性突然死を含む。）
④ 重篤な心不全	⑤ 大動脈解離	

2 問35
☐☐☐
H30-1A
　認定基準においては、次の①、②、③のいずれの要件も満たす対象疾病は、労働基準法施行規則別表第1の2第9号に規定する精神及び行動の障害又はこれに付随する疾病に該当する業務上の疾病として取り扱うこととされている。
① 　対象疾病を発病していること。
② 　対象疾病の発病前おおむね6か月の間に、業務による強い心理的負荷が認められること。
③ 　業務以外の心理的負荷及び個体側要因により対象疾病を発病したとは認められないこと。

2 問36
☐☐☐
H30-1B
　認定基準において、業務による強い心理的負荷とは、精神障害を発病した労働者がその出来事及び出来事後の状況が持続する程度を主観的にどう受け止めたかという観点から評価されるものであるとされている。

2 問37
☐☐☐
H30-1C
　認定基準においては、業務による心理的負荷の強度の判断に当たっては、精神障害発病前おおむね6か月の間に、対象疾病の発病に関与したと考えられる業務によるどのような出来事があり、また、その後の状況がどのようなものであったのかを具体的に把握し、それらによる心理的負荷の強度はどの程度であるかについて、「業務による心理的負荷評価表」を指標として「強」、「弱」の二段階に区分することとされている。

2 問38
☐☐☐
H30-1D
　認定基準においては、「極度の長時間労働は、心身の極度の疲弊、消耗を来し、うつ病等の原因となることから、発病日から起算した直前の1か月間におおむね120時間を超える時間外労働を行った場合等には、当該極度の長時間労働に従事したことのみで心理的負荷の総合評価を「強」とする。」とされている。

②答35 ○　令和5.9.1基発0901第2号。設問の通り正しい。

> 設問にある要件をすべて満たす場合には、労働基準法施行規則別表第1の2,9号に該当する業務上の疾病(人の生命にかかわる事故への遭遇その他心理的に過度の負担を与える事象を伴う業務による精神及び行動の障害又はこれに付随する疾病)として取り扱う。

②答36 ×　令和5.9.1基発0901第2号。認定基準において、業務による強い心理的負荷とは、精神障害を発病した労働者がその出来事及び出来事後の状況が持続する程度を主観的にどう受け止めたかではなく、**同種の労働者**(職種、職場における立場や職責、年齢、経験等が類似する者)が**一般的に**どう受け止めるかという観点から評価されるものである、としている。

②答37 ×　令和5.9.1基発0901第2号。「『強』、『弱』の二段階に区分する」とする部分が誤りである。業務による心理的負荷の強度の判断に当たっては、「業務による心理的負荷評価表」を指標として「強」、「中」、「弱」の**3段階**に区分することとされている。

> 業務による心理的負荷の強度の判断に当たっては、精神障害発病前おおむね**6か月**の間に、対象疾病の発病に関与したと考えられる業務によるどのような「出来事」があり、また、その後の状況がどのようなものであったのかを具体的に把握し、それらによる心理的負荷の強度はどの程度であるかについて、認定基準の「業務による心理的負荷評価表」を指標として「強」、「中」、「弱」の**3段階**に区分する(総合評価が「強」となる場合に**②問35**の②の要件「対象疾病の発病前おおむね6か月の間に、業務による強い心理的負荷が認められること」に該当することとなる。)。

②答38 ×　令和5.9.1基発0901第2号。「120時間」を「160時間」と読み替えると、正しい記述となる。

> 認定基準においては、発病直前の1か月におおむね**160時間**を超えるような、又はこれに満たない期間にこれと同程度の(例えば3週間におおむね**120時間以上**の)時間外労働を行ったときは、心理的負荷の総合評価を「強」とするとしている。

認定基準においては、「ハラスメントやいじめのように、出来事が繰り返されるものについては、発病の6か月よりも前にそれが開始されている場合でも、発病前6か月以内の行為のみを評価の対象とする。」とされている。

厚生労働省労働基準局長通知(「心理的負荷による精神障害の認定基準について」(令和5年9月1日付け基発0901第2号)、以下「認定基準」という。)に関する次の記述のうち、正しいものはどれか。

A　認定基準においては、うつ病エピソードの発病直前の2か月間連続して1月当たりおおむね80時間の時間外労働を行い、その業務内容が通常その程度の労働時間を要するものであった場合、心理的負荷の総合評価は「強」と判断される。

B　認定基準においては、同僚から治療を要する程度のひどい暴行を受けてうつ病エピソードを発病した場合、心理的負荷の総合評価は「強」と判断される。

C　認定基準においては、身体接触のない性的発言のみのセクシュアルハラスメントである場合には、これによりうつ病エピソードを発病しても、心理的負荷の総合評価が「強」になることはない。

D　認定基準においては、発病前おおむね6か月の間の出来事について評価することから、胸を触るなどのセクシュアルハラスメントを繰り返し受け続けて9か月あまりでうつ病エピソードを発病した場合、6か月より前の出来事については、評価の対象にならない。

E　認定基準においては、うつ病エピソードを発病した労働者がセクシュアルハラスメントを受けていた場合の心理的負荷の程度の判断は、その労働者がその出来事及び出来事後の状況が持続する程度を主観的にどう受け止めたかで判断される。

2答39 ✕ 令和5.9.1基発0901第 2 号。認定基準においては、「ハラスメントやいじめのように、出来事が繰り返されるものについては、繰り返される出来事を一体のものとして評価することとなるので、発病の 6 か月よりも前にそれが開始されている場合でも、発病前おおむね 6 か月の期間にも継続しているときは、**開始時からのすべての行為**を評価の対象とする。」としており、この場合には、発病の 6 か月よりも前の行為についても評価の対象となる。

2答40 **正解 B**

A ✕ 令和5.9.1基発0901第 2 号。認定基準においては、発病直前の連続した 2 か月間に、1 月当たりおおむね「**120時間以上**」の時間外労働を行い、その業務内容が通常その程度の労働時間を要するものであった場合、心理的負荷の総合評価が「強」と判断されるとしている。

B ◯ 令和5.9.1基発0901第 2 号。設問の通り正しい。

C ✕ 令和5.9.1基発0901第 2 号。認定基準においては、「身体接触のない性的な発言のみのセクシュアルハラスメントであって、発言の中に人格を否定するようなものを含み、かつ継続してなされた場合」、「身体接触のない性的な発言のみのセクシュアルハラスメントであって、性的な発言が継続してなされ、会社に相談しても又は会社がセクシュアルハラスメントがあると把握していても適切な対応がなく、改善がなされなかった場合」には、心理的負荷の総合評価が「強」と判断されるとしている。

D ✕ 令和5.9.1基発0901第 2 号。認定基準においては、ハラスメントやいじめのように、出来事が繰り返されるものについては、繰り返される出来事を一体のものとして評価することとなるので、発病の 6 か月よりも前にそれが開始されている場合でも、発病前おおむね 6 か月の期間にも継続しているときは、**開始時からのすべての行為**を評価の対象とすることとしている。

E ✕ 令和5.9.1基発0901第 2 号。認定基準においては、心理的負荷の程度の判断は、発病した労働者がその出来事及び出来事後の状況が持続する程度を主観的にどう受け止めたかではなく、**同種の労働者**(職種、職場における立場や職責、年齢、経験等が類似する者をいう。)が一般的にどう受け止めるかという観点から評価されるものであるとしている。

2 問41 心理的負荷による精神障害の認定基準（令和5年9月1日付け基発0901第2号）の業務による心理的負荷評価表の「平均的な心理的負荷の強度」の「具体的出来事」の1つである「上司等から身体的攻撃、精神的攻撃等のパワーハラスメントを受けた」の、「心理的負荷の強度を『弱』『中』『強』と判断する具体例」に関する次の記述のうち、誤っているものはどれか。

R3-4改

A　人格や人間性を否定するような、業務上明らかに必要性がない精神的攻撃が行われたが、その行為が反復・継続していない場合、他に会社に相談しても適切な対応がなく改善されなかった等の事情がなければ、心理的負荷の程度は「中」になるとされている。

B　人格や人間性を否定するような、業務の目的を逸脱した精神的攻撃が行われたが、その行為が反復・継続していない場合、他に会社に相談しても適切な対応がなく改善されなかった等の事情がなければ、心理的負荷の程度は「中」になるとされている。

C　他の労働者の面前における威圧的な叱責など、態様や手段が社会通念に照らして許容される範囲を超える精神的攻撃が行われたが、その行為が反復・継続していない場合、他に会社に相談しても適切な対応がなく改善されなかった等の事情がなければ、心理的負荷の程度は「中」になるとされている。

D　治療等を要さない程度の暴行による身体的攻撃が行われた場合、その行為が反復・継続していなくても、また、他に会社に相談しても適切な対応がなく改善されなかった等の事情がなくても、心理的負荷の程度は「強」になるとされている。

E　「上司等」には、同僚又は部下であっても業務上必要な知識や豊富な経験を有しており、その者の協力が得られなければ業務の円滑な遂行を行うことが困難な場合、同僚又は部下からの集団による行為でこれに抵抗又は拒絶することが困難である場合も含む。

2答41 **正解　D**

A　○　令和5.9.1基発0901第2号。設問の通り正しい。なお、設
問のような精神的攻撃が反復・継続するなどして執拗に行われ
た場合や、設問のような精神的攻撃が行われ、会社に相談して
も又は会社がパワーハラスメントがあると把握していても適切
な対応がなく、改善されなかった場合には、心理的負荷の程度
は「強」となる。

B　○　令和5.9.1基発0901第2号。設問の通り正しい。なお、解
答A参照。

C　○　令和5.9.1基発0901第2号。設問の通り正しい。なお、解
答A参照。

D　×　令和5.9.1基発0901第2号。設問の場合、心理的負荷の程
度は「中」になる。なお、上司等から、治療を要する程度の暴
行等の身体的攻撃を受けた場合には、心理的負荷の程度は「強」
となる。

E　○　令和5.9.1基発0901第2号。設問の通り正しい。

2 問42
□□□
R5-1改
🈔

「心理的負荷による精神障害の認定基準について」(令和5年9月1日付け基発0901第2号)における「業務による心理的負荷の強度の判断」のうち、出来事が複数ある場合の全体評価に関する次の記述のうち誤っているものはどれか。

A　複数の出来事のうち、いずれかの出来事が「強」の評価となる場合は、業務による心理的負荷を「強」と判断する。

B　複数の出来事が関連して生じている場合、「中」である出来事があり、それに関連する別の出来事(それ単独では「中」の評価)が生じた場合には、後発の出来事は先発の出来事の出来事後の状況とみなし、当該後発の出来事の内容、程度により「強」又は「中」として全体を評価する。

C　単独の出来事の心理的負荷が「中」である複数の出来事が関連なく生じている場合、全体評価は「中」又は「強」となる。

D　単独の出来事の心理的負荷が「中」である出来事一つと、「弱」である複数の出来事が関連なく生じている場合、原則として全体評価も「中」となる。

E　単独の出来事の心理的負荷が「弱」である複数の出来事が関連なく生じている場合、原則として全体評価は「中」又は「弱」となる。

3　通勤災害

最新問題

3 問1
□□□
R6-2A

マイカー通勤をしている労働者が、勤務先会社から市道を挟んだところにある同社の駐車場に車を停車し、徒歩で職場に到着しタイムカードを打刻した後、フォグライトの消し忘れに気づき、徒歩で駐車場へ引き返すべく市道を横断する途中、市道を走ってきた軽自動車にはねられ負傷した場合、通勤災害とは認められない。

2 答42 正解　**E**

A　○　令和5.9.1基発0901第2号。設問の通り正しい。

B　○　令和5.9.1基発0901第2号。設問の通り正しい。

C　○　令和5.9.1基発0901第2号。設問の通り正しい。

D　○　令和5.9.1基発0901第2号。設問の通り正しい。

E　×　令和5.9.1基発0901第2号。単独の出来事の心理的負荷が「弱」である複数の出来事が関連なく生じている場合、原則として全体評価も「弱」となる。

労災

3 答1　×　法7条1項3号、昭和49.6.19基収1739号。設問の場合、通勤災害と認められる。通勤は、一般には労働者が事業主の支配管理下にあると認められる事業場構内(会社の門など)に到達した時点で終了するものであるが、設問のようにマイカー通勤者が車のライト消し忘れなどに気づき駐車場に引き返すことは一般にあり得ることであって、通勤とかけ離れた行為でなく、この場合、いったん事業場構内に入った後であっても、まだ、時間の経過もほとんどないことなどから通勤による災害として取り扱われる。

❸問2
☐☐☐
R6-2B

マイカー通勤をしている労働者が、同一方向にある配偶者の勤務先を経由するため、通常通り自分の勤務先を通り越して通常の通勤経路を450メートル走行し、配偶者の勤務先で配偶者を下車させて自分の勤務先に向かって走行中、踏切で鉄道車両と衝突して負傷した場合、通勤災害とは認められない。

❸問3
☐☐☐
R6-2C

頸椎を手術した配偶者の看護のため、手術後1か月ほど姑と交替で1日おきに病院に寝泊まりしていた労働者が、当該病院から徒歩で出勤する途中、横断歩道で軽自動車にはねられ負傷した場合、当該病院から勤務先に向かうとすれば合理的である経路・方法をとり逸脱・中断することなく出勤していたとしても、通勤災害とは認められない。

❸問4
☐☐☐
R6-2E

長年営業に従事している労働者が、通常通りの時刻に通常通りの経路を徒歩で勤務先に向かっている途中に突然倒れ、急性心不全で死亡した場合、通勤災害と認められる。

3答2 ✕　法7条1項3号、昭和49.3.4基収289号。設問の場合、通勤災害と認められる。マイカー通勤の共稼ぎの労働者で、配偶者の勤務先が同一方向にあって、しかも労働者の通勤経路からさほど離れていなければ、2人の通勤を自家用車の相乗りで行い、（労働者の勤務先を通り越して）配偶者の勤務先を経由することは、通常行われることであり、このような場合は、合理的な経路として取り扱われる。

3答3 ✕　法7条1項3号、昭和52.12.23基収981号。設問の場合、通勤災害と認められる。入院中の配偶者の看護のため病院に寝泊まりすることは社会慣習上通常行われることであり、かつ、手術当日から長期間継続して寝泊まりしていた事実があることからして、被災当日の当該病院は、被災労働者にとって就業のための拠点としての性格を有する「住居」と認められる。

3答4 ✕　法7条1項3号、昭和50.6.9基収4039号。設問の場合、通勤災害と認められない。通勤災害に係る「通勤による疾病」とは、通勤による負傷又は通勤に関連ある諸種の状態（突発的又は異常なできごと等）が原因となって発病したことが医学的に明らかに認められるものをいうが、設問の労働者の通勤途中に発生した急性心不全による死亡については、特に発病の原因となるような通勤による負傷又は通勤に関連する突発的なできごと等が認められないことから「通勤に通常伴う危険が具体化したもの」とは認められない。

労災保険法第7条に規定する通勤の途中で合理的経路を逸脱・中断した場合でも、当該逸脱・中断が日常生活上必要な行為であって、厚生労働省令で定めるものをやむを得ない事由により最小限度の範囲で行う場合には、当該逸脱・中断の後、合理的な経路に復した後は、同条の通勤と認められることとされている。

この日常生活上必要な行為として、同法施行規則第8条が定めるものに含まれない行為はどれか。

A　経路の近くにある公衆トイレを使用する行為

B　帰途で惣菜等を購入する行為

C　はり師による施術を受ける行為

D　職業能力開発校で職業訓練を受ける行為

E　要介護状態にある兄弟姉妹の介護を継続的に又は反復して行う行為

3 答5 正解 A

A ✕ 則8条、平成20.4.1基発0401042号。「経路の近くにある公衆トイレを使用する行為」は、則8条が定める日常生活上必要な行為に含まれない。なお、通常経路の途中で行うような「ささいな行為」（経路の近くにある公衆便所を使用する場合、帰途に経路の近くにある公園で短時間休息する場合や、経路上の店でタバコ、雑誌等を購入する場合、駅構内でジュースの立飲みをする場合、経路上の店で渇をいやすため極く短時間、お茶、ビール等を飲む場合、経路上で商売している大道の手相見、人相見に立寄って極く短時間手相や人相をみてもらう場合等）は、通勤に係る「逸脱・中断」に該当しない。

> **Point**
> 則8条に定められている「日常生活上必要な行為」は、以下の通りである。
> ① 日用品の購入その他これに準ずる行為
> ② 職業能力開発促進法に規定する公共職業能力開発施設の行う職業訓練（職業能力開発総合大学校において行われるものを含む。）、学校教育法に規定する学校において行われる教育その他これらに準ずる教育訓練であって職業能力の開発向上に資するものを受ける行為
> ③ 選挙権の行使その他これに準ずる行為
> ④ 病院又は診療所において診察又は治療を受けることその他これに準ずる行為
> ⑤ 要介護状態にある配偶者、子、父母、孫、祖父母及び兄弟姉妹並びに配偶者の父母の介護（継続的に又は反復して行われるものに限る。）

B ◯ 則8条1号、平成20.4.1基発0401042号。設問の通り正しい。帰途で惣菜等を購入する場合、独身者が食堂に食事に立ち寄る場合、クリーニング店に立ち寄る場合等は、「日用品の購入その他これに準ずる行為」に該当する。Aの **Point** 参照。

C ◯ 則8条4号、平成20.4.1基発0401042号。設問の通り正しい。施術所において、柔道整復師、あん摩マッサージ指圧師、はり師、きゅう師等の施術を受ける行為は、「病院又は診療所において診察又は治療を受けることその他これに準ずる行為」に該当する。Aの **Point** 参照。

D ◯ 則8条2号。設問の通り正しい。Aの **Point** 参照。

E ◯ 則8条5号。設問の通り正しい。Aの **Point** 参照。

3問1
□□□
H29-5A
　　退勤時に長男宅に立ち寄るつもりで就業の場所を出たものであれば、就業の場所から普段利用している通勤の合理的経路上の災害であっても、通勤災害とは認められない。

3問2
□□□
H29-5C
　　移動の途中の災害であれば、業務の性質を有する場合であっても、通勤災害と認められる。

3問3
□□□
H28-3A
　　商店が閉店した後は人通りがなくなる地下街入口付近の暗いところで、勤務先からの帰宅途中に、暴漢に後頭部を殴打され財布をとられたキャバレー勤務の労働者が負った後頭部の裂傷は、通勤災害と認められる。

3問4
□□□
H28-3C
　　午前の勤務を終了し、平常通り、会社から約300メートルのところにある自宅で昼食を済ませた労働者が、午後の勤務に就くため12時45分頃に自宅を出て県道を徒歩で勤務先会社に向かう途中、県道脇に駐車中のトラックの脇から飛び出した野犬に下腿部をかみつかれて負傷した場合、通勤災害と認められる。

3答1 ×　法7条2項。設問の場合、普段利用している通勤の合理的経路を逸脱し、又は移動を中断しない間の災害については、通勤災害と認められる。

> **Point**
>
> 通勤とは、労働者が、就業に関し、次の(1)から(3)に掲げる移動を、合理的な経路及び方法により行うことをいい、業務の性質を有するものを除くものとする。
> (1)　住居と就業の場所との間の往復
> (2)　厚生労働省令で定める就業の場所から他の就業の場所への移動
> (3)　上記(1)に掲げる往復に先行し、又は後続する住居間の移動(厚生労働省令で定める要件に該当するものに限る。)

3答2 ×　法7条2項、平成28.12.28基発1228第1号。移動の途中の災害であっても、その移動が「業務の性質を有する場合」には、通勤災害ではなく、業務災害である。

3答3 ○　法7条1項3号、昭和49.6.19基収1276号。設問の通り正しい。設問のように深夜退勤する途上において強盗等に出会い、その結果負傷することも通常考え得ることであり、当該災害が被災労働者の挑発行為等、恣意的行為により生じたものではなく、また、当事者間に怨恨関係があるとする特別の事情などが見いだせない場合には、通勤に通常伴う危険が具体化したもの(通勤災害)と認められる。

3答4 ○　法7条1項3号、昭和53.5.30基収1172号。設問の通り正しい。通勤による災害とは、通勤との相当因果関係が認められる災害、すなわち経験則上通勤に内在すると認められる危険の具体化をいうが、通勤に内在する危険とは、単に具体的な通勤行為(歩行等)それ自体に内在する危険だけをいうものではなく、通勤経路に内在し、通勤行為に伴って具体化する危険も含まれる。設問の災害は、経験則上通勤経路に内在する危険(野犬にかまれる危険)が具体化したものであり、通勤災害と認められる。

労災

3 問 5
□□□
H28-3E

マイカー通勤をしている労働者が、勤務先会社から市道を挟んだところにある同社の駐車場に車を停車し、徒歩で職場に到着しタイムカードを押した後、フォグライトの消し忘れに気づき、徒歩で駐車場へ引き返すべく市道を横断する途中、市道を走ってきた軽自動車にはねられ負傷した場合、通勤災害と認められる。

3 問 6
□□□
H27-3D

業務終了後に、労働組合の執行委員である労働者が、事業場内で開催された賃金引上げのための労使協議会に6時間ほど出席した後、帰宅途上で交通事故にあった場合、通勤災害とは認められない。

❸答5 ○ 法7条1項3号、昭和49.6.19基収1739号。設問の通り正しい。通勤は、一般には労働者が事業主の支配管理下にあると認められる事業場構内に到達した時点で終了するものであるが、設問のようにマイカー通勤者が駐車場に引き返すことは一般にあり得ることであって、通勤とかけ離れた行為でなく、この場合、いったん事業場構内に入った後であっても、時間の経過もほとんどないことなどから、通勤災害と認められる。

❸答6 ○ 法7条1項3号、2項、昭和50.11.4基収2043号。設問の通り正しい。労働者が労働組合の執行委員として労使協議会に出席したことは、雇用契約の本旨に基づいて行う行為、すなわち「業務」に該当するとはいえない。また、業務終了後、当該労使協議会等のために事業場施設内に滞留した時間（6時間）も、社会通念上就業と帰宅との直接的関連を失わせると認められるほど長時間であることから、設問の帰宅行為は通勤に該当しない。したがって、その帰宅途上の交通事故は、通勤災害とは認められない。

3 問7 労働者が、就業に関し、住居と就業の場所との間の往復を、合理
□□□ 的な経路及び方法により行うことによる負傷、疾病、障害又は死亡
R4-5 は、通勤災害に当たるが、この「住居」、「就業の場所」に関する次
の記述のうち、誤っているものはどれか。

A 同一市内に住む長女が出産するため、15日間、幼児2人を含
む家族の世話をするために長女宅に泊まり込んだ労働者にとっ
て、長女宅は、就業のための拠点としての性格を有する住居と認
められる。

B アパートの2階の一部屋に居住する労働者が、いつも会社に
向かって自宅を出発する時刻に、出勤するべく靴を履いて自室の
ドアから出て1階に降りようとした時に、足が滑り転倒して負
傷した場合、通勤災害に当たらない。

C 一戸建ての家に居住している労働者が、いつも退社する時刻に
仕事を終えて自宅に向かってふだんの通勤経路を歩き、自宅の門
をくぐって玄関先の石段で転倒し負傷した場合、通勤災害に当た
らない。

D 外回りの営業担当の労働者が、夕方、得意先に物品を届けて直
接帰宅する場合、その得意先が就業の場所に当たる。

E 労働者が、長期入院中の夫の看護のために病院に1か月間継
続して宿泊した場合、当該病院は就業のための拠点としての性格
を有する住居と認められる。

3 問8 労働者が転任する際に配偶者が引き続き就業するため別居するこ
□□□ とになった場合の、配偶者が住む居宅は、「住居」と認められるこ
H29-5E とはない。

❸答7 **正解** **B**

A ○ 法7条2項、昭和52.12.23基収1027号。設問の通り正しい。設問の場合、労働者が長女宅に居住し、そこから通勤する行為は、客観的に一定の持続性が認められるので、当該長女宅は労働者にとっての就業のための拠点としての性格を有し、住居と認められる。

B × 法7条1項3号、法7条2項、昭和49.4.9基収314号。設問の場合、労働者が居住するアパートの外戸が住居と通勤経路との境界であるので、当該アパートの階段は通勤の経路と認められ、通勤災害に当たる。

C ○ 法7条1項3号、法7条2項、昭和49.7.15基収2110号。設問の通り正しい。一戸建ての家については、自宅の門をくぐった玄関先は「住居」であり、設問の負傷は住居内の災害であるから、通勤災害に当たらない。

D ○ 法7条2項、平成28.12.28基発1228第1号。設問の通り正しい。「就業の場所」とは、業務を開始し、又は終了する場所をいい、具体的には、本来の業務を行う場所のほか、物品を得意先に届けてその届け先から直接帰宅する場合の物品の届け先、全員参加で出勤扱いとなる会社主催の運動会の会場等は、就業の場所に当たることとなる。

E ○ 法7条2項、昭和52.12.23基収981号。設問の通り正しい。入院中の夫の看護のため妻(労働者)が病院に宿泊することは社会慣習上通常行われることであり、かつ、長期間継続して宿泊していた事実があることから、当該病院は労働者にとっての就業のための拠点としての性格を有し、住居と認められる。

❸答8 × 法7条2項、平成18.3.31基労管発0331001号・基労補発0331003号。設問の「配偶者の住む居宅」は、当該家屋と就業の場所との間の往復に反復・継続性が認められるときは、住居と認めて差し支えないとされている。なお、「反復・継続性」とは、おおむね毎月1回以上の往復行為又は移動がある場合に認められる。

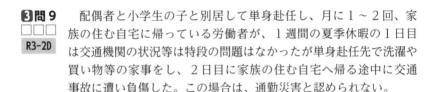

3 問9 配偶者と小学生の子と別居して単身赴任し、月に1～2回、家族の住む自宅に帰っている労働者が、1週間の夏季休暇の1日目は交通機関の状況等は特段の問題はなかったが単身赴任先で洗濯や買い物等の家事をし、2日目に家族の住む自宅へ帰る途中に交通事故に遭い負傷した。この場合は、通勤災害と認められない。

3 問10 派遣労働者に係る通勤災害の認定に当たっては、派遣元事業主又は派遣先事業主の指揮命令により業務を開始し、又は終了する場所が「就業の場所」となるため、派遣労働者の住居と派遣元事業場又は派遣先事業場との間の往復の行為は、一般に「通勤」となるものとして取り扱うこととされている。

3 問11 通勤災害における合理的な経路とは、住居等と就業の場所等との間を往復する場合の最短距離の唯一の経路を指す。

3 答9 ○　法7条2項3号、則7条1号ロ、平成28.12.28基発1228第1号。設問の通り正しい。設問のいわゆる住居間移動における赴任先住居から帰省先住居への移動については、実態等を踏まえて、業務に従事した**当日**又はその**翌日**に行われた場合は、就業との関連性を認めて差し支えないものとされており、**翌々日以後**に行われた場合は、交通機関の状況等の**合理的理由**があるときに限り、就業との関連性が認められるものとされている。設問は、夏季休暇の2日目（業務に従事した翌々日）の帰省であり、交通機関の状況等に特段の問題がないことから、その移動中の負傷は通勤災害と認められない。

> 住居間移動における帰省先住居から赴任先住居への移動については、実態等を踏まえ、業務に就く**当日**又は**前日**に行われた場合は、就業との関連性を認めて差し支えない。ただし、**前々日以前**に行われた場合は、交通機関の状況等の**合理的理由**があるときに限り、就業との関連性が認められる。

3 答10 ○　法3条1項、法7条2項、昭和61.6.30基発383号。設問の通り正しい。

3 答11 ×　法7条2項、平成28.12.28基発1228第1号。「合理的な経路」とは、一般に労働者が用いるものと認められる経路をいい、「最短距離の唯一の経路」に限られない。

> 「合理的な経路」とは、一般に労働者が用いるものと認められる経路をいい、乗車定期券に表示され、あるいは、会社に届け出ているような、鉄道等の経路及び通常これに代替することが考えられる経路が該当する。また、「合理的な方法」とは、一般に労働者が用いると認められる手段をいい、公共交通機関の利用、自動車等の本来の用法に従った使用、徒歩等の通常用いられる交通方法は、一般的に合理的な方法と認められる。

❸問12
□□□
R3-2A

3歳の子を養育している一人親世帯の労働者がその子をタクシーで託児所に預けに行く途中で追突事故に遭い、負傷した。その労働者は、通常、交通法規を遵守しつつ自転車で託児所に子を預けてから職場に行っていたが、この日は、大雨であったためタクシーに乗っていた。タクシーの経路は、自転車のときとは違っていたが、車であれば、よく利用される経路であった。この場合は、通勤災害と認められる。

❸問13
□□□
R4-6D

マイカー通勤の労働者が、経路上の道路工事のためにやむを得ず通常の経路を迂回して取った経路は、ふだんの通勤経路を外れた部分についても、通勤災害における合理的な経路と認められる。

❸問14
□□□
R4-6E

他に子供を監護する者がいない共稼ぎ労働者が、いつもどおり親戚に子供を預けるために、自宅から徒歩10分ほどの勤務先会社の前を通り過ぎて100メートルのところにある親戚の家まで、子供とともに歩き、子供を預けた後に勤務先会社まで歩いて戻る経路のうち、勤務先会社と親戚の家との間の往復は、通勤災害における合理的な経路とは認められない。

❸問15
□□□
R3-2E

自家用車で通勤していた労働者Xが通勤途中、他の自動車との接触事故で負傷したが、労働者Xは所持している自動車運転免許の更新を失念していたため、当該免許が当該事故の1週間前に失効しており、当該事故の際、労働者Xは、無免許運転の状態であった。この場合は、諸般の事情を勘案して給付の支給制限が行われることはあるものの、通勤災害と認められる可能性はある。

3答12 ○　法7条1項3号、平成28.12.28基発1228第1号。設問の通り正しい。通勤に係る移動は、合理的な経路により行うことを要するが、他に子を監護する者がいない労働者が、その子を託児所等にあずけるためにとる経路などは、そのような立場にある労働者であれば、当然、就業のためにとらざるを得ない経路であるので、合理的な経路となる。

3答13 ○　法7条2項、平成28.12.28基発1228第1号。設問の通り正しい。マイカー通勤の労働者が経路の道路工事、デモ行進等当日の交通事情により迂回してとる経路は、通勤災害における合理的な経路と認められる。

3答14 ×　法7条2項、平成28.12.28基発1228第1号。他に子供を監護する者がいない共稼ぎ労働者が託児所、親戚等に預けるためにとる経路などは、そのような立場にある労働者であれば、当然、就業のためにとらざるを得ない経路であるので、通勤災害における合理的な経路と認められる。

3答15 ○　法7条1項3号、平成28.12.28基発1228第1号。設問の通り正しい。通勤に係る移動は、合理的な方法により行うことを要するが、単なる免許証不携帯、免許証更新忘れによる無免許運転の場合等は、諸般の事情を勘案して給付の支給制限が行われることがあるものの、必ずしも合理性を欠くものとして取り扱う必要はないものとされている。

免許を1度も取得したことのないような者が自動車を運転する場合、自動車・自転車等を泥酔して運転するような場合には、合理的な方法と認められない。

3 **問16** 労災保険法第7条に規定する通勤の途中で合理的経路を逸脱した
□□□ 場合でも、日常生活上必要な行為であって厚生労働省令で定めるも
H28-5オ のをやむを得ない事由により行うための最小限度のものである場合
は、当該逸脱の間も含め同条の通勤とする。

3 **問17** 腰痛の治療のため、帰宅途中に病院に寄った労働者が転倒して負
□□□ 傷した。病院はいつも利用している駅から自宅とは反対方向にあ
R3-2B り、負傷した場所はその病院から駅に向かう途中の路上であった。
この場合は、通勤災害と認められない。

3 **問18** 通常深夜まで働いている男性労働者が、半年ぶりの定時退社の日
□□□ に、就業の場所からの帰宅途中に、ふだんの通勤経路を外れ、要介
R4-6C 護状態にある義父を見舞うために義父の家に立ち寄り、一日の介護
を終えた妻とともに帰宅の途につき、ふだんの通勤経路に復した後
は、通勤に該当する。

3 **問19** 会社からの退勤の途中で美容院に立ち寄った場合、髪のセットを
□□□ 終えて直ちに合理的な経路に復した後についても、通勤に該当しな
H27-3E い。

3 答16 ✕ 法7条3項。設問の行為については、逸脱(又は中断)の間を除き、通勤とされる。

> 厚生労働省令で定める「日常生活上必要な行為」の範囲は、次のとおりである。
> ・日用品の購入その他これに準ずる行為
> ・職業能力開発促進法に規定する公共職業能力開発施設の行う職業訓練、学校教育法に規定する学校において行われる教育その他これらに準ずる教育訓練であって職業能力の開発向上に資するものを受ける行為
> ・選挙権の行使その他これに準ずる行為
> ・病院又は診療所において診察又は治療を受けることその他これに準ずる行為
> ・要介護状態にある配偶者、子、父母、孫、祖父母及び兄弟姉妹並びに配偶者の父母の介護(継続的に又は反復して行われるものに限る。)

3 答17 ○ 法7条3項。設問の通り正しい。設問の負傷は、通勤に係る移動の経路を逸脱している間に生じたものであり、通勤災害と認められない。

3 答18 ✕ 法7条3項、則8条5号、平成28.12.28基発1228第1号。設問の介護は「逸脱・中断」に当たり、ふだんの通勤経路に復した後であっても通勤に該当しない。要介護状態にある配偶者、子、父母、孫、祖父母及び兄弟姉妹並びに配偶者の父母の介護は、継続的に又は反復して行われるものに限り、日常生活上必要な行為と認められ、当該介護がやむを得ない事由により行うための最小限度のものである場合は、ふだんの通勤経路に復した後は通勤に該当するが、ここにいう「継続的に又は反復して」とは、例えば毎日あるいは1週間に数回など労働者が日常的に介護を行う場合をいい、設問はこれに該当しない。

3 答19 ✕ 法7条3項ただし書、則8条1号、昭和58.8.2基発420号。理・美容のため理髪店又は美容院に立ち寄る行為は、労災保険法7条3項ただし書に規定する「日常生活上必要な行為であって厚生労働省令で定めるもの」に該当する。したがって、設問の場合、合理的な経路に復した後の移動については、通勤に該当する。

3 問20
☐☐☐
H28-3D

勤務を終えてバスで退勤すべくバス停に向かった際、親しい同僚と一緒になったので、お互いによく利用している会社の隣の喫茶店に立ち寄り、コーヒーを飲みながら雑談し、40分程度過ごした後、同僚の乗用車で合理的な経路を通って自宅まで送られた労働者が、車を降りようとした際に乗用車に追突され負傷した場合、通勤災害と認められる。

3 問21
☐☐☐
R3-2C

従業員が業務終了後に通勤経路の駅に近い自動車教習所で教習を受けて駅から自宅に帰る途中で交通事故に遭い負傷した。この従業員の勤める会社では、従業員が免許取得のため自動車教習所に通う場合、奨励金として費用の一部を負担している。この場合は、通勤災害と認められる。

3 問22
☐☐☐
H28-3B

会社からの退勤の途中に、定期的に病院で、比較的長時間の人工透析を受ける場合も、終了して直ちに合理的経路に復した後については、通勤に該当する。

3答20 ×　法7条3項、則8条、昭和49.11.15基収1867号。労働者が喫茶店に立ち寄って過ごした行為は、「日常生活上必要な行為であって厚生労働省令で定めるもの」と認められず、設問の負傷は、移動の中断後の災害であって、通勤災害と認められない。

> プラスα
>
> 駅構内でジュースの立飲みをする場合、経路上の店で渇をいやすためご く短時間、お茶、ビール等を飲む場合等のように通常経路の途中で行うような「ささいな行為」を行う場合には、逸脱、中断に該当しない。

3答21 ×　法7条3項、則8条、平成28.12.28基発1228第1号。設問の自動車教習所における教習は、「日常生活上必要な行為であって厚生労働省令で定めるもの」に該当せず、当該教習(中断)後の移動中の負傷は通勤災害と認められない。

> プラスα
>
> 「日常生活上必要な行為であって厚生労働省令で定めるもの」として、「職業訓練、学校教育法1条に規定する学校において行われる教育その他これらに準ずる教育訓練であって職業能力の開発向上に資するものを受ける行為」が掲げられているが、"これらに準ずる教育訓練であって職業能力の開発向上に資するものを受ける行為"に該当するか否かは、次のようになる。
> 〈該当するもの〉
> ・職業能力開発総合大学校における職業訓練及び専修学校における教育
> ・各種学校における教育のうち、修業期間が1年以上であって、課程の内容が一般的に職業に必要な技術(例えば、工業、医療、栄養士、調理師、理容師、美容師、保育士、商業経理、和洋裁等に必要な技術)を教授するもの
> 〈該当しないもの〉
> ・茶道、華道等の課程又は自動車教習所若しくはいわゆる予備校の課程

3答22 ○　法7条3項、則8条4号、平成28.12.28基発1228第1号。設問の通り正しい。日常生活上必要な行為とされている「病院又は診療所において診察又は治療を受けることその他これに準ずる行為」とは、病院又は診療所において通常の医療を受ける行為に限らず、人工透析等比較的長時間を要する医療を受けることも含まれる。**3答16**の プラスα 参照。

4 給付基礎日額

　次の**4**問1及び問2において、複数事業労働者につき、業務災害が発生した事業場を「災害発生事業場」と、それ以外の事業場を「非災害発生事業場」といい、いずれにおいても、当該労働者の離職時の賃金が不明である場合は考慮しない。

4問1

R6-4C

難

　複数事業労働者については、その疾病が業務災害による遅発性疾病である場合で、その診断が確定した日において、災害発生事業場を離職している場合の当該事業場に係る平均賃金相当額の算定については、災害発生事業場を離職した日を基準に、その日（賃金の締切日がある場合は直前の賃金締切日をいう。）以前3か月間に災害発生事業場において支払われた賃金により算定し、当該金額を基礎として、診断によって当該疾病発生が確定した日までの賃金水準の上昇又は変動を考慮して算定する。

4問2

R6-4D

難

　複数事業労働者については、その疾病が業務災害による遅発性疾病である場合で、その診断が確定した日において、災害発生事業場を離職している場合の非災害発生事業場に係る平均賃金相当額については、算定事由発生日に当該事業場を離職しているか否かにかかわらず、遅発性疾病の診断が確定した日から3か月前の日を始期として、当該診断が確定した日までの期間中に、非災害発生事業場から賃金を受けている場合は、その3か月間に非災害発生事業場において支払われた賃金により算定する。

4答1 ○　令和2.8.21基発0821第2号。設問の通り正しい。複数業務要因災害は原則として脳・心臓疾患及び精神障害を想定しているが、複数業務要因災害として認定される場合については、どの事業場においても業務と疾病等との間に相当因果関係が認められないものであることから、設問の場合（業務災害の場合）と異なり、遅発性疾病等の診断が確定した日においていずれかの事業場に使用されている場合は、当該事業場について当該診断確定日（賃金の締切日がある場合は直前の賃金締切日をいう。）以前3か月に支払われた賃金により平均賃金相当額を算定する。また、遅発性疾病等の診断が確定した日において全ての事業場を離職している場合は、遅発性疾病等の診断が確定した日から直近の離職日（最終離職日）を基準に、その日（賃金の締切日がある場合は直前の賃金締切日をいう。）以前3か月間に支払われた賃金により算定し当該金額を基礎として、診断によって疾病発生が確定した日までの賃金水準の上昇又は変動を考慮して算定する。

4答2 ×　令和2.8.21基発0821第2号。複数事業労働者の疾病が業務災害による遅発性疾病である場合で、その診断が確定した日において、災害発生事業場を離職している場合の、非災害発生事業場に係る平均賃金相当額については、算定事由発生日に当該事業場を離職しているか否かにかかわらず、「遅発性疾病等の診断が確定した日」ではなく「災害発生事業場を離職した日」から3か月前の日を始期として、災害発生事業場における離職日までの期間中に、非災害発生事業場から賃金を受けている場合は、災害発生事業場を離職した日の直前の賃金締切日以前3か月間に非災害発生事業場において支払われた賃金により算定する。

複数事業労働者に係る平均賃金相当額の算定において、雇用保険法等の一部を改正する法律（令和2年法律第14号。以下「改正法」という。）の施行日後に発生した業務災害たる傷病等については、当該傷病等の原因が生じた時点が改正法の施行日前であっても、当該傷病等が発生した時点において事業主が同一人でない2以上の事業に使用されていた場合は、給付基礎日額相当額を合算する必要がある。

───────────────────────────

過 去 問

年金たる保険給付の支給に係る給付基礎日額に1円未満の端数があるときは、その端数については切り捨てる。

4答3 ○　令和2.8.21基発0821第2号。設問の通り正しい。

4答1 ×　法8条の5。給付基礎日額に**1円未満の端数**があるときは、これを**1円に切り上げる**ものとされている。

> 労働基準法12条の規定による平均賃金については、銭位未満の端数が生じたときは、これを切り捨てるものとされている。

4 問2
□□□
R5-7

　新卒で甲会社に正社員として入社した労働者Pは、入社1年目の終了時に、脳血管疾患を発症しその日のうちに死亡した。Pは死亡前の1年間、毎週月曜から金曜に1日8時間甲会社で働くと同時に、学生時代からパートタイム労働者として勤務していた乙会社との労働契約も継続し、日曜に乙会社で働いていた。また、死亡6か月前から4か月前は丙会社において、死亡3か月前から死亡時までは丁会社において、それぞれ3か月の期間の定めのある労働契約でパートタイム労働者として、毎週月曜から金曜まで甲会社の勤務を終えた後に働いていた。Pの遺族は、Pの死亡は業務災害又は複数業務要因災害によるものであるとして所轄労働基準監督署長に対し遺族補償給付又は複数事業労働者遺族給付の支給を求めた。当該署長は、甲会社の労働時間のみでは業務上の過重負荷があったとはいえず、Pの死亡は業務災害によるものとは認められず、また甲会社と乙会社の労働時間を合計しても業務上の過重負荷があったとはいえないが、甲会社と丙会社・丁会社の労働時間を合計した場合には業務上の過重負荷があったと評価でき、個体側要因や業務以外の過重負荷により発症したとはいえないことから、Pの死亡は複数業務要因災害によるものと認められると判断した。Pの遺族への複数事業労働者遺族給付を行う場合における給付基礎日額の算定に当たって基礎とする額に関する次の記述のうち、正しいものはどれか。

A　甲会社につき算定した給付基礎日額である。

B　甲会社・乙会社それぞれにつき算定した給付基礎日額に相当する額を合算した額である。

C　甲会社・丁会社それぞれにつき算定した給付基礎日額に相当する額を合算した額である。

D　甲会社・丙会社・丁会社それぞれにつき算定した給付基礎日額に相当する額を合算した額である。

E　甲会社・乙会社・丁会社それぞれにつき算定した給付基礎日額に相当する額を合算した額である。

❹答2　正解　E

A　×　法8条3項、則9条の2の2、令和2.8.21基発0821第2号。
　　設問の場合、給付基礎日額は、甲会社・乙会社・丁会社それぞれにつき算定した給付基礎日額相当額を合算した額となる。複数業務要因災害として認定される場合については、どの事業場においても業務と疾病等との間に相当因果関係が認められないものであることから、遅発性疾病等の診断が確定した日においていずれかの事業場に使用されている場合は、当該事業場について当該診断確定日以前3か月に支払われた賃金により給付基礎日額相当額を算定する。この場合、遅発性疾病等の診断が確定した日から3か月前の日を始期として、遅発性疾病等の診断が確定した日までの間に他の事業場から賃金を受けている場合は、当該事業場の給付基礎日額相当額について、当該3か月間において支払われた賃金により算定することとし、遅発性疾病等の診断が確定した日から3か月前の日を始期として、遅発性疾病等の診断が確定した日までの間に他の事業場から賃金を受けていない場合は、当該他の事業場に係る給付基礎日額相当額を算定する必要はない。設問の場合、脳血管疾患を発症した日（遅発性疾病等の診断が確定した日）に事業場（甲、乙、丁）に使用されているため、脳血管疾患を発症した日以前3か月に支払われた賃金により給付基礎日額相当額を算定する。また、この場合、脳血管疾患を発症した日から3か月前の日を始期として、当該発症日までの間に他の事業場から賃金を受けている場合は、その事業場についても給付基礎日額相当額を算定することとなるが、丙会社に使用されていたのは脳血管疾患を発症した日の6か月前から4か月前までであるから、丙会社については給付基礎日額相当額は算定しない。

B　×　法8条3項、則9条の2の2、令和2.8.21基発0821第2号。解説A参照。

C　×　法8条3項、則9条の2の2、令和2.8.21基発0821第2号。解説A参照。

D　×　法8条3項、則9条の2の2、令和2.8.21基発0821第2号。解説A参照。

E　○　法8条3項、則9条の2の2、令和2.8.21基発0821第2号。設問の通り正しい。解説A参照。

5 保険給付の種類等

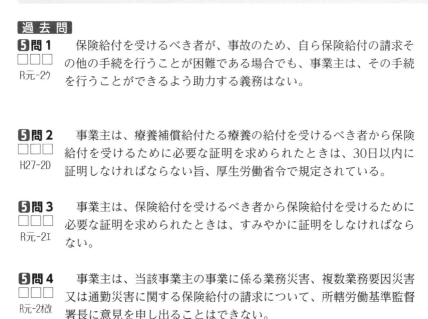

5 問1
R元-2ウ
　保険給付を受けるべき者が、事故のため、自ら保険給付の請求その他の手続を行うことが困難である場合でも、事業主は、その手続を行うことができるよう助力する義務はない。

5 問2
H27-2D
　事業主は、療養補償給付たる療養の給付を受けるべき者から保険給付を受けるために必要な証明を求められたときは、30日以内に証明しなければならない旨、厚生労働省令で規定されている。

5 問3
R元-2エ
　事業主は、保険給付を受けるべき者から保険給付を受けるために必要な証明を求められたときは、すみやかに証明をしなければならない。

5 問4
R元-2オ改
　事業主は、当該事業主の事業に係る業務災害、複数業務要因災害又は通勤災害に関する保険給付の請求について、所轄労働基準監督署長に意見を申し出ることはできない。

答1 ×　則23条1項。保険給付を受けるべき者が、事故のため、みずから保険給付の請求その他の手続を行うことが困難である場合には、事業主は、その手続を行うことができるように助力しなければならないとされており、事業主には助力する義務がある。

答2 ×　則23条2項。事業主は、保険給付を受けるべき者から保険給付を受けるために必要な証明を求められたときは、すみやかに証明をしなければならない旨、厚生労働省令で規定されている。

答3 ○　則23条2項。設問の通り正しい。

答4 ×　則23条の2,1項。事業主は、当該事業主の事業に係る業務災害、複数業務要因災害又は通勤災害に関する保険給付の請求について、所轄労働基準監督署長に意見を申し出ることができる。なお、事業主の意見の申出は、①労働保険番号、②事業主の氏名又は名称及び住所又は所在地、③業務災害、複数業務要因災害又は通勤災害を被った労働者の氏名及び生年月日、④労働者の負傷若しくは発病又は死亡の年月日及び⑤事業主の意見を記載した書面を所轄労働基準監督署長に提出することにより行うものとされている。

事業主の意見申出制度は、保険給付請求事案に関する処分が行われた後の不服申立制度ではなく、当該処分を行う際に保険給付請求事案に関する参考となるような客観的事実等を内容とする意見の申出があった場合に、これを参考資料として活用することとしたものである。

過去問

6問1
□□□
H27-2A

療養の給付は、社会復帰促進事業として設置された病院若しくは診療所又は都道府県労働局長の指定する病院若しくは診療所、薬局若しくは訪問看護事業者において行われる。

6問2
□□□
R元-5A改

療養の給付は、社会復帰促進等事業として設置された病院若しくは診療所又は都道府県労働局長の指定する病院若しくは診療所、薬局若しくは訪問看護事業者（「指定病院等」という。以下**6問2**において同じ。）において行われ、指定病院等に該当しないときは、厚生労働大臣が健康保険法に基づき指定する病院であっても、療養の給付は行われない。

6問3
□□□
H30-2D

療養補償給付としての療養の給付の範囲には、病院又は診療所における療養に伴う世話その他の看護のうち、政府が必要と認めるものは含まれるが、居宅における療養に伴う世話その他の看護が含まれることはない。

6問4
□□□
H28-4A

被災労働者が、災害現場で医師の治療を受けず医療機関への搬送中に死亡した場合、死亡に至るまでに要した搬送費用は、療養のためのものと認められるので移送費として支給される。

6問5
□□□
R元-5D

被災労働者が、災害現場から医師の治療を受けるために医療機関に搬送される途中で死亡したときは、搬送費用が療養補償給付の対象とはなり得ない。

6答1 ○ 則11条1項。設問の通り正しい。

> **Point** 病院若しくは診療所、薬局若しくは訪問看護事業者（指定病院等）の指定は、**都道府県労働局長**が行う。

6答2 ○ 則11条1項。設問の通り正しい。

6答3 × 法13条2項。療養補償給付としての療養の給付の範囲には、居宅における療養に伴う世話その他の看護のうち、政府が必要と認めるものが含まれる。

> **Point** 療養（補償）等給付としての療養の給付の範囲は、次の①〜⑥（**政府が必要と認めるものに限る。**）による。
> ① 診察
> ② 薬剤又は治療材料の支給
> ③ 処置、手術その他の治療
> ④ 居宅における療養上の管理及びその療養に伴う世話その他の看護
> ⑤ 病院又は診療所への入院及びその療養に伴う世話その他の看護
> ⑥ 移送

6答4 ○ 法13条2項6号、昭和30.7.13基収841号。設問の通り正しい。なお、設問の「移送費」とは、療養の給付の範囲に含まれる「移送」に要した費用のことを指している。

>
> 死体移送費は、療養の給付の範囲である移送費としては認められない。

6答5 × 法13条2項6号、昭和30.7.13基収841号。被災労働者が死亡に至るまでに要した搬送の費用は、療養のためのものと認められるので、療養補償給付の対象となる。

6 問6
□□□
H28-4B
労働者が遠隔地において死亡した場合の火葬料及び遺骨の移送に必要な費用は、療養補償費の範囲には属さない。

6 問7
□□□
H28-4C
業務災害の発生直後、救急患者を災害現場から労災病院に移送する場合、社会通念上妥当と認められる場合であれば移送に要した費用全額が支給される。

6 問8
□□□
H28-4D
死体のアルコールによる払拭のような本来葬儀屋が行うべき処置であっても、医師が代行した場合は療養補償費の範囲に属する。

6 問9
□□□
H28-4E
医師が直接の指導を行わない温泉療養については、療養補償費は支給されない。

6 問10
□□□
R元-5C
病院等の付属施設で、医師が直接指導のもとに行う温泉療養については、療養補償給付の対象となることがある。

6 問11
□□□
H27-2B
療養の給付は、その傷病が療養を必要としなくなるまで行われるので、症状が安定して疾病が固定した状態になり、医療効果が期待しえない状態になっても、神経症状のような傷病の症状が残っていれば、療養の給付が行われる。

6 問12
□□□
H27-2C
療養補償給付たる療養の給付を受けようとする者は、厚生労働省令に規定された事項を記載した請求書を、直接、所轄労働基準監督署長に提出しなければならない。

6答6 ○　法13条 2 項、昭和24.7.22基収2303号。設問の通り正しい。なお、設問の「療養補償費」とは通達当時の給付名であり、現行の療養補償給付のことである。

6答7 ○　法13条 2 項 6 号、昭和31.4.27基収1058号、昭和31.9.22基収1058号。設問の通り正しい。

6答8 ×　法13条 2 項、昭和23.7.10基災発97号。設問の「本来葬儀屋において行うべき処置」を医師が代行したと認められる場合の費用は、葬祭料の範囲に属する。なお、設問の「療養補償費」については、**6答6**参照。

6答9 ○　法13条 2 項、昭和25.10.6基発916号。設問の通り正しい。なお、病院等の附属施設で医師が直接指導の下に行う温泉療養は、療養補償費（**6答6**参照）の対象となる。

6答10 ○　法13条 2 項、昭和25.10.6基発916号。設問の通り正しい。なお、医師が直接の指導を行わない温泉療養については、療養補償給付の対象とならない。

6答11 ×　昭和23.1.13基災発 3 号。症状が残っていてもそれが安定して、もはや治療の効果が期待できず、療養の余地がなくなった場合には療養の必要がなくなった（治ゆした）ものとされ、療養の給付は行われない。なお、神経症状のような傷病の症状は、障害として障害補償給付の対象となる。

6答12 ×　則12条 1 項。療養補償給付たる療養の給付を受けようとする者は、厚生労働省令に規定された事項を記載した請求書を、当該療養の給付を受けようとする病院若しくは診療所、薬局又は訪問看護事業者（指定病院等）を経由して所轄労働基準監督署長に提出しなければならない。

6 問13 療養補償給付たる療養の費用の支給を受けようとする者は、①労
□□□ 働者の氏名、生年月日及び住所、②事業の名称及び事業場の所在
H30-2E改 地、③負傷又は発病の年月日、④災害の原因及び発生状況、⑤傷病
名及び療養の内容、⑥療養に要した費用の額、⑦療養の給付を受け
なかった理由、⑧労働者が複数事業労働者である場合はその旨を記
載した請求書を、所轄労働基準監督署長に提出しなければならない
が、そのうち③及び⑥について事業主(非災害発生事業場の事業主
を除く。)の証明を受けなければならない。

6 問14 療養の給付を受ける労働者は、当該療養の給付を受けている指定
□□□ 病院等を変更しようとするときは、所定の事項を記載した届書を、
R元-5B 新たに療養の給付を受けようとする指定病院等を経由して所轄労働
基準監督署長に提出するものとされている。

6 問15 療養給付を受ける労働者は、一部負担金を徴収されることがあ
□□□ る。
H29-5B

6 問16 政府が療養給付を受ける労働者から徴収する一部負担金は、第三
□□□ 者の行為によって生じた交通事故により療養給付を受ける者からも
H27-2E 徴収する。

6 問17 療養給付を受ける労働者から一部負担金を徴収する場合には、労
□□□ 働者に支給される休業給付であって最初に支給すべき事由の生じた
R元-5E 日に係るものの額から一部負担金の額に相当する額を控除すること
により行われる。

6答13 ✕　則12条の2,1項、2項。設問の①〜⑧の事項のうち、**事業主**（非災害発生事業場の事業主を除く。）の証明を受けなければならないものは、「③負傷又は発病の年月日」及び「④災害の原因及び発生状況」であり、「⑥療養に要した費用の額」については事業主の証明を受ける必要はない。

プラスα　設問の①〜⑧の事項のうち、「⑤傷病名及び療養の内容」及び「⑥療養に要した費用の額」については、原則として、**診療担当者**（医師その他の診療、薬剤の支給、手当又は訪問看護を担当した者）の証明を受けなければならない。

6答14 ○　則12条3項、則18条の3の7、則18条の5,3項。設問の通り正しい。

6答15 ○　法31条2項。設問の通り正しい。

Point　**一部負担金**は、**通勤災害**により**療養給付**を受ける労働者（一定の者を除く。）から徴収されるものであり、業務災害により療養補償給付を受ける労働者及び複数業務要因災害により複数事業労働者療養給付を受ける労働者からは徴収されない。

6答16 ✕　法31条2項、則44条の2,1項1号。**第三者の行為**によって生じた事故により療養給付を受ける者からは、一部負担金は徴収されない。

Point　療養給付について一部負担金が徴収されない者は、次のとおりである。
・第三者の行為によって生じた事故により療養給付を受ける者
・療養の開始後3日以内に死亡した者その他休業給付を受けない者
・同一の通勤災害に係る療養給付について既に一部負担金を納付した者
・特別加入者

6答17 ○　法22条の2,3項、法31条2項、3項、則44条の2,3項。設問の通り正しい。

Point　一部負担金の額に相当する額の控除は、休業給付を支給すべき場合に、当該休業給付について行うものとされており、療養給付を受ける労働者（一定の者を除く。）に支給する休業給付であって最初に支給すべき事由の生じた日に係るものの額は、一部負担金の額に相当する額を減じた額とするものとされている。

【最新問題】

次の**7**問1及び問2において、休業補償給付は、①「療養のため」②「労働することができない」ために③「賃金を受けない日」という三要件を満たした日の第4日目から支給されるものである（労災保険法第14条第1項本文）。

7問1　休業補償給付が支給される三要件のうち「労働することができない」に関して、業務災害に被災した複数事業労働者が、現に一の事業場において労働者として就労しているものの、他方の事業場において当該業務災害に係る通院のため、所定労働時間の全部又は一部について労働することができない場合には、「労働することができない」に該当すると認められることがある。

R6-4A

7問2　休業補償給付が支給される三要件のうち「賃金を受けない日」に関して、被災した複数事業労働者については、複数の就業先のうち、一部の事業場において、年次有給休暇等により当該事業場における平均賃金相当額（複数事業労働者を使用する事業ごとに算定した平均賃金に相当する額をいう。）の60％以上の賃金を受けることにより「賃金を受けない日」に該当しない状態でありながら、他の事業場において、当該業務災害による傷病等により無給での休業をしているため、「賃金を受けない日」に該当する状態があり得る。

R6-4B

7問3　労働者が、懲役、禁固若しくは拘留の刑の執行のため刑事施設に拘置されている場合には、休業補償給付は行わない。

R6-7ウ

7 答1 ○　令和3.3.18基管発0318第1号・基補発0318第6号・基保発0318第1号。設問の通り正しい。複数事業労働者については、複数就業先における全ての事業場における就労状況等を踏まえて、休業（補償）等給付に係る「労働することができない」を判断する必要がある。例えば、複数事業労働者が、現に一の事業場において労働者として就労した場合には、原則、「労働することができない」とは認められない。ただし、複数事業労働者が、現に一の事業場において労働者として就労しているものの、他方の事業場において通院等のため、所定労働時間の全部又は一部について労働することができない場合には、「労働することができない」に該当すると認められることがある。

7 答2 ○　令和3.3.18基管発0318第1号・基補発0318第6号・基保発0318第1号。設問の通り正しい。複数事業労働者の休業（補償）等給付に係る「賃金を受けない日」の判断については、まず複数就業先における事業場ごとに行う。その結果、一部の事業場でも賃金を受けない日に該当する場合には、当該日は「賃金を受けない日」に該当するものとして取り扱う。一方、全ての事業場において賃金を受けない日に該当しない場合は、当該日は「賃金を受けない日」に該当せず、休業（補償）等給付は行われない。

7 答3 ○　法14条の2、則12条の4。設問の通り正しい。

7 問1
☐☐☐
H30-5A

　　休業補償給付は、業務上の傷病による療養のため労働できないために賃金を受けない日の4日目から支給されるが、休業の初日から第3日目までの期間は、事業主が労働基準法第76条に基づく休業補償を行わなければならない。

7 問2
☐☐☐
H30-5B

　　業務上の傷病により、所定労働時間の全部労働不能で半年間休業している労働者に対して、事業主が休業中に平均賃金の6割以上の金額を支払っている場合には、休業補償給付は支給されない。

7 問3
☐☐☐
H30-5E改

　　業務上の傷病により、所定労働時間の一部分についてのみ労働する日若しくは賃金が支払われる休暇(以下「部分算定日」という。)又は複数事業労働者の部分算定日の休業補償給付の額は、療養開始後1年6か月未満の場合には、休業給付基礎日額から部分算定日に対して支払われる賃金の額を控除して得た額の100分の60に相当する額である。

答1 ○ 労基法76条、法12条の8,2項、法14条１項。設問の通り正しい。

 Point 複数事業労働者休業給付、休業給付の場合は、待期の３日間について、事業主は労働基準法に基づく休業補償を行う義務はない。

答2 ○ 法14条１項、昭和40.9.15基災発14号他。設問の通り正しい。休業補償給付は、労働者が業務上の傷病による療養のため労働することができないために「賃金を受けない日」の第４日目から支給するものとされているが、設問の場合（所定労働時間の全部労働不能で平均賃金の６割以上の金額を受けている場合）の休業日は、「賃金を受けない日」に該当せず、休業補償給付は支給されない。なお、設問の場合（所定労働時間の全部労働不能で平均賃金の６割以上の金額を受けている場合）の休業日のうち、休業当初の３日間については、労働基準法上の災害補償が行われたものとして取り扱われ、待期期間に算入される。

答3 ○ 法８条の2,2項、法14条１項。設問の通り正しい。なお、部分算定日又は複数事業労働者の部分算定日の休業補償給付の額は、療養開始後１年６か月経過日以後に年齢階層別の最高限度額の規定が適用される場合には、年齢階層別の最高限度額の規定の適用がないものとした場合における給付基礎日額から部分算定日に対して支払われる賃金の額を控除して得た額（当該控除して得た額が年齢階層別の最高限度額を超える場合にあっては、最高限度額に相当する額）の100分の60に相当する額である。

プラス α 〈最高限度額の適用〉
部分算定日における休業（補償）等給付の額は、最高限度額の適用がないものとした休業給付基礎日額から部分算定日に対して支払われる賃金の額を控除して得た額（差額）の100分の60に相当する額であり、最高限度額はこの差額に適用される。

> 最高限度額の適用がないものとした
> 休業給付基礎日額 　－　（部分算定日の賃金額）　×60%

差額に最高限度額を適用

7 **問 4**
□□□
R2-6A

労働者が業務上の負傷又は疾病による療養のため所定労働時間のうちその一部分のみについて労働し、当該労働に対して支払われる賃金の額が給付基礎日額の20％に相当する場合、休業補償給付と休業特別支給金とを合わせると給付基礎日額の100％となる。

7 **問 5**
□□□
H30-5D

会社の所定休日においては、労働契約上賃金請求権が生じないので、業務上の傷病による療養中であっても、当該所定休日分の休業補償給付は支給されない。

8 傷病（補償）等年金

過去問

8 **問 1**
□□□
H30-2A

傷病補償年金は、業務上負傷し、又は疾病にかかった労働者が、当該負傷又は疾病に係る療養の開始後１年を経過した日において次の①、②のいずれにも該当するとき、又は同日後次の①、②のいずれにも該当することとなったときに、その状態が継続している間、当該労働者に対して支給する。
①　当該負傷又は疾病が治っていないこと。
②　当該負傷又は疾病による障害の程度が厚生労働省令で定める傷病等級に該当すること。

8 **問 2**
□□□
H27-7ウ

傷病補償年金は、休業補償給付と併給されることはない。

7 答 4 ✕ 法14条１項、特別支給金規則３条１項。設問の場合、（所定労働時間労働した場合に支払われる賃金の額＝給付基礎日額の100％とすると）休業補償給付の額は（給付基礎日額の100％－給付基礎日額の20％）×100分の60、休業特別支給金の額は（給付基礎日額の100％－給付基礎日額の20％）×100分の20であり、これらの額（と設問の労働に対して支払われる賃金の額）を合わせても、給付基礎日額の100％とならない。

7 答 5 ✕ 法14条１項。労働契約上賃金請求権が生じない所定休日についても、支給要件を満たしていれば、休業補償給付は支給される。

> 最高裁判所の判例では、休業補償給付は、労働者が業務上の傷病により療養のため労働不能の状態にあって賃金を受けることができない場合に支給されるものであり、この条件を具備する限り、その者が休日又は出勤停止の懲戒処分を受けた等の理由で雇用契約上賃金請求権を有しない日についても、休業補償給付の支給がされると解するのが相当である、としている。

8 答 1 ✕ 法12条の8,3項。「１年」を「１年６箇月」と読み替えると、正しい記述となる。

8 答 2 〇 法18条２項。設問の通り正しい。

> 傷病（補償）等年金を受ける者には、休業（補償）等給付は行わないとされており、傷病（補償）等年金の支給が決定された場合には、〔傷病（補償）等年金の受給権が発生した月の翌月から〕休業（補償）等給付は支給されない。

8問 3
□□□
H30-5C
　休業補償給付と傷病補償年金は、併給されることはない。

8問 4
□□□
H29-2C
　傷病補償年金の受給者の障害の程度が軽くなり、厚生労働省令で定める傷病等級に該当しなくなった場合には、当該傷病補償年金の受給権は消滅するが、なお療養のため労働できず、賃金を受けられない場合には、労働者は休業補償給付を請求することができる。

8問 5
□□□
H29-2B
　傷病補償年金の支給要件について、障害の程度は、6か月以上の期間にわたって存する障害の状態により認定するものとされている。

8問 6
□□□
H29-2A
　所轄労働基準監督署長は、業務上の事由により負傷し、又は疾病にかかった労働者が療養開始後1年6か月経過した日において治っていないときは、同日以降1か月以内に、当該労働者から「傷病の状態等に関する届」に医師又は歯科医師の診断書等の傷病の状態の立証に関し必要な資料を添えて提出させるものとしている。

8問 7
□□□
H29-2D
　傷病補償年金を受ける労働者の障害の程度に変更があり、新たに他の傷病等級に該当するに至った場合には、所轄労働基準監督署長は、裁量により、新たに該当するに至った傷病等級に応ずる傷病補償年金を支給する決定ができる。

8答3 ○　法18条2項。設問の通り正しい。**8答2**の **Point** 参照。

8答4 ○　法14条1項、法18条の2、昭和52.3.30基発192号。設問の通り正しい。なお、設問の場合には、傷病補償年金の受給権が消滅した月の翌月から、休業補償給付が行われる。

8答5 ○　則18条2項。設問の通り正しい。

8答6 ○　則18条の2,2項、3項。設問の通り正しい。所轄労働基準監督署長は、設問の届書を提出させ、傷病補償年金の支給決定をするか、引き続き休業補償給付を行うかを判断する。なお、傷病補償年金の支給決定を行うため必要があると認めるときも、当該届書を提出させるものとされている。

8答7 ×　法18条の2、則18条の3。労災保険法施行規則18条の3において、所轄労働基準監督署長は、傷病補償年金の受給権者の障害の程度に変更があり、新たに他の傷病等級に該当するに至った場合には、「当該労働者について傷病等級の変更による傷病補償年金の変更に関する決定をし・な・け・れ・ば・な・ら・な・い・」と定められている。「裁量により、新たに該当するに至った傷病等級に応ずる傷病補償年金を支給する決定ができる」のではない。

> **Point**　傷病（補償）等年金を受ける労働者の当該障害の程度に変更があったため、新たに他の傷病等級に該当するに至った場合には、政府は、新たに該当するに至った傷病等級に応ずる傷病（補償）等年金を支給するものとし、その後は、従前の傷病（補償）等年金は、支給しない。

労災

8 **問8**
□□□
H29-2E

業務上負傷し、又は疾病にかかった労働者が、当該負傷又は疾病に係る療養の開始後 3 年を経過した日において傷病補償年金を受けている場合には、労働基準法第19条第 1 項の規定の適用については、当該使用者は、当該 3 年を経過した日において同法第81条の規定による打切補償を支払ったものとみなされる。

8 **問9**
□□□
R2-6B

業務上負傷し、又は疾病にかかった労働者が、当該負傷又は疾病に係る療養の開始後 3 年を経過した日において傷病補償年金を受けている場合に限り、その日において、使用者は労働基準法第81条の規定による打切補償を支払ったものとみなされ、当該労働者について労働基準法第19条第 1 項の規定によって課せられた解雇制限は解除される。

8答8 ○　法19条。設問の通り正しい。なお、業務上負傷し、又は疾病にかかった労働者が、当該負傷又は疾病に係る療養の開始後3年を経過した日後において傷病補償年金を受けることとなった場合には、労働基準法19条1項（解雇制限）の規定の適用については、当該使用者は、当該傷病補償年金を受けることとなった日において、同法81条の規定により打切補償を支払ったものとみなされる（解雇制限が解除される。）。

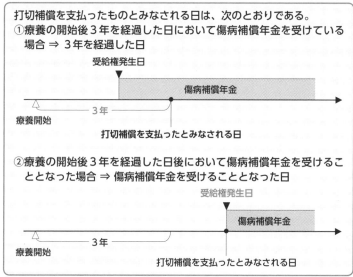

Point

打切補償を支払ったものとみなされる日は、次のとおりである。
①療養の開始後3年を経過した日において傷病補償年金を受けている場合 ⇒ 3年を経過した日

②療養の開始後3年を経過した日後において傷病補償年金を受けることとなった場合 ⇒ 傷病補償年金を受けることとなった日

8答9 ×　法19条。設問の場合のほか、当該負傷又は疾病に係る療養の開始後3年を経過した日後において傷病補償年金を受けることとなった場合においても、傷病補償年金を受けることとなった日において、当該使用者は労働基準法81条の規定による打切補償を支払ったものとみなされ、解雇制限が解除される。**8答8**の**Point**参照。

※　本設問については、「打切補償を支払ったものとみなされ、・・・解雇制限は解除される」のは、「療養開始後3年を経過した日において傷病補償年金を受けている場合」に限られないことから、誤りの内容と判断している。なお、「『その日（療養開始後3年を経過した日）において、』打切補償を支払ったものとみなされ、・・・解雇制限は解除される」のは、「療養開始後3年を経過した日において傷病補償年金を受けている場合」に限られる。

過去問

9 問1
□□□
H30-6A
厚生労働省令で定める障害等級表に掲げるもの以外の身体障害は、その障害の程度に応じて、同表に掲げる身体障害に準じて障害等級を定めることとされている。

9 問2
□□□
R2-6D
障害補償給付を支給すべき身体障害の障害等級については、同一の業務災害により身体障害が2以上ある場合で、一方の障害が第14級に該当するときは、重い方の身体障害の該当する障害等級による。

9 問3
□□□
R5-2
業務上の災害により、ひじ関節の機能に障害を残し（第12級の6）、かつ、四歯に対し歯科補てつを加えた（第14級の2）場合の、障害補償給付を支給すべき身体障害の障害等級として正しいものはどれか。
A　併合第10級
B　併合第11級
C　併合第12級
D　併合第13級
E　併合第14級

9答1 ○　法15条1項、則14条4項。設問の通り正しい。なお、障害等級表は、労働能力の喪失の程度に応じて**第1級**から**第14級**までの14段階に区分されている。

9答2　正誤判定不能。本問は、その記載された内容から正誤の判定を行うことが困難であったと判断された〔本来は、正しい内容（○）として出題されるべきものであった〕。

※　同一の業務災害により身体障害が2つある場合で、一方の障害が第14級に該当するときは、重い方の身体障害の該当する障害等級によることとなる。ただし、設問は「身体障害が2以上ある場合」としており、第14級の障害の他に障害が複数あること（例えば、第14級のほか、第13級が2つある場合など）が考えられ、このような場合には障害等級の併合繰上げ（**9答4**参照）が行われるため、必ずしも「重い方の身体障害の該当する障害等級による」こととはならない。以上のことから、正誤の判定を行うことが困難と判断されたものと思われる。

9答3　**正解　C**

A　×　則14条2項。同一の業務災害により身体障害が2以上ある場合には、重い方の身体障害の該当する障害等級による。したがって、重い方の身体障害である「第12級」となる。

B　×　則14条2項。解説A参照。

C　○　則14条2項。設問の通り正しい。解説A参照。

D　×　則14条2項。解説A参照。

E　×　則14条2項。解説A参照。

労災

9 **問4** 障害等級表に該当する障害が2以上あって厚生労働省令の定める要件を満たす場合には、その障害等級は、厚生労働省令の定めに従い繰り上げた障害等級による。具体例は次の通りである。

H30-6E

① 第5級、第7級、第9級の3障害がある場合　　　　　第3級
② 第4級、第5級の2障害がある場合　　　　　　　　第2級
③ 第8級、第9級の2障害がある場合　　　　　　　　第7級

9 **問5** 障害等級認定基準についての行政通知によれば、既に右示指の用を廃していた（障害等級第12級の9、障害補償給付の額は給付基礎日額の156日分）者が、新たに同一示指を亡失した場合には、現存する身体障害に係る障害等級は第11級の6（障害補償給付の額は給付基礎日額の223日分）となるが、この場合の障害補償給付の額に関する次の記述のうち、正しいものはどれか。

R2-5

A　給付基礎日額の67日分
B　給付基礎日額の156日分
C　給付基礎日額の189日分
D　給付基礎日額の223日分
E　給付基礎日額の379日分

9 答4 ✕　法15条1項、則14条3項。設問は、いわゆる「併合繰上げ」の取扱いに関する記述であるが、設問文②の場合には、障害等級「第2級」ではなく、「第1級」となる。その他の記述は正しい。

　　障害等級の併合繰上げは、原則として、次のように行われる。

障害	併合繰上げ
第13級以上の障害が2以上あるとき	重い方を1級繰上げ
第8級以上の障害が2以上あるとき	重い方を2級繰上げ
第5級以上の障害が2以上あるとき	重い方を3級繰上げ

　　設問文の①の場合は、第8級以上に該当する身体障害が2以上（第5級、第7級の2つ）あるときに該当するため、最も重い障害等級（第5級）を2級繰り上げて、第3級となる。②の場合は、第5級以上に該当する身体障害が2以上（第4級、第5級の2つ）あるときに該当するため、最も重い障害等級（第4級）を3級繰り上げて、「第1級」となる。③の場合は、第13級以上に該当する身体障害が2以上（第8級、第9級の2つ）あるときに該当するため、最も重い障害等級（第8級）を1級繰り上げて、第7級となる。

9 答5　**正解　A**

A ○　法15条2項、法別表第2、則14条1項、5項、則別表第1、昭和50.9.30基発565号、平成16.6.4基発0604002号。設問の通り正しい。設問は、「同一の部位（右示指）について障害の程度を加重した場合」であるから、いわゆる加重の場合に該当し、その障害補償給付の額は、現在の身体障害の該当する障害等級に応ずる障害補償給付の額（給付基礎日額の223日分）から、既にあった身体障害の該当する障害等級に応ずる障害補償給付の額（給付基礎日額の156日分）を差し引いた額（給付基礎日額の67日分）となる。

B ✕　法15条2項、法別表第2、則14条1項、5項、則別表第1、昭和50.9.30基発565号、平成16.6.4基発0604002号。解答A参照。

C ✕　法15条2項、法別表第2、則14条1項、5項、則別表第1、昭和50.9.30基発565号、平成16.6.4基発0604002号。解答A参照。

D ✕　法15条2項、法別表第2、則14条1項、5項、則別表第1、昭和50.9.30基発565号、平成16.6.4基発0604002号。解答A参照。

E ✕　法15条2項、法別表第2、則14条1項、5項、則別表第1、昭和50.9.30基発565号、平成16.6.4基発0604002号。解答A参照。

労災

9 問 6
☐☐☐
R3-5

業務上の災害により既に1上肢の手関節の用を廃し第8級の6（給付基礎日額の503日分）と障害等級を認定されていた者が、復帰直後の新たな業務上の災害により同一の上肢の手関節を亡失した場合、現存する障害は第5級の2（当該障害の存する期間1年につき給付基礎日額の184日分）となるが、この場合の障害補償の額は、当該障害の存する期間1年につき給付基礎日額の何日分となるかについての次の記述のうち、正しいものはどれか。

A　163.88日分
B　166.64日分
C　184日分
D　182.35日分
E　182.43日分

9 問 7
☐☐☐
H30-6C

既に業務災害による障害補償年金を受ける者が、新たな業務災害により同一の部位について身体障害の程度を加重した場合には、現在の障害の該当する障害等級に応ずる障害補償年金の額から、既存の障害の該当する障害等級に応ずる障害補償年金の額を差し引いた額の障害補償年金が支給され、その差額の年金とともに、既存の障害に係る従前の障害補償年金も継続して支給される。

9 問 8
☐☐☐
H30-6B

障害補償一時金を受けた者については、障害の程度が自然的経過により増進しても、障害補償給付の変更が問題となることはない。

⑨答6　正解　A

A　○　則14条5項、平成23.2.1基発0201第1号。設問の通り正しい。設問の場合、いわゆる加重に該当するため、障害補償年金の額は、現在の第5級に応ずる障害補償年金の額（給付基礎日額の184日分）から、既にあった第8級に応ずる障害補償一時金の額（給付基礎日額の503日分）を25で除して得た額を差し引いた額（給付基礎日額の163.88日分）となる。

B　×　則14条5項、平成23.2.1基発0201第1号。解答A参照。

C　×　則14条5項、平成23.2.1基発0201第1号。解答A参照。

D　×　則14条5項、平成23.2.1基発0201第1号。解答A参照。

E　×　則14条5項、平成23.2.1基発0201第1号。解答A参照。

⑨答7　○　則14条5項。設問の通り正しい。いわゆる「加重」の取扱いに関する記述である。なお、設問のように、既存の障害について障害補償年金を受けている場合には、加重による差額の年金に加え、従前の障害補償年金が併給されることとなる。

（例）既存障害が労災で第6級の障害補償年金を受けている者が、加重により障害等級第4級に該当した場合

障害等級第4級−第6級の障害補償年金	差額を支給
障害等級第6級の障害補償年金	継続して支給

加重

⑨答8　○　法15条の2、則14条の3,1項。設問の通り正しい。障害補償給付の変更は、障害補償年金を受ける労働者の当該障害の程度に変更があったため、新たに他の障害等級に該当するに至った場合に行われるものであり、障害補償一時金について行われることはない。

Point　〈自然的経過による障害（補償）等年金の改定（障害等級の変更）〉
障害（補償）等年金を受ける労働者の当該障害の程度が自然的経過により変更し、新たに他の障害等級の障害（補償）等年金を受けることとなった場合には、加重の場合と異なり、従前の障害（補償）等年金の障害等級を変更して年金額の改定を行うこととなる。また、新たに障害（補償）等一時金を受けることとなった場合には、障害（補償）等年金の受給権は消滅する。

労災

⑨問9 　同一の負傷又は疾病が再発した場合には、その療養の期間中は、
□□□　障害補償年金の受給権は消滅する。
H30-6D

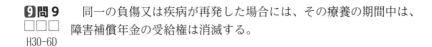

10 介護（補償）等給付

過去問

⑩問1 　介護補償給付は、障害補償年金又は傷病補償年金を受ける権利を
□□□　有する労働者が、その受ける権利を有する障害補償年金又は傷病補
H30-2B　償年金の支給事由となる障害であって厚生労働省令で定める程度の
　ものにより、常時又は随時介護を要する状態にあり、かつ、常時又
　は随時介護を受けているときに、当該介護を受けている間、当該労
　働者に対し、その請求に基づいて行われるものであり、病院又は診
　療所に入院している間も行われる。

⑩問2 　介護補償給付は、月を単位として支給するものとし、その月額
□□□　は、常時又は随時介護を受ける場合に通常要する費用を考慮して厚
H30-2C　生労働大臣が定める額とする。

❾答9 ○ 法12条の8,2項、労基法77条、船員法92条、平成27.12.12基補発1222第１号。設問の通り正しい。障害補償年金(障害補償給付)は、労基法又は船員法の災害補償(障害補償又は障害手当)の事由が生じた場合に行われるものであり、傷病が再発した場合には、障害補償年金の受給権は消滅する(労基法又は船員法の障害補償又は障害手当は、「傷病が治ったこと」を要件として行われる。)。

❿答1 × 法12条の8,4項。介護補償給付は、病院又は診療所に入院している間は行われない。なお、その他の記述は正しい。

Point

介護(補償)等給付は、障害(補償)等年金又は傷病(補償)等年金を受ける権利を有する労働者が、その受ける権利を有する障害(補償)等年金又は傷病(補償)等年金の支給事由となる障害であって厚生労働省令で定める程度のものにより、常時又は随時介護を要する状態にあり、かつ、常時又は随時介護を受けているときに、当該介護を受けている間(次に掲げる間を除く。)、当該労働者に対し、その請求に基づいて行う。
①障害者総合支援法に規定する障害者支援施設(以下「障害者支援施設」という。)に入所している間(生活介護を受けている場合に限る。)
②障害者支援施設(生活介護を行うものに限る。)に準ずる施設として厚生労働大臣が定めるもの(特別養護老人ホーム等)に入所している間
③病院又は診療所に入院している間

❿答2 ○ 法19条の２。設問の通り正しい。

プラスα

＜特定障害の程度が「常時介護を要する状態」に該当する場合の額＞	
原則	実費(上限177,950円※2)
最低保障※1	親族等による介護を受けた日がある月⇒81,290円※2

※１・・・支給事由の生じた月を除く。
※２・・・特定障害の程度が随時介護を要する状態に該当する場合には、上記の177,950円を88,980円に、81,290円を40,600円に読み替える。

⑩問3 　介護補償給付は、親族又はこれに準ずる者による介護についても
□□□　支給されるが、介護の費用として支出した額が支給されるものであ
R2-6E　り、「介護に要した費用の額の証明書」を添付しなければならない
ことから、介護費用を払わないで親族又はこれに準ずる者による
介護を受けた場合は支給されない。

11 遺族（補償）等年金

最新問題

　次の⑪問1から問5において、「遺族補償年金を受ける権利を有する遺
族」を「当該遺族」という。

⑪問1 　遺族補償年金の受給権は、当該遺族が死亡したときには消滅す
□□□　る。
R6-5ｱ

⑪問2 　遺族補償年金の受給権は、当該遺族が婚姻（届出をしていない
□□□　が、事実上婚姻関係と同様の事情にある者を含む。）をしたときには
R6-5ｲ　消滅する。

⑩答3 ✕ 法19条の2、則18条の3の4,1項、則18条の3の5,2項、3項。介護に要する費用を支出して介護を受けた日がない月（支給すべき事由が生じた月を除く。）であっても、親族又はこれに準ずる者による介護を受けた日がある月については、厚生労働省令で定める最低保障額が支給される。また、「介護に要した費用の額の証明書」は、介護に要する費用を支出して介護を受けた日がある場合に限り、添付するものとされている。

労災

⑪答1 ◯ 法16条の4,1項1号。設問の通り正しい。

Point

> 遺族補償年金を受ける権利は、その権利を有する遺族が次のいずれかに該当するに至ったときは、消滅する。
> ① 死亡したとき。
> ② 婚姻（届出をしていないが、事実上婚姻関係と同様の事情にある場合を含む。）をしたとき。
> ③ 直系血族又は直系姻族以外の者の養子（届出をしていないが、事実上養子縁組関係と同様の事情にある者を含む。）となったとき。
> ④ 離縁によって、死亡した労働者との親族関係が終了したとき。
> ⑤ 子、孫又は兄弟姉妹については、18歳に達した日以後の最初の3月31日が終了したとき（労働者の死亡の時から引き続き厚生労働省令で定める障害の状態にあるときを除く。）。
> ⑥ 厚生労働省令で定める障害の状態にある夫、子、父母、孫、祖父母又は兄弟姉妹については、その事情がなくなったとき〔夫、父母又は祖父母については、労働者の死亡の当時60歳（法附則による暫定措置により55歳）以上であったとき、子又は孫については、18歳に達する日以後の最初の3月31日までの間にあるとき、兄弟姉妹については、18歳に達する日以後の最初の3月31日までの間にあるか又は労働者の死亡の当時60歳（法附則による暫定措置により55歳）以上であったときを除く。〕。

⑪答2 ◯ 法16条の4,1項2号。設問の通り正しい。**答1**の **Point** 参照。

11 問3 遺族補償年金の受給権は、当該遺族が直系血族又は直系姻族以外
□□□ の者の養子（届出をしていないが、事実上養子縁組関係と同様の事
R6-5ウ 情にある者を含む。）となったときには消滅する。

11 問4 遺族補償年金の受給権は、当該遺族である子・孫が18歳に達し
□□□ た日以後の最初の3月31日が終了したときには消滅する。
R6-5エ

11 問5 遺族補償年金の受給権は、当該遺族である兄弟姉妹が18歳に達
□□□ した日以後の最初の3月31日が終了したときには消滅する。
R6-5オ

11 問6 労働者を重大な過失により死亡させた遺族補償給付の受給資格者
□□□ は、遺族補償給付を受けることができる遺族としない。
R6-7イ

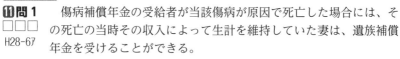

過去問

11 問1 傷病補償年金の受給者が当該傷病が原因で死亡した場合には、そ
□□□ の死亡の当時その収入によって生計を維持していた妻は、遺族補償
H28-6ア 年金を受けることができる。

11 問2 労働者が業務災害により死亡した場合、当該労働者と同程度の収
□□□ 入があり、生活費を分担して通常の生活を維持していた妻は、一般
H28-6イ に「労働者の死亡当時その収入によって生計を維持していた」もの
にあたらないので、遺族補償年金を受けることはできない。

11 問3 業務上の災害により死亡した労働者Yには2人の子がいる。1
□□□ 人はYの死亡の当時19歳であり、Yと同居し、Yの収入によって
R2-6C 生計を維持していた大学生で、もう1人は、Yの死亡の当時17歳
であり、Yと離婚した元妻と同居し、Yが死亡するまで、Yから定
期的に養育費を送金されていた高校生であった。2人の子は、遺
族補償年金の受給資格者であり、同順位の受給権者となる。

11 答3 ○　法16条の4,1項3号。設問の通り正しい。**答1**の **Point** 参照。

11 答4 ×　法16条の4,1項5号。子・孫については、18歳に達した日以後の最初の3月31日が終了したときであっても、労働者の死亡の時から引き続き厚生労働省令で定める障害の状態にあるときは、その者の有する遺族補償年金の受給権は消滅しない。**答1**の **Point** 参照。

11 答5 ×　法16条の4,1項5号。兄弟姉妹については、18歳に達した日以後の最初の3月31日が終了したときであっても、労働者の死亡の時から引き続き厚生労働省令で定める障害の状態にあるときは、その者の有する遺族補償年金の受給権は消滅しない。**答1**の **Point** 参照。

11 答6 ×　法16条の9,1項。設問のような規定はない。なお、法16条の9,1項においては、「労働者を故意に死亡させた者は、遺族補償給付を受けることができる遺族としない。」と規定されている。

---

11 答1 ○　法16条の2,1項。設問の通り正しい。なお、妻以外の遺族については、生計維持要件のほか、労働者の死亡の当時一定の年齢要件又は一定の障害要件に該当することが必要である。

11 答2 ×　法16条の2,1項、昭和41.1.31基発73号。設問の妻は、遺族補償年金を受けることができる。「労働者の死亡当時その収入によって生計を維持していた」とは、もっぱら又は主として労働者の収入によって生計を維持されていることを要せず、労働者の収入によって生計の一部を維持されていれば足りるとされている。

11 答3 ×　法16条の2,1項。死亡した労働者Ｙの19歳の子については、厚生労働省令で定める障害の状態にある場合でなければ、遺族補償年金の受給資格者とならない。

⑪問4
□□□
R5-5A

妻である労働者の死亡当時、無職であった障害の状態にない50歳の夫は、労働者の死亡の当時その収入によって生計を維持していたものであるから、遺族補償年金の受給資格者である。

⑪問5
□□□
R5-5B

労働者の死亡当時、負傷又は疾病が治らず、身体の機能又は精神に労働が高度の制限を受ける程度以上の障害があるものの、障害基礎年金を受給していた子は、労働者の死亡の当時その収入によって生計を維持していたものとはいえないため、遺族補償年金の受給資格者ではない。

⑪問6
□□□
R5-5C

労働者の死亡当時、胎児であった子は、労働者の死亡の当時その収入によって生計を維持していたものとはいえないため、出生後も遺族補償年金の受給資格者ではない。

⑪問7
□□□
R5-5D

労働者が就職後極めて短期間の間に死亡したため、死亡した労働者の収入で生計を維持するに至らなかった遺族でも、労働者が生存していたとすればその収入によって生計を維持する関係がまもなく常態となるに至ったであろうことが明らかな場合は、遺族補償年金の受給資格者である。

⑪問8
□□□
H27-7オ

遺族補償年金を受けることができる遺族が、遺族補償年金を受けることができる先順位又は同順位の他の遺族を故意に死亡させたときは、その者は、遺族補償年金を受けることができる遺族でなくなり、この場合において、その者が遺族補償年金を受ける権利を有する者であるときは、その権利は、消滅する。

⓫答4 × 　法16条の2,1項。夫が遺族補償年金の受給資格者となるには、妻の死亡の当時60歳（法附則による暫定措置により55歳）以上であるか、又は厚生労働省令で定める障害の状態にあることを要する。

⓫答5 × 　法16条の2,1項。障害基礎年金を受給していた場合に、「労働者の死亡の当時その収入によって生計を維持していたものとはいえない」とする規定はない。労働者の死亡の当時その収入によって生計を維持していた子は、厚生労働省令で定める障害の状態（身体に障害等級の第5級以上に該当する障害がある状態又は負傷若しくは疾病が治らないで、身体の機能若しくは精神に、労働が高度の制限を受けるか、若しくは労働に高度の制限を加えることを必要とする程度以上の障害がある状態）にあるときは、遺族補償年金の受給資格者となる。

⓫答6 × 　法16条の2,2項。労働者の死亡の当時胎児であった子が出生したときは、遺族補償年金の受給資格者に係る規定の適用については、将来に向かって、その子は、労働者の死亡の当時その収入によって生計を維持していた子とみなされる。

⓫答7 ○ 　法16条の2,1項、平成2.7.31基発486号。設問の通り正しい。

⓫答8 ○ 　法16条の9,4項。設問の通り正しい。

> 遺族（補償）等年金を受けることができる遺族を故意に死亡させた者は、遺族（補償）等一時金を受けることができる遺族としない。

11 問9
□□□
H27-7I

遺族補償年金を受ける権利を有する者の所在が1年以上明らかでない場合には、当該遺族補償年金は、同順位者があるときは同順位者の、同順位者がないときは次順位者の申請によって、その所在が明らかでない間、その支給を停止されるが、これにより遺族補償年金の支給を停止された遺族は、いつでも、その支給の停止の解除を申請することができる。

11 問10
□□□
R5-5E

労働者の死亡当時、30歳未満であった子のない妻は、遺族補償年金の受給開始から5年が経つと、遺族補償年金の受給権を失う。

11 問11
□□□
H28-6ウ

遺族補償年金を受ける権利は、その権利を有する遺族が、自分の伯父の養子となったときは、消滅する。

12 遺族(補償)等一時金

過去問

12 問1
□□□
H28-6I

遺族補償年金の受給権を失権したものは、遺族補償一時金の受給権者になることはない。

12 問2
□□□
H28-6オ

労働者が業務災害により死亡した場合、その兄弟姉妹は、当該労働者の死亡の当時、その収入により生計を維持していなかった場合でも、遺族補償一時金の受給者となることがある。

⑪答9 ○ 法16条の5,1項、２項。設問の通り正しい。

プラスα
所在不明により遺族(補償)等年金の支給を停止された遺族が、支給の停止の解除を申請し、その停止が解除されたときは、その停止が解除された月の翌月分から支給が再開される(所在が明らかとなったときにさかのぼって支給されるのではない。)。

⑪答10 × 法16条の４。設問のような失権事由を定めた規定はない。

⑪答11 ○ 法16条の4,1項３号。設問の通り正しい。

Point
遺族(補償)等年金を受ける権利は、受給権者が直系血族又は直系姻族以外の者の養子となったときは、消滅する。

⑫答1 × 法16条の6,1項２号、法附則60条４項。遺族補償年金の受給権を失った者であっても、他に当該遺族補償年金を受けることができる遺族がなく、かつ、当該労働者の死亡に関し支給された遺族補償年金及び遺族補償年金前払一時金の額の合計額が給付基礎日額の1,000日分に満たない場合には、遺族補償一時金の受給権者になり得る。

⑫答2 ○ 法16条の7,1項３号。設問の通り正しい。 遺族補償一時金を受けることができる遺族は、次の①～④に掲げるものであり、労働者の死亡当時その収入により生計を維持していなかった兄弟姉妹であっても、受給者となることがある。
①**配偶者**
②労働者の死亡の当時その収入によって**生計を維持していた**子、父母、孫及び祖父母
③労働者の死亡の当時その収入によって**生計を維持していなかった**子、父母、孫及び祖父母
④**兄弟姉妹**

⑫問3
□□□
R3-6A改
　遺族補償一時金を受けるべき遺族の順位に関し、労働者の死亡当時その収入によって生計を維持していた父母は、労働者の死亡当時その収入によって生計を維持していなかった配偶者より先順位となる。

⑫問4
□□□
R3-6B改
　遺族補償一時金を受けるべき遺族の順位に関し、労働者の死亡当時その収入によって生計を維持していた祖父母は、労働者の死亡当時その収入によって生計を維持していなかった父母より先順位となる。

⑫問5
□□□
R3-6C改
　遺族補償一時金を受けるべき遺族の順位に関し、労働者の死亡当時その収入によって生計を維持していた孫は、労働者の死亡当時その収入によって生計を維持していなかった子より先順位となる。

⑫問6
□□□
R3-6D改
　遺族補償一時金を受けるべき遺族の順位に関し、労働者の死亡当時その収入によって生計を維持していた兄弟姉妹は、労働者の死亡当時その収入によって生計を維持していなかった子より後順位となる。

⑫問7
□□□
R3-6E改
　遺族補償一時金を受けるべき遺族の順位に関し、労働者の死亡当時その収入によって生計を維持していた兄弟姉妹は、労働者の死亡当時その収入によって生計を維持していなかった父母より後順位となる。

⅓ 二次健康診断等給付

過去問

⑬問1
□□□
H30-7A
　一次健康診断の結果その他の事情により既に脳血管疾患又は心臓疾患の症状を有すると認められる場合には、二次健康診断等給付は行われない。

⑬問2
□□□
H30-7B
　特定保健指導は、医師または歯科医師による面接によって行われ、栄養指導もその内容に含まれる。

⑫答3 ×　法16条の7。労働者の死亡当時その収入によって生計を維持していた父母は、労働者の死亡当時その収入によって生計を維持していなかった配偶者より「後順位」となる。**⑫答2**参照。

⑫答4 ○　法16条の7。設問の通り正しい。**⑫答2**参照。

⑫答5 ○　法16条の7。設問の通り正しい。**⑫答2**参照。

⑫答6 ○　法16条の7。設問の通り正しい。**⑫答2**参照。

⑫答7 ○　法16条の7。設問の通り正しい。**⑫答2**参照。

⑬答1 ○　法26条1項。設問の通り正しい。**⑬答3**の **Point** 参照。

⑬答2 ×　法26条2項2号。特定保健指導は、医師又は保健師による面接によって行われるものであり、歯科医師は特定保健指導の実施者とされていない。なお、特定保健指導では、①栄養指導、②運動指導及び③生活指導のすべてを行うこととされている。

13 問3
□□□
H30-7C

二次健康診断の結果その他の事情により既に脳血管疾患又は心臓疾患の症状を有すると認められる労働者については、当該二次健康診断に係る特定保健指導は行われない。

13 問4
□□□
H30-7E

二次健康診断等給付を受けようとする者は、所定の事項を記載した請求書をその二次健康診断等給付を受けようとする健診給付病院等を経由して所轄都道府県労働局長に提出しなければならない。

13 問5
□□□
H30-7D

二次健康診断を受けた労働者から、当該二次健康診断の実施の日から3か月以内にその結果を証明する書面の提出を受けた事業者は、二次健康診断の結果に基づき、当該健康診断項目に異常の所見があると診断された労働者につき、当該労働者の健康を保持するために必要な措置について、医師の意見をきかなければならない。

14 給付通則

【最新問題】

14 問1
□□□
R6-7I

労働者が退職したときは、保険給付を受ける権利は消滅する。

【過去問】

14 問1
□□□
H27-7フ

年金たる保険給付の支給は、支給すべき事由が生じた月から始められ、支給を受ける権利が消滅した月で終了する。

⑬答3 ◯　法26条3項。設問の通り正しい。

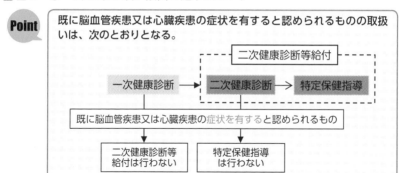

Point 既に脳血管疾患又は心臓疾患の症状を有すると認められるものの取扱いは、次のとおりとなる。

⑬答4 ◯　則18条の19,1項。設問の通り正しい。なお、二次健康診断等給付の請求書には、一次健康診断において所定の検査のいずれの項目にも異常の所見があると診断されたことを証明することができる書類を添えなければならない。

⑬答5 ◯　法27条、則18条の17、則18条の18。設問の通り正しい。なお、二次健康診断の結果に基づく医師からの意見聴取は、当該二次健康診断の結果を証明する書面が事業者に提出された日から2月以内に行うこととされている。

⑭答1 ×　法12条の5,1項。保険給付を受ける権利は、労働者の退職によって変更されることはない。したがって、労働者が退職した場合であっても、支給要件を満たす限り、保険給付を受けることができる。

⑭答1 ×　法9条1項。年金たる保険給付の支給は、支給すべき事由が生じた月の翌月から始め、支給を受ける権利が消滅した月で終わるものとされている。

労災

⑭問2
□□□
R元-1A

年金たる保険給付の支給は、支給すべき事由が生じた月の翌月から始めるものとされている。

⑭問3
□□□
H29-7A
難

労災保険法による保険給付は、同法所定の手続により行政機関が保険給付の決定をすることにより給付の内容が具体的に定まり、受給者は、それ以前においては政府に対し具体的な一定の保険給付請求権を有しないとするのが、最高裁判所の判例の趣旨である。

⑭問4
□□□
H27-5D

船舶が沈没し、転覆し、滅失し、若しくは行方不明となった際現にその船舶に乗っていた労働者又は船舶に乗っていてその船舶の航行中に行方不明となった労働者の生死が3か月間わからない場合には、遺族補償給付、葬祭料、遺族給付及び葬祭給付の支給に関する規定の適用については、その船舶が沈没し、転覆し、滅失し、若しくは行方不明となった日又は労働者が行方不明となった日に、当該労働者は、死亡したものと推定することとされている。

⑭問5
□□□
H27-5E

航空機が墜落し、滅失し、若しくは行方不明となった際現にその航空機に乗っていた労働者又は航空機に乗っていてその航空機の航行中行方不明となった労働者の生死が3か月間わからない場合には、遺族補償給付、葬祭料、遺族給付及び葬祭給付の支給に関する規定の適用については、その航空機が墜落し、滅失し、若しくは行方不明となった日又は労働者が行方不明となった日に、当該労働者は、死亡したものと推定することとされている。

⑭問6
□□□
R2-2A

船舶が沈没した際現にその船舶に乗っていた労働者の死亡が3か月以内に明らかとなり、かつ、その死亡の時期がわからない場合には、遺族補償給付、葬祭料、遺族給付及び葬祭給付の支給に関する規定の適用については、その船舶が沈没した日に、当該労働者は、死亡したものと推定する。

⑭答2 ○ 法9条1項。設問の通り正しい。年金たる保険給付の支給は、支給すべき事由が生じた月の翌月から始め、支給を受ける権利が消滅した月で終わるものとされている。

⑭答3 ○ 最二小昭和29.11.26労働者災害補償保険金給付請求事件。設問の通り正しい。最高裁判所の判例では、労災保険法による保険給付は、保険事故の発生により、抽象的な保険給付請求権(支給決定請求権)が発生するに過ぎず、同法所定の手続により行政機関が保険給付の決定をすることによって給付の内容が具体的に定まり、具体的な給付請求権(支払請求権)を取得するに至るのであるから、この行政機関の保険給付の決定を待つことなく、訴えによって直接、具体的な給付を求める請求権は有しない、としている。

⑭答4 ○ 法10条。設問の通り正しい。なお、障害補償年金差額一時金及び障害年金差額一時金については、それぞれ遺族補償給付及び遺族給付とみなして、設問の規定(死亡の推定の規定)が適用される。

プラスα 複数事業労働者遺族給付、複数事業労働者葬祭給付、複数事業労働者障害年金差額一時金(複数業務要因災害に関する保険給付)には、死亡の推定の規定は適用されない。

⑭答5 ○ 法10条。設問の通り正しい。

⑭答6 ○ 法10条。設問の通り正しい。

⑭問7 　航空機に乗っていてその航空機の航行中行方不明となった労働者
□□□
R2-2B
の生死が3か月間わからない場合には、遺族補償給付、葬祭料、
遺族給付及び葬祭給付の支給に関する規定の適用については、労働
者が行方不明となって3か月経過した日に、当該労働者は、死亡
したものと推定する。

⑭問8 　労災保険法に基づく遺族補償年金を受ける権利を有する者が死亡
□□□
H30-4ア
した場合において、その死亡した者に支給すべき遺族補償年金でま
だその者に支給しなかったものがあるときは、当該遺族補償年金を
受けることができる他の遺族は、自己の名で、その未支給の遺族補
償年金の支給を請求することができる。

⑭問9 　労災保険法に基づく遺族補償年金を受ける権利を有する者が死亡
□□□
H30-4イ
した場合において、その死亡した者が死亡前にその遺族補償年金を
請求していなかったときは、当該遺族補償年金を受けることができ
る他の遺族は、自己の名で、その遺族補償年金を請求することがで
きる。

⑭問10 　労災保険法に基づく保険給付を受ける権利を有する者が死亡した
□□□
R2-2E改
場合において、その死亡した者に支給すべき保険給付でまだその
者に支給しなかったものがあるときは、その者の配偶者（婚姻の届
出をしていないが、事実上婚姻関係と同様の事情にあった者を含
む。）、子、父母、孫、祖父母又は兄弟姉妹であって、その者の死亡
の当時その者と生計を同じくしていたもの（遺族補償年金について
は当該遺族補償年金を受けることができる他の遺族、複数事業労働
者遺族年金については当該複数事業労働者遺族年金を受けることが
できる他の遺族、遺族年金については当該遺族年金を受けることが
できる他の遺族）は、自己の名で、その未支給の保険給付の支給を
請求することができる。

⑭問11 　労災保険法に基づく保険給付を受ける権利を有する者が死亡し、
□□□
H30-4ウ
その者が死亡前にその保険給付を請求していなかった場合、未支給
の保険給付を受けるべき同順位者が2人以上あるときは、その1
人がした請求は、全員のためその全額につきしたものとみなされ、
その1人に対してした支給は、全員に対してしたものとみなされ
る。

⒁答7 × 法10条。設問の場合、労働者が行方不明となった日に、当該労働者は死亡したものと推定する。

⒁答8 ○ 法11条１項。設問の通り正しい。未支給の遺族補償年金については、当該遺族補償年金を受けることができる他の遺族が、その未支給の遺族補償年金の請求権者となる。

⒁答9 ○ 法11条２項。設問の通り正しい。なお、未支給の保険給付とは、①請求があったがまだ支給決定がないもの及び支給決定はあったがまだ支払われていないもの、②支給事由が生じた保険給付であって、請求されていないものをいい、前記⒁問8は①に関する記述、本設問は②に関する記述である。

⒁答10 ○ 法11条１項。設問の通り正しい。

⒁答11 ○ 法11条４項。設問の通り正しい。

14問12 労災保険給付を受ける権利は、労働者の退職によって変更される
□□□ ことはない。
H27-61

14問13 保険給付を受ける権利は、労働者の退職によって変更されること
□□□ はない。
H29-7D

14問14 労災保険給付として支給を受けた金品を標準として租税その他の
□□□ 公課を課することはできない。
H27-67

14問15 労災保険法、労働者災害補償保険法施行規則並びに労働者災害補
□□□ 償保険特別支給金支給規則の規定による申請書、請求書、証明書、
R元-1C 報告書及び届書のうち厚生労働大臣が別に指定するもの並びに労働
者災害補償保険法施行規則の規定による年金証書の様式は、厚生労
働大臣が別に定めて告示するところによらなければならない。

14問16 所轄労働基準監督署長は、年金たる保険給付の支給の決定の通知
□□□ をするときは、①年金証書の番号、②受給権者の氏名及び生年月
R元-27 日、③年金たる保険給付の種類、④支給事由が生じた年月日を記載
した年金証書を当該受給権者に交付しなければならない。

⑭答12 ○ 法12条の5,1項。設問の通り正しい。

⑭答13 ○ 法12条の5,1項。設問の通り正しい。

⑭答14 ○ 法12条の6。設問の通り正しい。保険給付として支給を受けた金品は、災害により、労働者や遺族の被った損失をてん補し、その保護を図るために必要なものであるから、税法上にいう所得とはその性質を異にしており、これを標準としては、租税は課せられないこととされている。

「保険給付として受けた金品」は、現金給付のほか、療養の給付として支給された薬剤、治療材料等の現物給付も含まれる。

⑭答15 ○ 則54条。設問の通り正しい。

⑭答16 ○ 則20条。設問の通り正しい。

①年金証書を交付された受給権者は、当該年金証書を亡失し若しくは著しく損傷し、又は受給権者の氏名に変更があったときは、年金証書の再交付を所轄労働基準監督署長に請求することができる。
なお、年金証書を損傷したことにより再交付の請求書を提出するときはその損傷した年金証書を遅滞なく廃棄し、受給権者の氏名に変更があったことにより再交付の請求書を提出するときは、氏名の変更前に交付を受けた年金証書を遅滞なく廃棄するとともに、再交付の請求書にその変更の事実を証明することができる戸籍の謄本又は抄本を添えなければならない。
②年金証書の再交付を受けた受給権者は、その後において亡失した年金証書を発見したときは、遅滞なく、発見した年金証書を廃棄しなければならない。
③年金証書を交付された受給権者又はその遺族は、年金たる保険給付を受ける権利が消滅した場合には、遅滞なく、当該年金証書を廃棄しなければならない。

15 社会保険との併給調整

過去問

　次の**15問1**から**15問5**において、昭和60年改正前の厚生年金保険法、船員保険法又は国民年金法の規定による年金給付が支給される場合については、考慮しない。また、調整率を乗じて得た額が、調整前の労災年金額から支給される厚生年金等の額を減じた残りの額を下回る場合も考慮しない。

15問1
□□□
R5-47
　同一の事由により障害補償年金と障害厚生年金及び障害基礎年金を受給する場合、障害補償年金の支給額は、0.73の調整率を乗じて得た額となる。

15問2
□□□
R5-41
　障害基礎年金のみを既に受給している者が新たに障害補償年金を受け取る場合、障害補償年金の支給額は、0.83の調整率を乗じて得た額となる。

⑮答1 ○ 法別表第1、令2条。設問の通り正しい。

Point

同一の事由〔障害(補償)等年金及び遺族(補償)等年金については、それぞれ、当該障害又は死亡をいい、傷病(補償)等年金については、当該負傷又は疾病により障害の状態にあることをいう。〕により、障害(補償)等年金若しくは傷病(補償)等年金又は遺族(補償)等年金と厚生年金保険法の規定による障害厚生年金及び国民年金法の規定による障害基礎年金(同法30条の4の規定による20歳前傷病による障害基礎年金を除く。)又は厚生年金保険法の規定による遺族厚生年金及び国民年金法の規定による遺族基礎年金若しくは寡婦年金とが支給される場合にあっては、労災保険の保険給付は、次表に掲げる区分に応じ、それぞれ政令で定める率(次表に掲げる調整率)を乗じて得た額(その額が政令で定める額を下回る場合には、当該政令で定める額)となる。

【調整率】

社会保険 / 労災保険	障害基礎年金	障害厚生年金	障害基礎年金及び障害厚生年金
傷病(補償)等年金	0.88	0.88	0.73
障害(補償)等年金	0.88	0.83	0.73

社会保険 / 労災保険	遺族基礎年金又は寡婦年金	遺族厚生年金	遺族基礎年金及び遺族厚生年金
遺族(補償)等年金	0.88	0.84	0.80

※休業(補償)等給付の調整率は、傷病(補償)等年金について定める率と同じである。

⑮答2 × 法別表第1。設問の場合、調整は行われない(障害補償年金は全額支給される。)。社会保険給付との調整は、同一の事由により、労災保険の保険給付と国民年金、厚生年金保険の年金給付とが支給される場合に行われる。

⓯問3 障害基礎年金のみを受給している者が遺族補償年金を受け取る場合、遺族補償年金の支給額は、0.88の調整率を乗じて得た額となる。
R5-4ウ

⓯問4 同一の事由により遺族補償年金と遺族厚生年金及び遺族基礎年金を受給する場合、遺族補償年金の支給額は、0.80の調整率を乗じて得た額となる。
R5-4エ

⓯問5 遺族基礎年金のみを受給している者が障害補償年金を受け取る場合、障害補償年金の支給額は、0.88の調整率を乗じて得た額となる。
R5-4オ

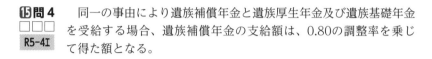

16 支給制限・一時差止め

【最新問題】
⓰問1 労働者が、重大な過失により、負傷、疾病、障害若しくは死亡又はこれらの原因となった事故を生じさせたときは、政府は、保険給付の全部又は一部を行わないことができる。
R6-7ア

【過去問】
⓰問1 労働者が、故意に負傷、疾病、障害若しくは死亡又はその直接の原因となった事故を生じさせたときは、政府は、保険給付を行わない。
H29-7E

⓰問2 業務遂行中の負傷であれば、労働者が過失により自らの負傷の原因となった事故を生じさせた場合、それが重大な過失でない限り、政府は保険給付の全部又は一部を行わないとすることはできない。
R2-1A

⑮答3　×　法別表第1。設問の場合、調整は行われない（遺族補償年金は全額支給される。）。社会保険給付との調整は、同一の事由により、労災保険の保険給付と国民年金、厚生年金保険の年金給付とが支給される場合に行われる。

⑮答4　○　法別表第1、令2条。設問の通り正しい。⑮答1の **Point** 参照。

⑮答5　×　法別表第1。設問の場合、調整は行われない（障害補償年金は全額支給される。）。社会保険給付との調整は、同一の事由により、労災保険の保険給付と国民年金、厚生年金保険の年金給付とが支給される場合に行われる。

⑯答1　○　法12条の2の2,2項。設問の通り正しい。 過去問 ⑯答2の **Point** 参照。

⑯答1　○　法12条の2の2,1項。設問の通り正しい。

⑯答2　○　法12条の2の2,2項。設問の通り正しい。

Point　労働者が故意の犯罪行為若しくは重大な過失により、又は正当な理由がなくて療養に関する指示に従わないことにより、負傷、疾病、障害若しくは死亡若しくはこれらの原因となった事故を生じさせ、又は負傷、疾病若しくは障害の程度を増進させ、若しくはその回復を妨げたときは、政府は、保険給付の全部又は一部を行わないことができる。

⑯問3
☐☐☐
R2-1C
業務遂行中の負傷であれば、労働者が過失により自らの負傷を生じさせた場合、それが重大な過失でない限り、政府は保険給付の全部又は一部を行わないとすることはできない。

⑯問4
☐☐☐
R2-1B
業務遂行中の負傷であれば、負傷の原因となった事故が、負傷した労働者の故意の犯罪行為によって生じた場合であっても、政府は保険給付の全部又は一部を行わないとすることはできない。

⑯問5
☐☐☐
R2-1D
業務起因性の認められる疾病に罹患した労働者が、療養に関する指示に従わないことにより疾病の程度を増進させた場合であっても、指示に従わないことに正当な理由があれば、政府は保険給付の全部又は一部を行わないとすることはできない。

⑯問6
☐☐☐
R2-1E
業務起因性の認められる疾病に罹患した労働者が、療養に関する指示に従わないことにより疾病の回復を妨げた場合であっても、指示に従わないことに正当な理由があれば、政府は保険給付の全部又は一部を行わないとすることはできない。

17 費用徴収

最新問題

⑰問1
☐☐☐
R6-7オ
偽りその他不正の手段により労働者が保険給付を受けたときは、政府は、その保険給付に要した費用に相当する金額の全部又は一部を当該労働者を使用する事業主から徴収することができる。

16答3 ○ 法12条の2の2,2項。設問の通り正しい。**16答2**の **Point** 参照。

16答4 × 法12条の2の2,2項。業務遂行中の負傷の原因となった事故が、負傷した労働者の故意の犯罪行為によって生じた場合には、政府は保険給付の全部又は一部を行わないことができる。**16答2**の **Point** 参照。

16答5 ○ 法12条の2の2,2項。設問の通り正しい。支給制限されるのは、「正当な理由がなくて」療養に関する指示に従わない場合である（**16答2**の **Point** 参照）。なお、「正当な理由」とは、そのような事情があれば誰しもが療養の指示に従うことができなかったであろうと認められる場合をいい、労働者の単なる主観的な事情は含まれない。

16答6 ○ 法12条の2の2,2項。設問の通り正しい。**16答2**の **Point** 及び**16答5**参照。

17答1 × 法12条の3,1項。偽りその他不正の手段により保険給付を受けた者があるときは、政府は、その保険給付に要した費用に相当する金額の全部又は一部を「その者」から徴収することができる。なお、この場合において、事業主が虚偽の報告又は証明をしたためその保険給付が行われたものであるときは、政府は、その事業主に対し、保険給付を受けた者と連帯して徴収金を納付すべきことを命ずることができるとされている。

17問1
□□□
H27-4

労災保険の適用があるにもかかわらず、労働保険徴収法第４条の２第１項に規定する労災保険に係る保険関係成立届（以下、本問において「保険関係成立届」という。）の提出を行わない事業主に対する費用徴収のための故意又は重大な過失の認定に関する次の記述のうち、誤っているものはどれか。

なお、本問の「保険手続に関する指導」とは、所轄都道府県労働局、所轄労働基準監督署又は所轄公共職業安定所の職員が、保険関係成立届の提出を行わない事業主の事業場を訪問し又は当該事業場の事業主等を呼び出す方法等により、保険関係成立届の提出ほか所定の手続をとるよう直接行う指導をいう。また、「加入勧奨」とは、厚生労働省労働基準局長の委託する労働保険適用促進業務を行う一般社団法人全国労働保険事務組合連合会の支部である都道府県労働保険事務組合連合会（以下「都道府県労保連」という。）又は同業務を行う都道府県労保連の会員である労働保険事務組合が、保険関係成立届の提出ほか所定の手続について行う勧奨をいう。

A　事業主が、労災保険法第31条第１項第１号の事故に係る事業に関し、保険手続に関する指導を受けたにもかかわらず、その後10日以内に保険関係成立届を提出していなかった場合、「故意」と認定した上で、原則、費用徴収率を100％とする。

B　事業主が、労災保険法第31条第１項第１号の事故に係る事業に関し、加入勧奨を受けたにもかかわらず、その後10日以内に保険関係成立届を提出していなかった場合、「故意」と認定した上で、原則、費用徴収率を100％とする。

C　事業主が、労災保険法第31条第１項第１号の事故に係る事業に関し、保険手続に関する指導又は加入勧奨を受けておらず、労働保険徴収法第３条に規定する保険関係が成立した日から１年を経過してなお保険関係成立届を提出していなかった場合、原則、「重大な過失」と認定した上で、費用徴収率を40％とする。

（346頁へ続く）

⒘答1　正解　E

A　○　法31条1項1号、令和5.7.20基発0720第1号。設問の通り正しい。

B　○　法31条1項1号、令和5.7.20基発0720第1号。設問の通り正しい。

C　○　法31条1項1号、令和5.7.20基発0720第1号。設問の通り正しい。

D　○　法31条1項1号、令和5.7.20基発0720第1号。設問の通り正しい。

プラスα　故意又は重大な過失により労災保険に係る保険関係成立届を提出していない事業主からの費用徴収に係る徴収率は、次のように定められている。

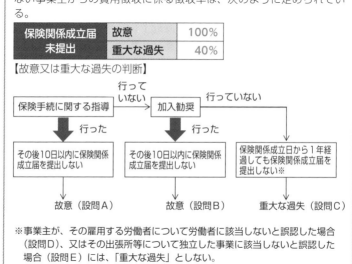

保険関係成立届未提出	故意	100%
	重大な過失	40%

【故意又は重大な過失の判断】

保険手続に関する指導 ──行っていない──→ 加入勧奨 ──行っていない──→ 保険関係成立日から1年経過しても保険関係成立届を提出しない※

保険手続に関する指導 ──行った──→ その後10日以内に保険関係成立届を提出しない → 故意（設問A）

加入勧奨 ──行った──→ その後10日以内に保険関係成立届を提出しない → 故意（設問B）

重大な過失（設問C）

※事業主が、その雇用する労働者について労働者に該当しないと誤認した場合（設問D）、又はその出張所等について独立した事業に該当しないと誤認した場合（設問E）には、「重大な過失」としない。

（347頁へ続く）

労災

D　事業主が、保険手続に関する指導又は加入勧奨を受けておらず、かつ、事業主が、その雇用する労働者について、取締役の地位にある等労働者性の判断が容易でないといったやむを得ない事情のために、労働者に該当しないと誤認し、労働保険徴収法第3条に規定する保険関係が成立した日から1年を経過してなお保険関係成立届を提出していなかった場合、その事業において、当該保険関係成立日から1年を経過した後に生じた事故については、労災保険法第31条第1項第1号の「重大な過失」と認定しない。

E　事業主が、労災保険法第31条第1項第1号の事故に係る事業に関し、保険手続に関する指導又は加入勧奨を受けておらず、かつ、事業主が、本来独立した事業として取り扱うべき出張所等について、独立した事業には該当しないと誤認したために、当該事業の保険関係について直近上位の事業等他の事業に包括して手続をとり、独立した事業としては、労働保険徴収法第3条に規定する保険関係が成立した日から1年を経過してなお保険関係成立届を提出していなかった場合、「重大な過失」と認定した上で、原則、費用徴収率を40％とする。

17問2
□□□
H27-6ウ
　不正の手段により労災保険に係る保険給付を受けた者があるときは、政府は、その保険給付に要した費用に相当する金額の全部又は一部をその者から徴収することができる。

17問3
□□□
R2-2C
　偽りその他不正の手段により労災保険に係る保険給付を受けた者があるときは、政府は、その保険給付に要した費用に相当する金額の全部又は一部をその者から徴収することができる。

17問4
□□□
R2-2D
　偽りその他不正の手段により労災保険に係る保険給付を受けた者があり、事業主が虚偽の報告又は証明をしたためその保険給付が行われたものであるときは、政府は、その事業主に対し、保険給付を受けた者と連帯してその保険給付に要した費用に相当する金額の全部又は一部である徴収金を納付すべきことを命ずることができる。

E　×　法31条 1 項 1 号、令和5.7.20基発0720第 1 号。設問の場合には、事業主の重大な過失としては認定しないとされている。

労災

17答2　○　法12条の3,1項。設問の通り正しい。

> 不正受給者からの費用徴収の対象となるのは、保険給付のうち、不正の手段によって給付を受けた部分（不当利得分）のすべてである（保険給付の全部又は一部であって、不正受給した部分の全部又は一部ではない。）。

17答3　○　法12条の3,1項。設問の通り正しい。

17答4　○　法12条の3,2項。設問の通り正しい。なお、本問の「不正受給者からの費用徴収の規定」における「事業主」は、請負事業の一括により元請負人が事業主とされる場合には、その元請負人をいう。また、労働保険事務組合は、当該規定の適用について「事業主」とみなされる。

18 第三者行為災害による損害賠償との調整

18問 1
☐☐☐
R元-21

保険給付の原因である事故が第三者の行為によって生じたときは、保険給付を受けるべき者は、その事実、第三者の氏名及び住所（第三者の氏名及び住所がわからないときは、その旨）並びに被害の状況を、遅滞なく、所轄労働基準監督署長に届け出なければならない。

18問 2
☐☐☐
H29-6C
🈔

労災保険法に基づく保険給付の原因となった事故が第三者の行為により惹起され、第三者が当該行為によって生じた損害につき賠償責任を負う場合において、当該事故により被害を受けた労働者に過失があるため損害賠償額を定めるにつきこれを一定の割合で斟酌すべきときは、保険給付の原因となった事由と同一の事由による損害の賠償額を算定するには、当該損害の額から過失割合による減額をし、その残額から当該保険給付の価額を控除する方法によるのが相当であるとするのが、最高裁判所の判例の趣旨である。

18問 3
☐☐☐
H29-6E

労災保険法に基づく保険給付の原因となった事故が第三者の行為により惹起された場合において、被災労働者が、示談により当該第三者の負担する損害賠償債務を免除した場合でも、政府がその後労災保険給付を行えば、当該第三者に対し損害賠償を請求することができるとするのが、最高裁判所の判例の趣旨である。

⑱答1 ○　則22条。設問の通り正しい。

⑱答2 ○　最三小平成元.4.11高田建設従業員事件。設問の通り正しい。設問の判例は、保険給付の控除と過失相殺の先後について、いわゆる控除前相殺説に立つものである。

⑱答3 ×　最三小昭和38.6.4小野運送事件。第三者行為災害の場合において、被災労働者が、示談により第三者の負担する損害賠償債務を免除したときは、その限度において損害賠償請求権は消滅するので、政府がその後保険給付をしても、その請求権がなお存することを前提とする法定代位権の発生する余地のないことは明らかであり、第三者に対し損害賠償を請求する(求償する)ことはできないとするのが、最高裁判所の判例の趣旨である。

19 民事損害賠償との調整

19問1
□□□
H29-6B
難

労働者が使用者の不法行為によって死亡し、その損害賠償請求権を取得した相続人が遺族補償年金の支給を受けることが確定したときは、損害賠償額を算定するにあたり、当該遺族補償年金の填補の対象となる損害は、特段の事情のない限り、不法行為の時に填補されたものと法的に評価して、損益相殺的な調整をすることが相当であるとするのが、最高裁判所の判例の趣旨である。

19問2
□□□
H29-6A

政府が被災労働者に対し労災保険法に基づく保険給付をしたときは、当該労働者の使用者に対する損害賠償請求権は、その保険給付と同一の事由については損害の填補がされたものとしてその給付の価額の限度において減縮するが、同一の事由の関係にあることを肯定できるのは、財産的損害のうちの消極損害(いわゆる逸失利益)のみであり、保険給付が消極損害の額を上回るとしても、当該超過分を、財産的損害のうちの積極損害(入院雑費、付添看護費を含む。)及び精神的損害(慰謝料)を填補するものとして、これらとの関係で控除することは許されないとするのが、最高裁判所の判例の趣旨である。

⑲答1 ○　最大判平成27.3.4フォーカスシステムズ労災遺族年金事件。設問の通り正しい。なお、設問の判例では、「遺族補償年金は、労働者の死亡による遺族の被扶養利益の喪失の塡補を目的とする保険給付であり、その目的に従い、法令に基づき、定められた額が定められた時期に定期的に支給されるものとされているが、これは、遺族の被扶養利益の喪失が現実化する都度ないし現実化するのに対応して、その支給を行うことを制度上予定しているものと解されるのであって、制度の趣旨に沿った支給がされる限り、その支給分については当該遺族に被扶養利益の喪失が生じなかったとみることが相当である。」としている。

⑲答2 ○　最二小昭和62.7.10青木鉛鉄事件。設問の通り正しい。

20 社会復帰促進等事業

過去問

20問 1
□□□
H29-37
社会復帰促進等事業は、業務災害を被った労働者に関する事業であり、通勤災害を被った労働者は対象とされていない。

20問 2
□□□
R元-7
政府が労災保険の適用事業に係る労働者及びその遺族について行う社会復帰促進等事業として誤っているものは、次のうちどれか。
A　被災労働者に係る葬祭料の給付
B　被災労働者の受ける介護の援護
C　被災労働者の遺族の就学の援護
D　被災労働者の遺族が必要とする資金の貸付けによる援護
E　業務災害の防止に関する活動に対する援助

20問 3
□□□
H29-31
政府は、社会復帰促進等事業のうち、事業場における災害の予防に係る事項並びに労働者の健康の保持増進に係る事項及び職業性疾病の病因、診断、予防その他の職業性疾病に係る事項に関する総合的な調査及び研究を、独立行政法人労働者健康安全機構に行わせる。

⑳答 1 ×　法29条1項。社会復帰促進等事業は、労災保険の適用事業に係る労働者及びその遺族について、行うことができるとされており、複数業務要因災害及び通勤災害を被った労働者も対象とされている。

労災

Point
> 政府は、労災保険の適用事業に係る労働者及びその遺族について、社会復帰促進等事業として、次の事業を行うことができる。
> ①療養に関する施設及びリハビリテーションに関する施設の設置及び運営その他被災労働者の円滑な社会復帰を促進するために必要な事業
> ②被災労働者の療養生活の援護、被災労働者の受ける介護の援護、その遺族の就学の援護、被災労働者及びその遺族が必要とする資金の貸付けによる援護その他被災労働者及びその遺族の援護を図るために必要な事業
> ③業務災害の防止に関する活動に対する援助、健康診断に関する施設の設置及び運営その他労働者の安全及び衛生の確保、保険給付の適切な実施の確保並びに賃金の支払の確保を図るために必要な事業

⑳答 2　正解　A

A　×　法29条1項。葬祭料の給付は、社会復帰促進等事業に含まれていない。

B　○　法29条1項2号。設問の通り正しい。なお、被災労働者の受ける介護の援護に関する事業として、労災特別介護施設の設置・運営等が行われている。

C　○　法29条1項2号。設問の通り正しい。なお、被災労働者の遺族の就学の援護に関する事業として、労災就学等援護費の支給等が行われている。

D　○　法29条1項2号。設問の通り正しい。

E　○　法29条1項3号。設問の通り正しい。

⑳答 3　○　法29条3項、独立行政法人労働者健康安全機構法12条1項3号。設問の通り正しい。政府は、社会復帰促進等事業のうち、独立行政法人労働者健康安全機構法12条1項に掲げるものを独立行政法人労働者健康安全機構に行わせるものとするとされており、設問に掲げられている事項等は、これに該当する。

⑳問4
□□□
H29-3ウ

　アフターケアは、対象傷病にり患した者に対して、症状固定後においても後遺症状が動揺する場合があること、後遺障害に付随する疾病を発症させるおそれがあることから、必要に応じて予防その他の保健上の措置として診察、保健指導、検査などを実施するものである。

⑳問5
□□□
H29-3エ
難
　アフターケアの対象傷病は、厚生労働省令によってせき髄損傷等20の傷病が定められている。

⑳問6
□□□
H29-3オ改
難
　アフターケアを受けるためには、アフターケア手帳が必要であり、新規にこの手帳の交付を受けるには、事業場の所在地を管轄する都道府県労働局長に「アフターケア手帳交付申請書」を提出することとされている。

⑳問7
□□□
R4-2A
　労災就学援護費の支給対象には、傷病補償年金を受ける権利を有する者のうち、在学者等である子と生計を同じくしている者であり、かつ傷病の程度が重篤な者であって、当該在学者等に係る学資の支給を必要とする状態にあるものが含まれる。

⑳問8
□□□
R4-2B
　労災就学援護費の支給対象には、障害年金を受ける権利を有する者のうち、在学者等である子と生計を同じくしている者であって、当該在学者等に係る職業訓練に要する費用の支給を必要とする状態にあるものが含まれる。

⑳**答4** ○　則28条1項、平成28.3.30基発0330第5号。設問の通り正しい。

⑳**答5** ×　平成28.3.30基発0330第5号。アフターケアの対象傷病は、「厚生労働省令」ではなく、「社会復帰促進等事業としてのアフターケア実施要領（平成28.3.30基発0330第5号）」によってせき髄損傷等20の傷病が定められている。

⑳**答6** ○　則28条1項、平成28.3.30基発0330第5号。設問の通り正しい。

⑳**答7** ○　則33条1項5号。設問の通り正しい。

⑳**答8** ○　則33条1項4号。設問の通り正しい。

労災

⑳問9
□□□
R4-2C

労災就学援護費の額は、支給される者と生計を同じくしている在学者等である子が中学校に在学する者である場合は、小学校に在学する者である場合よりも多い。

⑳問10
□□□
R4-2D
難
労災就学援護費の額は、支給される者と生計を同じくしている在学者等である子が特別支援学校の小学部に在学する者である場合と、小学校に在学する者である場合とで、同じである。

⑳問11
□□□
R4-2E
難
労災就学援護費は、支給される者と生計を同じくしている在学者等である子が大学に在学する者である場合、通信による教育を行う課程に在学する者か否かによって額に差はない。

⑳問12
□□□
H29-7B
難
労働基準監督署長の行う労災就学援護費の支給又は不支給の決定は、法を根拠とする優越的地位に基づいて一方的に行う公権力の行使とはいえず、被災労働者又はその遺族の権利に直接影響を及ぼす法的効果を有するものではないから、抗告訴訟の対象となる行政処分に当たらないとするのが、最高裁判所の判例の趣旨である。

⑳答9 ○ 　則33条2項1号、2号。設問の通り正しい。労災就学援護
費の額は、在学者等である子が中学校に在学する者である場合は
原則月額21,000円であり、小学校に在学する者である場合(月額
15,000円)よりも多い。

<労災就学等援護費の額(月額・1人当たり)>

区分		原則	通信制課程
労災就学援護費			
小学校、特別支援学校の小学部等		15,000円	———
中学校、特別支援学校の中学部等		21,000円	18,000円
高等学校、特別支援学校の高等部等		20,000円	17,000円
大学等		39,000円	30,000円
労災就労保育援護費			
幼稚園、保育所又は幼保連携型認定こども園		9,000円	———

⑳答10 ○ 　則33条2項1号。設問の通り正しい。労災就学援護費の額
は、在学者等である子が特別支援学校の小学部に在学する者であ
る場合と、小学校に在学する者である場合とで、いずれも月額
15,000円である。**⑳答9**の プラスα 参照。

⑳答11 × 　則33条2項4号。労災就学援護費の額は、在学者等である子
が大学に在学する者である場合は原則月額39,000円であり、大学
のうち通信による教育を行う課程に在学する者である場合は月額
30,000円である。**⑳答9**の プラスα 参照。

⑳答12 × 　最一小平成15.9.4中央労働基準監督署長(労災就学援護費)事
件。労働基準監督署長が行う労災就学援護費の支給又は不支給の決
定は、法を根拠とする優越的地位に基づいて一方的に行う公権力の
行使であり、被災労働者又はその遺族の権利に直接影響を及ぼす法
的効果を有するものであるから、抗告訴訟の対象となる行政処分に
当たるものと解するのが相当であるとするのが、最高裁判所の判例
の趣旨である。

21 社会復帰促進等事業（特別支給金）

21 問 1
□□□
H28-7D

特別給与を算定基礎とする特別支給金は、特別加入者には支給されない。

21 問 2
□□□
H28-7B

休業特別支給金の額は、1日につき算定基礎日額の100分の20に相当する額とされる。

21 問 3
□□□
H28-7A

休業特別支給金の支給の申請に際しては、特別給与の総額について事業主の証明を受けたうえで、これを記載した届書を所轄労働基準監督署長に提出しなければならない。

21 問 4
□□□
R元-6ウ

休業特別支給金の支給を受けようとする者は、その支給申請の際に、所轄労働基準監督署長に、特別給与の総額を記載した届書を提出しなければならない。特別給与の総額については、事業主の証明を受けなければならない。

21 問 5
□□□
R元-6イ

傷病特別支給金の支給額は、傷病等級に応じて定額であり、傷病等級第1級の場合は、114万円である。

21答1 ○　特別支給金規則19条。設問の通り正しい。特別給与を算定基礎とする特別支給金に関する規定は、特別加入者(中小事業主等、一人親方等及び海外派遣者)には適用しないこととされており、特別加入者には、原則として特別給与を算定基礎とする特別支給金は支給されない。

※　複数事業労働者であって、「特別加入者」であると同時に「事業に使用される労働者」である者については、労働者として支給を受ける特別給与に対応する部分について、特別給与を算定基礎とする特別支給金(特別年金又は特別一時金)が支給される。

21答2 ×　特別支給金規則3条1項。休業特別支給金の額は、1日につき休業給付基礎日額の100分の20に相当する額である。

21答3 ○　特別支給金規則12条。設問の通り正しい。なお、設問の特別給与の総額の届出は、最初の休業特別支給金の支給の申請の際に行えば、以後は行わなくてもよいものとされている。また、当該届出を行った者が障害特別年金、障害特別一時金又は傷病特別年金の支給の申請を行う場合及び当該届出を行った者の遺族が遺族特別年金又は遺族特別一時金の支給の申請を行う場合には、申請書記載事項のうち、特別給与の総額については記載する必要がないものとして取り扱って差し支えないとされている。

21答4 ○　特別支給金規則12条。設問の通り正しい。**21答3** 参照。

21答5 ○　特別支給金規則5条の2,1項、則別表1の2。設問の通り正しい。傷病等級第1級の場合は114万円、第2級の場合は107万円、第3級の場合は100万円である。

㉑問 6
☐☐☐
H28-7C

傷病特別支給金は、受給権者の申請に基づいて支給決定されることになっているが、当分の間、事務処理の便宜を考慮して、傷病補償年金または傷病年金の支給を受けた者は、傷病特別支給金の申請を行ったものとして取り扱って差し支えないこととされている。

㉑問 7
☐☐☐
R元-67改

既に身体障害のあった者が、業務上の事由、複数事業労働者の2以上の事業の業務を要因とする事由又は通勤による負傷又は疾病により同一の部位について障害の程度を加重した場合における当該事由に係る障害特別支給金の額は、現在の身体障害の該当する障害等級に応ずる障害特別支給金の額である。

㉑問 8
☐☐☐
R2-7A

労災保険特別支給金支給規則第6条第1項に定める特別支給金の額の算定に用いる算定基礎年額は、負傷又は発病の日以前1年間(雇入後1年に満たない者については、雇入後の期間)に当該労働者に対して支払われた特別給与(労働基準法第12条第4項の3か月を超える期間ごとに支払われる賃金をいう。)の総額とするのが原則であるが、いわゆるスライド率(労災保険法第8条の3第1項第2号の厚生労働大臣が定める率)が適用される場合でも、算定基礎年額が150万円を超えることはない。

㉑問 9
☐☐☐
R2-7B改

特別支給金の支給の申請は、原則として、関連する保険給付の支給の請求と同時に行うこととなるが、傷病特別支給金、傷病特別年金の申請については、当分の間、休業特別支給金の支給の申請の際に特別給与の総額についての届出を行っていない者を除き、傷病補償年金、複数事業労働者傷病年金又は傷病年金の支給の決定を受けた者は、傷病特別支給金、傷病特別年金の申請を行ったものとして取り扱う。

㉑答6 ○　特別支給金規則5条の2,1項、昭和56.6.27基発393号。設問の通り正しい。

㉑答7 ×　特別支給金規則4条2項。既に身体障害のあった者が、負傷又は疾病により同一の部位について障害の程度を加重した場合における当該事由に係る障害特別支給金の額は、現在の身体障害の該当する障害等級に応ずる障害特別支給金の額から、既にあった身体障害の該当する障害等級に応ずる障害特別支給金の額を差し引いた額とされている。

㉑答8 ○　特別支給金規則6条4項、5項。設問の通り正しい。なお、算定基礎年額の上限額である150万円は、スライド率が適用される場合には、150万円をスライド率で除して得た額とされており、スライド率が1を下回るときには、算定基礎年額が150万円を超えることもある。本問は「正しい肢」として出題されているが、「スライド率が適用される場合でも」とあえてスライド率の適用に触れた上で「150万円を超えることはない」としていることから、正しいとはいえない。

※　本問は、本試験の問7（「誤りの肢」を選択する問題）のうちの1肢（A肢）として出題されている。問7には、単純かつ明白な「誤りの肢」であるD肢（後記㉑問12参照・当初から想定していた誤りの肢と思われる）があり、D肢が正解（誤りの肢）とされた。

㉑答9 ○　特別支給金規則5条の2,2項、同則11条2項、昭和56.6.27基発393号、平成7.7.31基発492号。設問の通り正しい。「当分の間、事務処理の便宜を考慮し、傷病（補償）等年金の支給の決定を受けた者は、傷病特別支給金の申請を行ったものとして取り扱って差し支えない」とされており、また、「傷病特別年金の支給の申請については、当分の間、休業特別支給金の支給の申請の際に特別給与の総額についての届出を行っていない者を除き、事務処理の便宜を考慮し、傷病（補償）等年金の支給の決定を受けた者は、申請を行ったものとして取り扱って差し支えない」とされている。なお、傷病特別支給金及び傷病特別年金の支給の申請は、傷病（補償）等年金が（請求ではなく）所轄労働基準監督署長の職権により支給されるものであるから、その支給の請求と同時に行うことはない。

21 問10 障害補償年金前払一時金が支給されたため、障害補償年金が支給
□□□ 停止された場合であっても、障害特別年金は支給される。
H28-7E

21 問11 休業特別支給金の支給の申請は、その対象となる日の翌日から起
□□□ 算して2年以内に行わなければならない。
H27-6I

21 問12 休業特別支給金の支給は、社会復帰促進等事業として行われてい
□□□ るものであることから、その申請は支給の対象となる日の翌日から
R2-7D 起算して5年以内に行うこととされている。

21 問13 特別支給金は、社会復帰促進等事業の一環として被災労働者等の
□□□ 福祉の増進を図るために行われるものであり、譲渡、差押えは禁止
R元-6オ されている。

21 問14 政府が被災労働者に支給する特別支給金は、社会復帰促進等事業
□□□ の一環として、被災労働者の療養生活の援護等によりその福祉の増
H29-6D 進を図るために行われるものであり、被災労働者の損害を填補する
性質を有するということはできず、したがって、被災労働者の受領
した特別支給金を、使用者又は第三者が被災労働者に対し損害賠償
すべき損害額から控除することはできないとするのが、最高裁判所
の判例の趣旨である。

21 問15 第三者の不法行為によって業務上負傷し、その第三者から同一の
□□□ 事由について損害賠償を受けていても、特別支給金は支給申請に基
R2-7C づき支給され、調整されることはない。

答10 ○　特別支給金規則7条。設問の通り正しい。特別支給金には前払一時金に相当するものがないため、設問の場合であっても、障害特別年金については支給停止されない。

答11 ○　特別支給金規則3条6項。設問の通り正しい。

> **Point**
> 休業特別支給金の申請期限は **2年**、休業特別支給金以外の特別支給金の申請期限は **5年**である。

答12 ×　特別支給金規則3条6項。設問の「5年」を「2年」と読み替えると、正しい記述となる。**答11**の **Point** 参照。

答13 ×　特別支給金規則20条他。特別支給金については、保険給付と異なり、譲渡、差押えは禁止されていない。

> **Point**
> 保険給付との相違点
> ・不正受給者からの費用徴収の対象とならない（不当利得として民事上の返還手続が必要となる。）。
> ・事業主からの費用徴収の対象とならない。
> ・損害賠償との調整（第三者行為災害・事業主責任災害）は行われない。
> ・国民年金、厚生年金保険の給付との併給調整は行われない。
> ・譲渡、差押え等は禁止されていない。

答14 ○　最二小平成8.2.23コック食品事件。設問の通り正しい。**答13**の **Point** 参照。

答15 ○　特別支給金規則20条。設問の通り正しい。**答13**の **Point** 参照。

労災

㉑問16 労災保険法による障害補償年金、傷病補償年金、遺族補償年金を
☐☐☐ 受ける者が、同一の事由により厚生年金保険法の規定による障害厚
R2-7E 生年金、遺族厚生年金等を受けることとなり、労災保険からの支給
額が減額される場合でも、障害特別年金、傷病特別年金、遺族特別
年金は減額されない。

22 特別加入の対象者

【最新問題】

㉒問1 海外派遣者は、派遣元の団体又は事業主が、海外派遣者を特別加
☐☐☐ 入させることについて政府の承認を申請し、政府の承認があった場
R6-6A 合に特別加入することができる。

㉒問2 海外派遣者と派遣元の事業との雇用関係が、転勤、在籍出向、移
☐☐☐ 籍出向等のいずれの形態で処理されていても、派遣元の事業主の命
R6-6B 令で海外の事業に従事し、その事業との間に現実の労働関係をもつ
限りは、特別加入の資格に影響を及ぼすものではない。

㉑答16 ○　特別支給金規則20条。設問の通り正しい。**㉑答13**の **Point** 参照。

㉒答1 ○　昭和52.3.30発労徴21号・基発192号。設問の通り正しい。なお、海外派遣者の特別加入は派遣元の団体又は事業主が日本国内で実施している事業について成立している保険関係に基づいて認められるものであるので、労災保険の保険関係が成立している事業をもたない団体又は事業主から承認の申請があった場合には、承認することはできない。

㉒答2 ○　昭和52.3.30発労徴21号・基発192号。設問の通り正しい。なお、単なる留学の目的で海外に派遣される者の場合には、海外において行われる事業に従事する者としての要件を満たさないので、特別加入の対象とはならない。また、現地採用者は、特別加入の対象とならない。

㉒問1
☐☐☐
R4-3

　厚生労働省令で定める数以下の労働者を使用する事業の事業主で、労働保険徴収法第33条第3項の労働保険事務組合に同条第1項の労働保険事務の処理を委託するものである者（事業主が法人その他の団体であるときは、代表者）は労災保険に特別加入することができるが、労災保険法第33条第1号の厚生労働省令で定める数以下の労働者を使用する事業の事業主に関する次の記述のうち、正しいものはどれか。

A　金融業を主たる事業とする事業主については常時100人以下の労働者を使用する事業主

B　不動産業を主たる事業とする事業主については常時100人以下の労働者を使用する事業主

C　小売業を主たる事業とする事業主については常時100人以下の労働者を使用する事業主

D　サービス業を主たる事業とする事業主については常時100人以下の労働者を使用する事業主

E　保険業を主たる事業とする事業主については常時100人以下の労働者を使用する事業主

㉒問2
☐☐☐
R3-3A

　特別加入者である中小事業主が高齢のため実際には就業せず、専ら同業者の事業主団体の会合等にのみ出席するようになった場合であっても、中小企業の特別加入は事業主自身が加入する前提であることから、事業主と当該事業に従事する他の者を包括して加入しなければならず、就業実態のない事業主として特別加入者としないことは認められない。

答 1 正解　D

A　×　法33条1号、則46条の16。金融業を主たる事業とする事業主については常時「50人」以下の労働者を使用する事業主である。

Point 中小事業主等の特別加入に係る厚生労働省令で定める数以下の労働者を使用する事業

主たる事業の種類	使用労働者数
金融業、保険業、不動産業、小売業	常時50人以下
卸売業、サービス業	常時100人以下
上記以外の事業	常時300人以下

B　×　法33条1号、則46条の16。不動産業を主たる事業とする事業主については常時「50人」以下の労働者を使用する事業主である。解答Aの **Point** 参照。

C　×　法33条1号、則46条の16。小売業を主たる事業とする事業主については常時「50人」以下の労働者を使用する事業主である。解答Aの **Point** 参照。

D　○　法33条1号、則46条の16。設問の通り正しい。解答Aの **Point** 参照。

E　×　法33条1号、則46条の16。保険業を主たる事業とする事業主については常時「50人」以下の労働者を使用する事業主である。解答Aの **Point** 参照。

答 2　×　平成15.5.20基発0520002号。中小事業主の特別加入に当たっては、事業主と当該事業主の事業に従事する者について包括して加入申請を行うことが前提とされているが、就業実態のない事業主（高齢その他の事情のため、実際に就業しない事業主など）については、事業主が自らを包括加入の対象から除外することを申し出た場合には、特別加入者としないこととされている。

プラスα 就業実態のない事業主（次の①又は②のいずれかに該当する者）が自らを包括加入の対象から除外することを申し出た場合には、当該事業主を特別加入者としないこととする。
①病気療養中、高齢その他の事情のため、実際に就業しない事業主
②事業主の立場において行う事業主本来の業務のみに従事する事業主

労災

㉒問3
□□□
H29-7C

最高裁判所の判例においては、労災保険法第34条第1項が定める中小事業主の特別加入の制度は、労働者に関し成立している労災保険の保険関係を前提として、当該保険関係上、中小事業主又はその代表者を労働者とみなすことにより、当該中小事業主又はその代表者に対する法の適用を可能とする制度である旨解説している。

㉒問4
□□□
R2-3
難

労災保険法第33条第5号の「厚生労働省令で定める種類の作業に従事する者」は労災保険に特別加入することができるが、「厚生労働省令で定める種類の作業」に当たる次の記述のうち、誤っているものはどれか。

A　国又は地方公共団体が実施する訓練として行われる作業のうち求職者を作業環境に適応させるための訓練として行われる作業

B　家内労働法第2条第2項の家内労働者又は同条第4項の補助者が行う作業のうち木工機械を使用して行う作業であって、仏壇又は木製若しくは竹製の食器の製造又は加工に係るもの

C　農業(畜産及び養蚕の事業を含む。)における作業のうち、厚生労働大臣が定める規模の事業場における土地の耕作若しくは開墾、植物の栽培若しくは採取又は家畜(家きん及びみつばちを含む。)若しくは蚕の飼育の作業であって、高さが1メートル以上の箇所における作業に該当するもの

D　日常生活を円滑に営むことができるようにするための必要な援助として行われる作業であって、炊事、洗濯、掃除、買物、児童の日常生活上の世話及び必要な保護その他家庭において日常生活を営むのに必要な行為

E　労働組合法第2条及び第5条第2項の規定に適合する労働組合その他これに準ずるものであって厚生労働大臣が定めるもの(常時労働者を使用するものを除く。以下「労働組合等」という。)の常勤の役員が行う集会の運営、団体交渉その他の当該労働組合等の活動に係る作業であって、当該労働組合等の事務所、事業場、集会場又は道路、公園その他の公共の用に供する施設におけるもの(当該作業に必要な移動を含む。)

㉒答3 ○ 最二小平成24.2.24広島中央労働基準監督署長(労災特別加入)事件。設問の通り正しい。

㉒答4 正解　C

A　○　則46条の18,2号イ。設問の通り正しい。

B　○　則46条の18,3号ヘ。設問の通り正しい。

C　×　則46条の18,1号イ(2)。設問の「1メートル」を「2メートル」と読み替えると、正しい記述となる。

D　○　則46条の18,5号ロ。設問の通り正しい。

E　○　則46条の18,4号。設問の通り正しい。

労災

㉒問5 平成29年から介護作業従事者として特別加入している者が、訪
□□□ 問先の家庭で介護者以外の家族の家事支援作業をしているときに火
R3-3E 傷し負傷した場合は、業務災害と認められることはない。

㉒問6 日本国内で行われている有期事業でない事業を行う事業主から、
□□□ 海外(業務災害、複数業務要因災害及び通勤災害に関する保護制度
R3-3D の状況その他の事情を考慮して厚生労働省令で定める国の地域を除
く。)の現地法人で行われている事業に従事するため派遣された労働
者について、急な赴任のため特別加入の手続きがなされていなかっ
た。この場合、海外派遣されてからでも派遣元の事業主(日本国内
で実施している事業について労災保険の保険関係が既に成立してい
る事業主)が申請すれば、政府の承認があった場合に特別加入する
ことができる。

23 特別加入の効果

最新問題
㉓問1 海外派遣者として特別加入している者が、同一の事由について派
□□□ 遣先の事業の所在する国の労災保険から保険給付が受けられる場合
R6-6C には、わが国の労災保険給付との間で調整がなされなければならな
難 い。

㉓問2 海外派遣者として特別加入している者の赴任途上及び帰任途上の
□□□ 災害については、当該特別加入に係る保険給付は行われない。
R6-6D
難

㉒答5 ✕ 　則46条の18,5号、平成30.2.8基発0208第１号。家事支援従事者が特別加入者として追加される前（平成30年４月１日前）に介護作業従事者として特別加入している者は、平成30年４月１日以後は介護及び家事支援のいずれの作業にも従事するものとして取り扱われ、設問の場合、業務災害と認められることがある。

> 介護作業、家事支援作業はいずれも則46条の18,5号に規定されている作業であり、実際に行う作業がどちらか一方のみの場合であっても、則46条の18,5号加入者（介護作業従事者及び家事支援従事者）として加入することとなるため、そのいずれの作業にも従事するものとして取り扱われる。

㉒答6 ◯ 　法33条７号、昭和52.3.30基発192号。設問の通り正しい。海外派遣者として特別加入の対象となるのは、新たに派遣される者に限られず、既に海外の事業に派遣されている者についても特別加入することができる。

> 海外の事業で直接採用された者（現地採用者）は、特別加入の対象とならない。

㉓答1 ✕ 　昭和52.3.30発労徴21号・基発192号。海外派遣者として特別加入している者が、同一の事由について派遣先の事業の所在する国の労災保険から保険給付が受けられる場合にも、我が国の労災保険給付との間の調整は行う必要がない。

㉓答2 ◯ 　昭和52.3.30発労徴21号・基発192号。設問の通り正しい。

㉓問3
□□□
R6-6E

　海外出張者として特段の加入手続を経ることなく当然に労災保険の保護を与えられるのか、海外派遣者として特別加入しなければ保護が与えられないのかは、単に労働の提供の場が海外にあるにすぎず国内の事業場に所属し、当該事業場の使用者の指揮に従って勤務するのか、海外の事業場に所属して当該事業場の使用者の指揮に従って勤務することになるのかという点からその勤務の実態を総合的に勘案して判定されるべきものである。

過去問

㉓問1
□□□
R3-3C

　特別加入している中小事業主が行う事業に従事する者（労働者である者を除く。）が業務災害と認定された。その業務災害の原因である事故が事業主の故意又は重大な過失により生じさせたものである場合は、政府は、その業務災害と認定された者に対して保険給付を全額支給し、厚生労働省令で定めるところにより、その保険給付に要した費用に相当する金額の全部又は一部を事業主から徴収することができる。

㉓問2
□□□
R3-3B

　労働者を使用しないで行うことを常態とする特別加入者である個人貨物運送業者については、その住居とその就業の場所との間の往復の実態を明確に区別できることにかんがみ、通勤災害に関する労災保険の適用を行うものとされている。

❷答3 〇 昭和52.3.30発労徴21号・基発192号。設問の通り正しい。

❷答1 × 法34条1項4号。設問の場合、政府は、当該事故に係る保険給付の全部又は一部を行わないことができる(「費用徴収」ではなく、「支給制限」が行われる。)。

❷答2 × 法35条1項、則46条の22の2。設問の者には、通勤災害に関する規定は適用されない。

> **Point**
>
> 一人親方等の特別加入者のうち、次に掲げるものについては、住居と就業の場所との間の往復の実態が明確でないことから、通勤災害に関する保険給付の対象外とされている。
> ・自動車を使用して行う旅客若しくは貨物の運送の事業に従事する者又は原動機付自転車若しくは自転車を使用して行う貨物の運送の事業に従事する者
> ・漁船による水産動植物の採捕の事業(船員法に規定する船員が行う事業を除く。)に従事する者
> ・特定農作業及び指定農業機械作業に従事する者
> ・家内労働者及びその補助者

過去問

24問1

☐☐☐

R5-6

　労災保険給付に関する決定(処分)に不服がある場合の救済手続に関する次の記述のうち、正しいものはどれか。

A　労災保険給付に関する決定に不服のある者は、都道府県労働局長に対して審査請求を行うことができる。

B　審査請求をした日から1か月を経過しても審査請求についての決定がないときは、審査請求は棄却されたものとみなすことができる。

C　処分の取消しの訴えは、再審査請求に対する労働保険審査会の決定を経た後でなければ、提起することができない。

D　医師による傷病の治ゆ認定は、療養補償給付の支給に影響を与えることから、審査請求の対象となる。

E　障害補償給付の不支給処分を受けた者が審査請求前に死亡した場合、その相続人は、当該不支給処分について審査請求人適格を有する。

24 答 1　正解　E

A　×　法38条1項。労災保険給付に関する決定に不服のある者は、「**労働者災害補償保険審査官**」に対して審査請求を行うことができる。

B　×　法38条2項。審査請求をした日から「**3か月**」を経過しても審査請求についての決定がないときは、労働者災害補償保険審査官が審査請求を棄却したものとみなすことができる。

C　×　法40条。処分の取消しの訴えは、当該処分についての「**審査請求に対する労働者災害補償保険審査官の決定**」を経た後でなければ、提起することができない。

D　×　法38条1項。審査請求の対象となるのは「保険給付に関する決定」であるが、保険給付に関する決定とは、直接、受給権者の権利に法律的効果を及ぼす処分のことをいい、決定の前提にすぎない要件事実の認定(傷病の治ゆ日等の認定、業務上外の認定、給付基礎日額の認定等)は、審査請求の対象とならない。

E　○　法38条1項。設問の通り正しい。審査請求をすることができる者(審査請求人適格を有する者)は、「保険給付に関する決定に不服のある者」をいい、原処分を受けた者のほか、原処分を受けた者〔遺族(補償)等給付の不支給決定処分を受けた者を除く。〕が請求前に死亡した場合の相続人も審査請求人適格を有する。

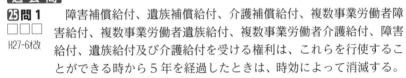

25 雑則等

25問1
□□□
H27-6ｱ改
　障害補償給付、遺族補償給付、介護補償給付、複数事業労働者障害給付、複数事業労働者遺族給付、複数事業労働者介護給付、障害給付、遺族給付及び介護給付を受ける権利は、これらを行使することができる時から5年を経過したときは、時効によって消滅する。

25問2
□□□
H30-4ｴ
　労災保険法又は同法に基づく政令及び厚生労働省令に規定する期間の計算については、同省令において規定された方法によることとされており、民法の期間の計算に関する規定は準用されない。

25問3
□□□
H30-3A
　市町村長(特別区の区長を含むものとし、地方自治法第252条の19第1項の指定都市においては、区長又は総合区長とする。)は、行政庁又は保険給付を受けようとする者に対して、当該市(特別区を含む。)町村の条例で定めるところにより、保険給付を受けようとする者又は遺族の戸籍に関し、無料で証明を行うことができる。

25問4
□□□
R元-1E
　労災保険に係る保険関係が成立し、若しくは成立していた事業の事業主又は労働保険事務組合若しくは労働保険事務組合であった団体は、労災保険に関する書類を、その完結の日から5年間保存しなければならない。

25問5
□□□
R元-1B
　事業主は、その事業についての労災保険に係る保険関係が消滅したときは、その年月日を労働者に周知させなければならない。

㉕答1 ✕ 法42条1項。**介護(補償)等給付**を受ける権利は、これらを行使することができる時から**2年**を経過したときは、時効によって消滅する。

Point

> 療養(補償)等給付、休業(補償)等給付、葬祭料等(葬祭給付)、介護(補償)等給付及び二次健康診断等給付を受ける権利は、これらを行使することができる時から**2年**を経過したとき、障害(補償)等給付及び遺族(補償)等給付を受ける権利は、これらを行使することができる時から**5年**を経過したときは、時効によって消滅する。

㉕答2 ✕ 法43条。労災保険法又は同法に基づく政令及び厚生労働省令に規定する期間の計算については、民法の期間の計算に関する規定を準用することとされている。

㉕答3 ◯ 法45条。設問の通り正しい。設問の戸籍の無料証明に関する規定は、労災保険給付の円滑な実施と受給者の便益のため、労災保険の保険給付の請求の際に用いる戸籍に関する証明は、地方公共団体の制定する条例によって無料にすることができる旨定めたものである。

㉕答4 ✕ 則51条。労災保険に係る保険関係が成立し、若しくは成立していた事業の事業主又は労働保険事務組合若しくは労働保険事務組合であった団体は、労災保険に関する書類(徴収法又は徴収法施行規則による書類を除く。)を、その完結の日から「**3年間**」保存しなければならない。

㉕答5 ◯ 則49条2項。設問の通り正しい。なお、事業主は、労災保険に関する法令のうち、労働者に関係のある規定の要旨、労災保険に係る保険関係成立の年月日及び労働保険番号を、電磁的方法により提供し、又は常時事業場の見易い場所に掲示し、若しくは備え付ける等の方法によって、労働者に周知させなければならない。

労災

㉕問6
☐☐☐
H30-3C

行政庁は、厚生労働省令で定めるところにより、労働者派遣法第44条第1項に規定する派遣先の事業主に対して、労災保険法の施行に関し必要な報告、文書の提出又は出頭を命ずることができる。

㉕問7
☐☐☐
H30-3B

行政庁は、厚生労働省令で定めるところにより、保険関係が成立している事業に使用される労働者(労災保険法第34条第1項第1号、第35条第1項第3号又は第36条第1項第1号の規定により当該事業に使用される労働者とみなされる者を含む。)又は保険給付を受け、若しくは受けようとする者に対して、労災保険法の施行に関し必要な報告、届出、文書その他の物件の提出又は出頭を命ずることができる。

㉕問8
☐☐☐
R元-1D改

行政庁は、保険給付に関して必要があると認めるときは、保険給付を受け、又は受けようとする者(遺族補償年金、複数事業労働者遺族年金又は遺族年金の額の算定の基礎となる者を含む。)に対し、その指定する医師の診断を受けるべきことを命ずることができる。

㉕問9
☐☐☐
H30-3D

行政庁は、労災保険法の施行に必要な限度において、当該職員に、適用事業の事業場に立ち入り、関係者に質問させ、又は帳簿書類その他の物件を検査させることができ、立入検査をする職員は、その身分を示す証明書を携帯し、関係者に提示しなければならない。

㉕問10
☐☐☐
H30-3E改

行政庁は、保険給付を受け、又は受けようとする者(遺族補償年金、複数事業労働者遺族年金又は遺族年金の額の算定の基礎となる者を含む。)の診療を担当した医師その他の者に対して、その行った診療に関する事項について、報告を命ずることはできない。

㉕**答6** ○ 法46条。設問の通り正しい。

> **Point** 行政庁は、労働者を使用する者、労働保険事務組合、一人親方等の団体、派遣先の事業主又は船員派遣の役務の提供を受ける者に対して、労災保険法の施行に関し必要な報告、文書の提出又は出頭を命ずることができるものとされており、この命令は、所轄都道府県労働局長又は所轄労働基準監督署長が文書によって行うものとされている。

㉕**答7** ○ 法47条。設問の通り正しい。なお、行政庁は、保険給付の原因である事故を発生させた第三者(派遣先の事業主及び船員派遣の役務の提供を受ける者※を除く。)に対して、労災保険法の施行に関し必要な報告、届出、文書その他の物件の提出を命ずることができる(出頭を命ずることはできない。)。

※ 「派遣先の事業主及び船員派遣の役務の提供を受ける者」については、法46条において、「労災保険法の施行に関し必要な報告、文書の提出又は出頭を命ずることができる」とされている(㉕**答6**の**Point**参照)。

㉕**答8** ○ 法47条の2。設問の通り正しい。

㉕**答9** ○ 法48条1項、2項。設問の通り正しい。なお、設問の規定(法48条の規定)による立入検査の権限は、政府が適正に保険給付を行うために設けられた行政上の強制権であり、「犯罪捜査のために認められたものと解釈してはならない。」とされている。

㉕**答10** × 法49条1項。「報告を命ずることができない」とする部分が誤りである。「行政庁は、保険給付に関して必要があると認めるときは、厚生労働省令で定めるところによって、保険給付を受け、又は受けようとする者〔遺族(補償)等年金の額の算定の基礎となる者を含む。〕の診療を担当した医師その他の者に対して、その行った診療に関する事項について、報告若しくは診療録、帳簿書類その他の物件の提示を命じ、又は当該職員に、これらの物件を検査させることができる。」とされている。

25問11
□□□
R元-4D

派遣労働者の保険給付の請求に当たっては、当該派遣労働者に係る労働者派遣契約の内容等を把握するため、当該派遣労働者に係る「派遣元管理台帳」の写しを保険給付請求書に添付することとされている。

25問12
□□□
R元-4E

派遣労働者の保険給付の請求に当たっては、保険給付請求書の事業主の証明は派遣先事業主が行うこととされている。

25問13
□□□
R2-4ア

事業主が、行政庁から厚生労働省令で定めるところにより労災保険法の施行に関し必要な報告を命じられたにもかかわらず、報告をしなかった場合、6月以下の懲役又は30万円以下の罰金に処される。

25問14
□□□
R2-4イ

事業主が、行政庁から厚生労働省令で定めるところにより労災保険法の施行に関し必要な文書の提出を命じられたにもかかわらず、提出をしなかった場合、6月以下の懲役又は30万円以下の罰金に処される。

25問15
□□□
R2-4ウ

事業主が、行政庁から厚生労働省令で定めるところにより労災保険法の施行に関し必要な文書の提出を命じられた際に、虚偽の記載をした文書を提出した場合、6月以下の懲役又は30万円以下の罰金に処される。

25問16
□□□
R2-4エ

行政庁が労災保険法の施行に必要な限度において、当該職員に身分を示す証明書を提示しつつ事業場に立ち入り質問をさせたにもかかわらず、事業主が当該職員の質問に対し虚偽の陳述をした場合、6月以下の懲役又は30万円以下の罰金に処される。

25答11 ○　昭和61.6.30基発383号。設問の通り正しい。

25答12 ×　昭和61.6.30基発383号。保険給付請求書の事業主の証明は派遣元事業主が行うこととされている。

25答13 ○　法46条、法51条1号。設問の通り正しい。行政庁は、労働者を使用する者(**事業主**)に対して、労災保険法の施行に関し必要な報告、文書の提出又は出頭を命ずることができる(**25答6**の **Point** 参照)とされているが、この命令に違反して報告をせず、若しくは虚偽の報告をし、又は文書の提出をせず、若しくは虚偽の記載をした文書を提出した場合には、**6月以下の懲役又は30万円以下の罰金**に処せられる。

25答14 ○　法46条、法51条1号。設問の通り正しい。**25答13**参照。

 プラスα　事業主、派遣先事業主、労働保険事務組合又は一人親方等の団体以外の者(第三者を除く。)が一定の違反行為をしたときは、6月以下の懲役又は20万円以下の罰金に処せられる。

25答15 ○　法46条、法51条1号。設問の通り正しい。**25答13**参照。

25答16 ○　法48条1項、2項、法51条2号。設問の通り正しい。行政庁は、労災保険法の施行に必要な限度において、当該職員に、事業場に立ち入り、関係者に質問させ、又は帳簿書類その他の物件を検査させることができる(**25問9**参照)とされているが、当該職員の質問に対して答弁をせず、若しくは虚偽の陳述をし、又は検査を拒み、妨げ、若しくは忌避した場合には、6月以下の懲役又は30万円以下の罰金に処せられる。

行政庁が労災保険法の施行に必要な限度において、当該職員に身分を示す証明書を提示しつつ事業場に立ち入り帳簿書類の検査をさせようとしたにもかかわらず、事業主が検査を拒んだ場合、6月以下の懲役又は30万円以下の罰金に処される。

㉕**答17** ◯　法48条１項、２項、法51条２号。設問の通り正しい。㉕**答16**参照。

★**問1** 次の文中の ☐☐☐ の部分を選択肢の中の最も適切な語句で埋
☐☐☐ め、完全な文章とせよ。
H27-選

1 労災保険法第33条第5号によれば、厚生労働省令で定められた種類
の作業に従事する者（労働者である者を除く。）は、特別加入が認められ
る。労災保険法施行規則第46条の18は、その作業として、農業におけ
る一定の作業、国又は地方公共団体が実施する訓練として行われる一定
の作業、労働組合等の常勤の役員が行う一定の作業、☐ A ☐ 関係業
務に係る一定の作業と並び、家内労働法第2条第2項の家内労働者又
は同条第4項の ☐ B ☐ が行う一定の作業（同作業に従事する家内労
働者又はその ☐ B ☐ を以下「家内労働者等」という。）を挙げている。
　労災保険法及び労災保険法施行規則によれば、☐ C ☐ が、家内労
働者等の業務災害に関して労災保険の適用を受けることにつき申請を
し、政府の承認があった場合、家内労働者等が当該作業により負傷し、
疾病に罹患し、障害を負い、又は死亡したとき等は労働基準法第75条
から第77条まで、第79条及び第80条に規定する災害補償の事由が生じ
たものとみなされる。

2 最高裁判所は、労災保険法第12条の4について、同条は、保険給付
の原因である事故が第三者の行為によって生じた場合において、受給権
者に対し、政府が先に保険給付をしたときは、受給権者の第三者に対す
る損害賠償請求権はその給付の価額の限度で当然国に移転し、第三者が
先に損害賠償をしたときは、政府はその価額の限度で保険給付をしない
ことができると定め、受給権者に対する第三者の損害賠償義務と政府
の保険給付義務とが ☐ D ☐ の関係にあり、同一の事由による損害の
☐ E ☐ を認めるものではない趣旨を明らかにしているものである旨
を判示している。

```
┌─ 選択肢 ─────────────────────────────────
│  ①  委託者              ②  委託者の団体
│  ③  移　転              ④  医　療
│  ⑤  請負的仲介人        ⑥  介　護
│  ⑦  家内労働者等の団体  ⑧  減　額
│  ⑨  在宅労働者          ⑩  使用人
│  ⑪  相互補完            ⑫  仲介人
│  ⑬  重　複              ⑭  独　立
│  ⑮  二重填補            ⑯  福　祉
│  ⑰  並　立              ⑱  保　健
│  ⑲  補助者              ⑳  立　証
└──────────────────────────────────────────
```

★**答1**　法35条1項5号、則46条の18,3号、5号、平成23.3.25基発0325
第6号、最三小平成元.4.11高田建設従業員事件。

A　⑥　**介　護**

B　⑲　**補助者**

C　⑦　**家内労働者等の団体**

D　⑪　**相互補完**

E　⑮　**二重填補**

※1　設問1の空欄Aに係る「介護関係業務」は、改正(平成30年4月
　　　1日施行)により「介護関係業務及び家事支援業務」とされている。

※2　労災保険法施行規則46条の18に定める作業(特定作業)には、設問
　　　1及び上記※1に係る作業のほか、改正により「芸能関係作業(同条
　　　6号)」「アニメーション制作作業(同条7号)」「情報処理システムの
　　　設計等の情報処理に係る作業(同条8号)」が追加されている(6号・
　　　7号は令和3年4月1日、8号は令和3年9月1日施行)。

★問2 次の文中の ⬚⬚⬚ の部分を選択肢の中の最も適切な語句で埋
⬚⬚⬚ め、完全な文章とせよ。
H28-選改

1 　労災保険法第13条第3項によれば、政府は、療養の補償給付として
　療養の給付をすることが困難な場合、療養の給付に代えて ⬚ A ⬚ を
　支給することができる。労災保険法第12条の2第2項によれば、
　「労働者が故意の犯罪行為若しくは重大な過失により、又は正当な理由
　がなくて ⬚ B ⬚ に従わないことにより」、負傷の回復を妨げたとき
　は、政府は、保険給付の全部又は一部を行わないことができる。

2 　厚生労働省労働基準局長通知(「血管病変等を著しく増悪させる業務に
　よる脳血管疾患及び虚血性心疾患等の認定基準について」令和3年9
　月14日付け基発0914第1号)において、発症前の長期間にわたって、
　著しい疲労の蓄積をもたらす特に過重な業務に就労したことによる明ら
　かな過重負荷を受けたことにより発症した脳血管疾患及び虚血性心疾患
　等(負傷に起因するものを除く。)は、業務上の疾病として取り扱うこと
　とされている。業務の過重性の評価にあたっては、発症前の一定期間の
　就労実態等を考察し、発症時における疲労の蓄積がどの程度であったか
　という観点から判断される。
　　「発症前の長期間とは、発症前おおむね ⬚ C ⬚ をいう」とされて
　いる。疲労の蓄積をもたらす要因は種々あるが、最も重要な要因と考え
　られる労働時間に着目すると、「発症前 ⬚ D ⬚ におおむね100時間又
　は発症前 ⬚ E ⬚ にわたって、1か月あたりおおむね80時間を超え
　る時間外労働が認められる場合は、業務と発症との関連性が強いと評価
　できること」を踏まえて判断される。ここでいう時間外労働時間数は、
　1週間当たり40時間を超えて労働した時間数である。

┌─ 選択肢 ─────────────────────────────
① 業務命令　　　　　　　　　② 就業規則
③ 治療材料　　　　　　　　　④ 薬　剤
⑤ リハビリ用品　　　　　　　⑥ 療養に関する指示
⑦ 療養の費用　　　　　　　　⑧ 労働協約
⑨ 3か月間　　　　　　　　　⑩ 6か月間
⑪ 12か月間　　　　　　　　⑫ 1～3か月間
⑬ 1週間　　　　　　　　　　⑭ 2週間
⑮ 4週間　　　　　　　　　　⑯ 1か月間
⑰ 1か月間ないし6か月間　　⑱ 1か月間ないし12か月間
⑲ 2か月間ないし6か月間　　⑳ 2か月間ないし12か月間
└──────────────────────────────────

★答2 法12条の2の2,2項、法13条3項、令和3.9.14基発0914第1号、令和5.10.18基発1018第1号。

A ⑦ **療養の費用**
B ⑥ **療養に関する指示**
C ⑩ **6か月間**
D ⑯ **1か月間**
E ⑲ **2か月間ないし6か月間**

労災

★問3 次の文中の ▢▢▢ の部分を選択肢の中の最も適切な語句で埋め、完全な文章とせよ。

H29-選改

1 労災保険の保険給付に関する決定に不服のある者は、 A に対して審査請求をすることができる。審査請求は、正当な理由により所定の期間内に審査請求することができなかったことを疎明した場合を除き、原処分のあったことを知った日の翌日から起算して3か月を経過したときはすることができない。審査請求に対する決定に不服のある者は、 B に対して再審査請求をすることができる。審査請求をしている者は、審査請求をした日から C を経過しても審査請求についての決定がないときは、 A が審査請求を棄却したものとみなすことができる。

2 労災保険法第42条第1項によれば、「療養補償給付、休業補償給付、葬祭料、介護補償給付、複数事業労働者療養給付、複数事業労働者休業給付、複数事業労働者葬祭給付、複数事業労働者介護給付、療養給付、休業給付、葬祭給付、介護給付及び二次健康診断等給付を受ける権利は、これらを行使することができる時から D を経過したとき、障害補償給付、遺族補償給付、複数事業労働者障害給付、複数事業労働者遺族給付、障害給付及び遺族給付を受ける権利は、これらを行使することができる時から E を経過したときは、時効によつて消滅する。」とされている。

選択肢

① 60 日 　　② 90 日
③ 1か月 　　④ 2か月
⑤ 3か月 　　⑥ 6か月
⑦ 1 年 　　⑧ 2 年
⑨ 3 年 　　⑩ 5 年
⑪ 7 年 　　⑫ 10 年
⑬ 厚生労働大臣 　　⑭ 中央労働委員会
⑮ 都道府県労働委員会 　　⑯ 都道府県労働局長
⑰ 労働基準監督署長 　　⑱ 労働者災害補償保険審査会
⑲ 労働者災害補償保険審査官 　　⑳ 労働保険審査会

★答3 法38条1項、2項、法42条1項、労審法8条1項。

A ⑲ 労働者災害補償保険審査官
B ⑳ 労働保険審査会
C ⑤ 3か月
D ⑧ 2 年
E ⑩ 5 年

次の文中の _____ の部分を選択肢の中の最も適切な語句で埋め、完全な文章とせよ。

1　労災保険法においては、労働基準法適用労働者には当たらないが、業務の実態、災害の発生状況等からみて、労働基準法適用労働者に準じて保護するにふさわしい一定の者に対して特別加入の制度を設けている。まず、中小事業主等の特別加入については、主たる事業の種類に応じ、厚生労働省令で定める数以下の労働者を使用する事業の事業主で　A　に労働保険事務の処理を委託している者及びその事業に従事する者である。この事業の事業主としては、卸売業又は　B　を主たる事業とする事業主の場合は、常時100人以下の労働者を使用する者が該当する。この特別加入に際しては、中小事業主が申請をし、政府の承認を受ける必要がある。給付基礎日額は、当該事業に使用される労働者の賃金の額その他の事情を考慮して厚生労働大臣が定める額とされており、最高額は　C　である。

　また、労災保険法第33条第3号及び第4号により、厚生労働省令で定める種類の事業を労働者を使用しないで行うことを常態とする者とその者が行う事業に従事する者は特別加入の対象となる。この事業の例としては、　D　の事業が該当する。また、同条第5号により厚生労働省令で定める種類の作業に従事する者についても特別加入の対象となる。特別加入はこれらの者（一人親方等及び特定作業従事者）の団体が申請をし、政府の承認を受ける必要がある。

2　通勤災害に関する保険給付は、一人親方等及び特定作業従事者の特別加入者のうち、住居と就業の場所との間の往復の状況等を考慮して厚生労働省令で定める者には支給されない。　E　はその一例に該当する。

選択肢

A	① 社会保険事務所		② 商工会議所	
	③ 特定社会保険労務士		④ 労働保険事務組合	
B	① 小売業	② サービス業	③ 不動産業	④ 保険業
C	① 20,000円		② 22,000円	
	③ 24,000円		④ 25,000円	
D	① 介護事業	② 畜産業	③ 養蚕業	④ 林業
E	① 医薬品の配置販売の事業を行う個人事業者			
	② 介護作業従事者		③ 個人タクシー事業者	
	④ 船員法第1条に規定する船員			

★答 4　法33条1号、3号、法34条1項3号、法35条1項、則46条の16、則46条の17,1号、4号、則46条の20,1項、則46条の22の2。

A　④　労働保険事務組合
B　②　サービス業
C　④　25,000円
D　④　林　業
E　③　個人タクシー事業者

★**問5** 次の文中の □□□□ の部分を選択肢の中の最も適切な語句で埋
□□□ め、完全な文章とせよ。
R元-選改

1　労災保険法第1条によれば、労働者災害補償保険は、業務上の事由、
事業主が同一人でない2以上の事業に使用される労働者の2以上の事業
の業務を要因とする事由又は通勤による労働者の負傷、疾病、障害、死
亡等に対して迅速かつ公正な保護をするため、必要な保険給付を行うこ
と等を目的とする。同法の労働者とは、　A　　法上の労働者である
とされている。そして同法の保険給付とは、業務災害に関する保険給
付、複数業務要因災害に関する保険給付、通勤災害に関する保険給付及
び　B　　給付の4種類である。保険給付の中には一時金ではなく年
金として支払われるものもあり、通勤災害に関する保険給付のうち年金
として支払われるのは、障害年金、遺族年金及び　C　　年金である。
2　労災保険の適用があるにもかかわらず、労働保険徴収法第4条の2
第1項に規定する労災保険に係る保険関係成立届(以下本問において
「保険関係成立届」という。)の提出が行われていない間に労災事故が生
じた場合において、事業主が故意又は重大な過失により保険関係成立届
を提出していなかった場合は、政府は保険給付に要した費用に相当する
金額の全部又は一部を事業主から徴収することができる。事業主がこの
提出について、所轄の行政機関から直接指導を受けていたにもかかわら
ず、その後　D　　以内に保険関係成立届を提出していない場合は、
故意が認定される。事業主がこの提出について、保険手続に関する行政
機関による指導も、都道府県労働保険事務組合連合会又はその会員であ
る労働保険事務組合による加入勧奨も受けていない場合において、保険
関係が成立してから　E　　を経過してなお保険関係成立届を提出し
ていないときには、原則、重大な過失と認定される。

選択肢

A	① 労働関係調整	② 労働基準
	③ 労働組合	④ 労働契約
B	① 求職者	② 教育訓練
	③ 失業等	④ 二次健康診断等
C	① 厚　　生	② 国　　民
	③ 傷　　病	④ 老　　齢
D	① 3　　日	② 5　　日
	③ 7　　日	④ 10　日
E	① 3か月	② 6か月
	③ 9か月	④ 1　　年

労
災

★**答5**　法7条1項3号、法12条の8,2項、法21条、法31条1項1号、令
　　　　和5.7.20基発0720第1号。

A　② **労働基準**

B　④ **二次健康診断等**

C　③ **傷　　病**

D　④ **10　日**

E　④ **1　　年**

※　設問2については**17**「費用徴収」**17答1**の プラスα 参照。

★**問6**

□□□

次の文中の [   ] の部分を選択肢の中の最も適切な語句で埋め、完全な文章とせよ。

　通勤災害における通勤とは、労働者が、就業に関し、住居と就業の場所との間の往復等の移動を、[A] な経路及び方法により行うことをいい、業務の性質を有するものを除くものとされるが、住居と就業の場所との間の往復に先行し、又は後続する住居間の移動も、厚生労働省令で定める要件に該当するものに限り、通勤に当たるとされている。

　厚生労働省令で定める要件の中には、[B] に伴い、当該 [B] の直前の住居と就業の場所との間を日々往復することが当該往復の距離等を考慮して困難となったため住居を移転した労働者であって、次のいずれかに掲げるやむを得ない事情により、当該 [B] の直前の住居に居住している配偶者と別居することとなったものによる移動が挙げられている。

イ　配偶者が、[C] にある労働者又は配偶者の父母又は同居の親族を [D] すること。

ロ　配偶者が、学校等に在学し、保育所若しくは幼保連携型認定こども園に通い、又は公共職業能力開発施設の行う職業訓練を受けている同居の子（[E] 歳に達する日以後の最初の3月31日までの間にある子に限る。）を養育すること。

ハ　配偶者が、引き続き就業すること。

ニ　配偶者が、労働者又は配偶者の所有に係る住宅を管理するため、引き続き当該住宅に居住すること。

ホ　その他配偶者が労働者と同居できないと認められるイからニまでに類する事情

選択肢
① 12　　　　　　　　② 15
③ 18　　　　　　　　④ 20
⑤ 介　護　　　　　　⑥ 経済的
⑦ 効率的　　　　　　⑧ 合理的
⑨ 孤立状態　　　　　⑩ 支　援
⑪ 失業状態　　　　　⑫ 就　職
⑬ 出　張　　　　　　⑭ 常態的
⑮ 転　職　　　　　　⑯ 転　任
⑰ 貧困状態　　　　　⑱ 扶　養
⑲ 保　護　　　　　　⑳ 要介護状態

★答6　法7条2項、則7条1号。

A　⑧　合理的
B　⑯　転　任
C　⑳　要介護状態
D　⑤　介　護
E　③　18

1　労災保険法は、令和2年に改正され、複数事業労働者（事業主が同一人でない2以上の事業に使用される労働者。以下同じ。）の2以上の事業の業務を要因とする負傷、疾病、傷害又は死亡（以下「複数業務要因災害」という。）についても保険給付を行う等の制度改正が同年9月1日から施行された。複数事業労働者については、労災保険法第7条第1項第2号により、これに類する者も含むとされており、その範囲については、労災保険法施行規則第5条において、　　A　　と規定されている。複数業務要因災害による疾病の範囲は、労災保険法施行規則第18条の3の6により、労働基準法施行規則別表第1の2第8号及び第9号に掲げる疾病その他2以上の事業の業務を要因とすることの明らかな疾病と規定されている。複数業務要因災害に係る事務の所轄は、労災保険法第7条第1項第2号に規定する複数事業労働者の2以上の事業のうち、　　B　　の主たる事務所を管轄する都道府県労働局又は労働基準監督署となる。

2　年金たる保険給付は、その支給を停止すべき事由が生じたときは、　　C　　の間は、支給されない。

3　遺族補償年金を受けることができる遺族は、労働者の配偶者、子、父母、孫、祖父母及び兄弟姉妹であって、労働者の死亡の当時その収入によって生計を維持していたものとする。ただし、妻（婚姻の届出をしていないが、事実上婚姻関係と同様の事情にあった者を含む。以下同じ。）以外の者にあっては、労働者の死亡の当時次の各号に掲げる要件に該当した場合に限るものとする。

一　夫（婚姻の届出をしていないが、事実上婚姻関係と同様の事情にあった者を含む。以下同じ。）、父母又は祖父母については、　　D　　歳以上であること。

二　子又は孫については、　　E　　歳に達する日以後の最初の3月31日までの間にあること。

三　兄弟姉妹については、　　E　　歳に達する日以後の最初の3月31日までの間にあること又は　　D　　歳以上であること。

四　前三号の要件に該当しない夫、子、父母、孫、祖父母又は兄弟姉妹については、厚生労働省令で定める障害の状態にあること。

┌─ 選択肢 ──────────────────────────────
① 15　② 16　③ 18　④ 20　⑤ 55　⑥ 60　⑦ 65
⑧ 70
⑨ その事由が生じた月からその事由が消滅した月まで
⑩ その事由が生じた月の翌月からその事由が消滅した月まで
⑪ その事由が生じた日からその事由が消滅した日まで
⑫ その事由が生じた日の翌日からその事由が消滅した日まで
⑬ その収入が当該複数事業労働者の生計を維持する程度の最も高いもの
⑭ 当該複数事業労働者が最も長い期間勤務しているもの
⑮ 当該複数事業労働者の住所に最も近いもの
⑯ 当該複数事業労働者の労働時間が最も長いもの
⑰ 負傷、疾病、障害又は死亡の原因又は要因となる事由が生じた時点
　 以前1か月の間継続して事業主が同一人でない2以上の事業に同時に
　 使用されていた労働者
⑱ 負傷、疾病、障害又は死亡の原因又は要因となる事由が生じた時点
　 以前3か月の間継続して事業主が同一人でない2以上の事業に同時に
　 使用されていた労働者
⑲ 負傷、疾病、障害又は死亡の原因又は要因となる事由が生じた時点
　 以前6か月の間継続して事業主が同一人でない2以上の事業に同時に
　 使用されていた労働者
⑳ 負傷、疾病、障害又は死亡の原因又は要因となる事由が生じた時点にお
　 いて事業主が同一人でない2以上の事業に同時に使用されていた労働者
└────────────────────────────────────

★答7　法9条2項、法16条の2,1項、則1条2項2号、則5条。

A　⑳　負傷、疾病、障害又は死亡の原因又は要因となる事由が生じた時
　　　　点において事業主が同一人でない2以上の事業に同時に使用され
　　　　ていた労働者

B　⑬　その収入が当該複数事業労働者の生計を維持する程度の最も高い
　　　　もの

C　⑩　その事由が生じた月の翌月からその事由が消滅した月まで

D　⑥　60

E　③　18

★問8 次の文中の ☐☐☐ の部分を選択肢の中の最も適切な語句で埋め、完全な文章とせよ。

R4-選

1 業務災害により既に1下肢を1センチメートル短縮していた（13級の8）者が、業務災害により新たに同一下肢を3センチメートル短縮（10級の7）し、かつ1手の小指を失った（12級の8の2）場合の障害等級は ☐ A ☐ 級であり、新たな障害につき給付される障害補償の額は給付基礎日額の ☐ B ☐ 日分である。

　なお、8級の障害補償の額は給付基礎日額の503日分、9級は391日分、10級は302日分、11級は223日分、12級は156日分、13級は101日分である。

2 最高裁判所は、中小事業主が労災保険に特別加入する際に成立する保険関係について、次のように判示している（作題に当たり一部改変）。

　労災保険法（以下「法」という。）が定める中小事業主の特別加入の制度は、労働者に関し成立している労災保険の保険関係（以下「保険関係」という。）を前提として、当該保険関係上、中小事業主又はその代表者を ☐ C ☐ とみなすことにより、当該中小事業主又はその代表者に対する法の適用を可能とする制度である。そして、法第3条第1項、労働保険徴収法第3条によれば、保険関係は、労働者を使用する事業について成立するものであり、その成否は当該事業ごとに判断すべきものであるところ、同法第4条の2第1項において、保険関係が成立した事業の事業主による政府への届出事項の中に「事業の行われる場所」が含まれており、また、労働保険徴収法施行規則第16条第1項に基づき労災保険率の適用区分である同施行規則別表第1所定の事業の種類の細目を定める労災保険率適用事業細目表において、同じ建設事業に附帯して行われる事業の中でも当該建設事業の現場内において行われる事業とそうでない事業とで適用される労災保険率の区別がされているものがあることなどに鑑みると、保険関係の成立する事業は、主として場所的な独立性を基準とし、当該一定の場所において一定の組織の下に相関連して行われる作業の一体を単位として区分されるものと解される。そうすると、土木、建築その他の工作物の建設、改造、保存、修理、変更、破壊若しくは解体又はその準備の事業（以下「建設の事業」という。）を行う事業主については、個々の建設等の現場における建築工事等の業務活動と本店等の事務所を拠点とする営業、経営管理その他の業務活動とがそれぞれ別個の事業であって、それぞれその業務の中に ☐ D ☐ を前提に、各別に保険関係が成立するものと解される。

　したがって、建設の事業を行う事業主が、その使用する労働者を個々の建設等の現場における事業にのみ従事させ、本店等の事務所を拠点とする営業等の事業に従事させていないときは、営業等の事業につき保険

関係の成立する余地はないから、営業等の事業について、当該事業主が特別加入の承認を受けることはできず、　E　　に起因する事業主又はその代表者の死亡等に関し、その遺族等が法に基づく保険給付を受けることはできないものというべきである。

― 選択肢 ―
① 8
② 9
③ 10
④ 11
⑤ 122
⑥ 201
⑦ 290
⑧ 402
⑨ 営業等の事業に係る業務
⑩ 建設及び営業等以外の事業に係る業務
⑪ 建設及び営業等の事業に係る業務
⑫ 建設の事業に係る業務
⑬ 事業主が自ら行うものがあること
⑭ 事業主が自ら行うものがないこと
⑮ 使用者
⑯ 特別加入者
⑰ 一人親方
⑱ 労働者
⑲ 労働者を使用するものがあること
⑳ 労働者を使用するものがないこと

★答8　則14条3項、5項、平成23.2.1基発0201第2号、最二小平成24.2.24広島中央労基署長事件。

A　②　9
B　⑦　290
C　⑱　労働者
D　⑲　労働者を使用するものがあること
E　⑨　営業等の事業に係る業務

※1　空欄Aについては、加重後(第10級)と第12級を併合し、現在の障害等級は第9級となる。
※2　空欄Bについては、加重・併合後の第9級(391日)－加重前の第13級(101日)＝290日となる。

★問9　次の文中の □□□□ の部分を選択肢の中の最も適切な語句で埋
□□□
R5-選　め、完全な文章とせよ。

1　労災保険法第14条第1項は、「休業補償給付は、労働者が業務上の負
傷又は疾病による ┃　A　┃ のため労働することができないために賃金
を受けない日の第 ┃　B　┃ 日目から支給するものとし、その額は、一
日につき給付基礎日額の ┃　C　┃ に相当する額とする。ただし、労働
者が業務上の負傷又は疾病による ┃　A　┃ のため所定労働時間のうち
その一部分についてのみ労働する日若しくは賃金が支払われる休暇(以
下この項において「部分算定日」という。)又は複数事業労働者の部分算
定日に係る休業補償給付の額は、給付基礎日額(第8条の2第2項第2
号に定める額(以下この項において「最高限度額」という。)を給付基礎
日額とすることとされている場合にあつては、同号の規定の適用がない
ものとした場合における給付基礎日額)から部分算定日に対して支払わ
れる賃金の額を控除して得た額(当該控除して得た額が最高限度額を超
える場合にあつては、最高限度額に相当する額)の ┃　C　┃ に相当す
る額とする。」と規定している。

2　社会復帰促進等事業とは、労災保険法第29条によれば、①療養施設
及びリハビリテーション施設の設置及び運営その他被災労働者の円滑な
社会復帰促進に必要な事業、②被災労働者の療養生活・介護の援護、そ
の遺族の就学の援護、被災労働者及びその遺族への資金貸付けによる援
護その他被災労働者及びその遺族の援護を図るために必要な事業、③業
務災害防止活動に対する援助、┃　D　┃ に関する施設の設置及び運営
その他労働者の安全及び衛生の確保、保険給付の適切な実施の確保並び
に ┃　E　┃ の支払の確保を図るために必要な事業である。

選択肢

① 100分の50　　② 100分の60　　③ 100分の70
④ 100分の80　　⑤ 2　　　　　　⑥ 3
⑦ 4　　　　　　⑧ 8　　　　　　⑨ 苦痛
⑩ 健康診断　　　⑪ 災害時避難　　⑫ 食費
⑬ 治療費　　　　⑭ 賃金　　　　　⑮ 通院
⑯ 能力喪失　　　⑰ 防災訓練　　　⑱ 保護具費
⑲ 療養　　　　　⑳ 老人介護

★答 9　法14条 1 項、法29条 1 項。

A　⑲　療養
B　⑦　4
C　②　100分の60
D　⑩　健康診断
E　⑭　賃金

次の文中の ────── の部分を選択肢の中の最も適切な語句で埋め、完全な文章とせよ。

1 労災保険法施行規則第14条第1項は、「障害補償給付を支給すべき身体障害の障害等級は、別表第1に定めるところによる。」と規定し、同条第2項は、「別表第1に掲げる身体障害が2以上ある場合には、重い方の身体障害の該当する障害等級による。」と規定するが、同条第3項柱書きは、「第 [A] 級以上に該当する身体障害が2以上あるとき」は「前2項の規定による障害等級」を「2級」繰り上げた等級(同項第2号)、「第 [B] 級以上に該当する身体障害が2以上あるとき」は「前2項の規定による障害等級」を「3級」繰り上げた等級(同項第3号)によるとする。

2 年金たる保険給付の支給は、支給すべき事由が生じた [C] から始め、支給を受ける権利が消滅した月で終わるものとする。また、保険給付を受ける権利を有する者が死亡した場合において、その死亡した者に支給すべき保険給付でまだその者に支給しなかったものがあるときは、その者の配偶者、子、父母、孫、祖父母又は兄弟姉妹であって、その者の死亡の当時その者と生計を同じくしていたものは、[D] の名で、その未支給の保険給付の支給を請求することができる。

3 最高裁判所は、遺族補償年金に関して次のように判示した。

「労災保険法に基づく保険給付は、その制度の趣旨目的に従い、特定の損害について必要額を塡補するために支給されるものであり、遺族補償年金は、労働者の死亡による遺族の [E] を塡補することを目的とするものであって(労災保険法1条、16条の2から16条の4まで)、その塡補の対象とする損害は、被害者の死亡による逸失利益等の消極損害と同性質であり、かつ、相互補完性があるものと解される。[…（略）…]

したがって、被害者が不法行為によって死亡した場合において、その損害賠償請求権を取得した相続人が遺族補償年金の支給を受け、又は支給を受けることが確定したときは、損害賠償額を算定するに当たり、上記の遺族補償年金につき、その塡補の対象となる [E] による損害と同性質であり、かつ、相互補完性を有する逸失利益等の消極損害の元本との間で、損益相殺的な調整を行うべきものと解するのが相当である。」

選択肢

① 3	② 5	③ 6	④ 7
⑤ 8	⑥ 10	⑦ 12	⑧ 13
⑨ 事業主		⑩ 自己	
⑪ 死亡した者		⑫ 生活基盤の喪失	
⑬ 精神的損害		⑭ 世帯主	
⑮ 相続財産の喪失		⑯ 月	
⑰ 月の翌月		⑱ 日	
⑲ 日の翌日		⑳ 被扶養利益の喪失	

★**答10**　法9条1項、法11条1項、則14条3項2号、3号、最大判平成27.3.4フォーカスシステムズ事件。

A　⑤　**8**

B　②　**5**

C　⑰　**月の翌月**

D　⑩　**自己**

E　⑳　**被扶養利益の喪失**

過去問検索索引

　改正等により、問題の趣旨を損なわずに補正することが困難であると判断した問題および規定自体がなくなってしまった問題の頁数欄には、「一」と表記しています。

　また、MEMO欄には、お手持ちのテキストの該当頁数などを書き込んで、学習に役立ててください。

【選択式】

●労基及び安衛

問題番号	頁数	MEMO
H27-選	142	
H28-選	146	
H29-選	148	
H30-選	150	
R元-選	152	
R2-選	154	
R3-選	156	
R4-選	158	
R5-選	160	
R6-選	162	

●労災

問題番号	頁数	MEMO
H27-選	384	
H28-選	386	
H29-選	388	
H30-選	390	
R元-選	392	
R2-選	394	
R3-選	396	
R4-選	398	
R5-選	400	
R6-選	402	

【択一式】
●労基

問題番号	頁数	MEMO		問題番号	頁数	MEMO		問題番号	頁数	MEMO
	H27-1A	4			H28-1ア	6			H29-1A	102	
	H27-1B	18			H28-1イ	16			H29-1B	104	
	H27-1C	18			H28-1ウ	18			H29-1C	92	
	H27-1D	24			H28-1エ	26			H29-1D	94	
	H27-1E	12			H28-1オ	46			H29-1E	102	
	H27-2A	50			H28-2A	34			H29-2ア	8	
	H27-2B	50			H28-2B	36			H29-2イ	8	
	H27-2C	50			H28-2C	28			H29-2ウ	6	
	H27-2D	48			H28-2D	28			H29-2エ	8	
	H27-2E	50			H28-2E	30			H29-2オ	12	
	H27-3A	32			H28-3A	54			H29-3A	34	
	H27-3B	34			H28-3B	56			H29-3B	38	
	H27-3C	140			H28-3C	58			H29-3C	42	
	H27-3D	28			H28-3D	68			H29-3D	40	
	H27-3E	38			H28-3E	74			H29-3E	36	
	H27-4A	56			H28-4A	82			H29-4A	110	
	H27-4B	60			H28-4B	88			H29-4B	98	
H27	H27-4C	62		H28	H28-4C	90		H29	H29-4C	98	
	H27-4D	44			H28-4D	90			H29-4D	100	
	H27-4E	64			H28-4E	94			H29-4E	78	
	H27-5A	68			H28-5A	128			H29-5ア	16	
	H27-5B	68			H28-5B	132			H29-5イ	24	
	H27-5C	68			H28-5C	130			H29-5ウ	26	
	H27-5D	68			H28-5D	136			H29-5エ	22	
	H27-5E	68			H28-5E	136			H29-5オ	10	
	H27-6ア	82			H28-6A	104			H29-6A	54	
	H27-6イ	88			H28-6B	104			H29-6B	66	
	H27-6ウ	98			H28-6C	104			H29-6C	60	
	H27-6エ	76			H28-6D	104			H29-6D	60	
	H27-6オ	76			H28-6E	104			H29-6E	72	
	H27-7A	134			H28-7A	116			H29-7A	118	
	H27-7B	138			H28-7B	114			H29-7B	118	
	H27-7C	132			H28-7C	114			H29-7C	120	
	H27-7D	134			H28-7D	118			H29-7D	126	
	H27-7E	136			H28-7E	116			H29-7E	126	

問題番号		頁数	MEMO
	H30-1ア	90	
	H30-1イ	80	
	H30-1ウ	84	
	H30-1エ	118	
	H30-1オ	84	
	H30-2ア	88	
	H30-2イ	90	
	H30-2ウ	90	
	H30-2エ	42	
	H30-2オ	42	
	H30-3A	100	
	H30-3B	100	
	H30-3C	100	
	H30-3D	100	
	H30-3E	100	
	H30-4ア	6	
	H30-4イ	18	
H30	H30-4ウ	20	
	H30-4エ	10	
	H30-4オ	46	
	H30-5A	42	
	H30-5B	26	
	H30-5C	40	
	H30-5D	32	
	H30-5E	44	
	H30-6A	56	
	H30-6B	62	
	H30-6C	64	
	H30-6D	64	
	H30-6E	72	
	H30-7A	134	
	H30-7B	132	
	H30-7C	130	
	H30-7D	50	
	H30-7E	136	

問題番号		頁数	MEMO
	R元-1A	48	
	R元-1B	48	
	R元-1C	48	
	R元-1D	48	
	R元-1E	48	
	R元-2A	86	
	R元-2B	120	
	R元-2C	104	
	R元-2D	86	
	R元-2E	86	
	R元-3ア	20	
	R元-3イ	22	
	R元-3ウ	20	
	R元-3エ	12	
	R元-3オ	46	
	R元-4A	36	
	R元-4B	30	
R元	R元-4C	40	
	R元-4D	40	
	R元-4E	42	
	R元-5A	54	
	R元-5B	62	
	R元-5C	64	
	R元-5D	66	
	R元-5E	72	
	R元-6A	84	
	R元-6B	88	
	R元-6C	110	
	R元-6D	108	
	R元-6E	114	
	R元-7A	128	
	R元-7B	140	
	R元-7C	132	
	R元-7D	136	
	R元-7E	132	

問題番号		頁数	MEMO
	R2-1A	14	
	R2-1B	12	
	R2-1C	14	
	R2-1D	14	
	R2-1E	14	
	R2-2A	140	
	R2-2B	140	
	R2-2C	138	
	R2-2D	138	
	R2-2E	138	
	R2-3A	122	
	R2-3B	122	
	R2-3C	122	
	R2-3D	122	
	R2-3E	122	
	R2-4A	16	
	R2-4B	24	
R2	R2-4C	26	
	R2-4D	20	
	R2-4E	46	
	R2-5ア	36	
	R2-5イ	36	
	R2-5ウ	42	
	R2-5エ	40	
	R2-5オ	44	
	R2-6A	80	
	R2-6B	88	
	R2-6C	98	
	R2-6D	102	
	R2-6E	116	
	R2-7A	132	
	R2-7B	134	
	R2-7C	130	
	R2-7D	130	
	R2-7E	134	

問題番号	頁数	MEMO
R3-1A	6	
R3-1B	18	
R3-1C	24	
R3-1D	20	
R3-1E	46	
R3-2A	34	
R3-2B	—	
R3-2C	28	
R3-2D	30	
R3-2E	116	
R3-3ア	54	
R3-3イ	54	
R3-3ウ	62	
R3-3エ	60	
R3-3オ	66	
R3-4A	70	
R3-4B	72	
R3-4C	70	
R3-4D	72	
R3-4E	74	
R3-5A	96	
R3-5B	78	
R3-5C	120	
R3-5D	126	
R3-5E	96	
R3-6A	124	
R3-6B	124	
R3-6C	124	
R3-6D	124	
R3-6E	124	
R3-7A	130	
R3-7B	132	
R3-7C	134	
R3-7D	136	
R3-7E	136	

(R3)

問題番号	頁数	MEMO
R4-1A	10	
R4-1B	12	
R4-1C	10	
R4-1D	10	
R4-1E	12	
R4-2A	82	
R4-2B	80	
R4-2C	80	
R4-2D	84	
R4-2E	82	
R4-3A	78	
R4-3B	98	
R4-3C	102	
R4-3D	96	
R4-3E	78	
R4-4A	6	
R4-4B	16	
R4-4C	20	
R4-4D	24	
R4-4E	140	
R4-5A	36	
R4-5B	38	
R4-5C	26	
R4-5D	28	
R4-5E	44	
R4-6ア	50	
R4-6イ	64	
R4-6ウ	66	
R4-6エ	58	
R4-6オ	74	
R4-7A	84	
R4-7B	80	
R4-7C	106	
R4-7D	106	
R4-7E	114	

(R4)

問題番号	頁数	MEMO
R5-1A	70	
R5-1B	70	
R5-1C	70	
R5-1D	70	
R5-1E	70	
R5-2ア	92	
R5-2イ	94	
R5-2ウ	94	
R5-2エ	92	
R5-2オ	92	
R5-3A	122	
R5-3B	124	
R5-3C	40	
R5-3D	120	
R5-3E	120	
R5-4A	16	
R5-4B	18	
R5-4C	24	
R5-4D	26	
R5-4E	8	
R5-5A	32	
R5-5B	38	
R5-5C	28	
R5-5D	42	
R5-5E	40	
R5-6A	56	
R5-6B	78	
R5-6C	66	
R5-6D	66	
R5-6オ	74	
R5-7A	96	
R5-7B	96	
R5-7C	84	
R5-7D	116	
R5-7E	86	

(R5)

【択一式】

●安衛

問題番号		頁数	MEMO
R6	R6-1A	4	
	R6-1B	14	
	R6-1C	16	
	R6-1D	4	
	R6-1E	44	
	R6-2ア	4	
	R6-2イ	4	
	R6-2ウ	30	
	R6-3A	30	
	R6-3B	32	
	R6-3C	22	
	R6-3D	22	
	R6-3E	38	
	R6-4A	52	
	R6-4B	52	
	R6-4C	52	
	R6-4D	52	
	R6-4E	52	
	R6-5ア	86	
	R6-5イ	92	
	R6-5ウ	110	
	R6-5エ	110	
	R6-5オ	76	
	R6-6A	112	
	R6-6B	112	
	R6-6C	112	
	R6-6D	112	
	R6-6E	112	
	R6-7A	126	
	R6-7B	128	
	R6-7C	128	
	R6-7D	128	
	R6-7E	128	

問題番号		頁数	MEMO
H27	H27-8A	196	
	H27-8B	194	
	H27-8C	196	
	H27-8D	196	
	H27-8E	194	
	H27-9A	170	
	H27-9B	172	
	H27-9C	172	
	H27-9D	172	
	H27-9E	218	
	H27-10ア	210	
	H27-10イ	212	
	H27-10ウ	212	
	H27-10エ	212	
	H27-10オ	208	
H28	H28-8A	194	
	H28-8B	194	
	H28-8C	194	
	H28-8D	194	
	H28-8E	196	
	H28-9A	168	
	H28-9B	168	
	H28-9C	170	
	H28-9D	176	
	H28-9E	196	
	H28-10A	204	
	H28-10B	206	
	H28-10C	204	
	H28-10D	204	
	H28-10E	206	
H29	H29-8A	224	
	H29-8B	224	
	H29-8C	174	
	H29-8D	174	
	H29-8E	168	

問題番号		頁数	MEMO
H29	H29-9A	184	
	H29-9B	184	
	H29-9C	184	
	H29-9D	184	
	H29-9E	184	
	H29-10A	186	
	H29-10B	186	
	H29-10C	186	
	H29-10D	186	
	H29-10E	186	
H30	H30-8A	170	
	H30-8B	172	
	H30-8C	172	
	H30-8D	170	
	H30-8E	174	
	H30-9A	200	
	H30-9B	200	
	H30-9C	200	
	H30-9D	200	
	H30-9E	200	
	H30-10A	220	
	H30-10B	220	
	H30-10C	220	
	H30-10D	220	
	H30-10E	220	
R元	R元-8A	190	
	R元-8B	190	
	R元-8C	190	
	R元-8D	190	
	R元-8E	190	
	R元-9A	198	
	R元-9B	198	
	R元-9C	198	
	R元-9D	198	
	R元-9E	198	

問題番号		頁数	MEMO
R元	R元-10A	208	
	R元-10B	210	
	R元-10C	210	
	R元-10D	210	
	R元-10E	212	
R2	R2-8A	216	
	R2-8B	218	
	R2-8C	218	
	R2-8D	218	
	R2-8E	218	
	R2-9A	168	
	R2-9B	170	
	R2-9C	180	
	R2-9D	174	
	R2-9E	224	
	R2-10A	206	
	R2-10B	206	
	R2-10C	206	
	R2-10D	206	
	R2-10E	208	
R3	R3-8A	168	
	R3-8B	174	
	R3-8C	202	
	R3-8D	202	
	R3-8E	204	
	R3-9ア	180	
	R3-9イ	180	
	R3-9ウ	180	
	R3-9エ	180	
	R3-9オ	180	
	R3-10A	224	
	R3-10B	182	
	R3-10C	202	
	R3-10D	182	
	R3-10E	224	

問題番号		頁数	MEMO
R4	R4-8A	192	
	R4-8B	192	
	R4-8C	192	
	R4-8D	192	
	R4-8E	192	
	R4-9A	186	
	R4-9B	188	
	R4-9C	186	
	R4-9D	188	
	R4-9E	186	
	R4-10A	188	
	R4-10B	188	
	R4-10C	188	
	R4-10D	188	
	R4-10E	188	
R5	R5-8A	198	
	R5-8B	198	
	R5-8C	198	
	R5-8D	198	
	R5-8E	198	
	R5-9A	226	
	R5-9B	226	
	R5-9C	226	
	R5-9D	226	
	R5-9E	226	
	R5-10A	214	
	R5-10B	210	
	R5-10C	212	
	R5-10D	214	
	R5-10E	212	
R6	R6-8A	178	
	R6-8B	178	
	R6-8C	178	
	R6-8D	178	
	R6-8E	178	

問題番号		頁数	MEMO
R6	R6-9A	214	
	R6-9B	214	
	R6-9C	216	
	R6-9D	216	
	R6-9E	216	
	R6-10A	222	
	R6-10B	222	
	R6-10C	222	
	R6-10D	222	
	R6-10E	222	

【択一式】

●労災

問題番号	頁数	MEMO
H27-1A	264	
H27-1B	264	
H27-1C	264	
H27-1D	264	
H27-1E	264	
H27-2A	296	
H27-2B	298	
H27-2C	298	
H27-2D	294	
H27-2E	300	
H27-3A	242	
H27-3B	248	
H27-3C	240	
H27-3D	276	
H27-3E	284	
H27-4A	344	
H27-4B	344	
H27-4C	344	
H27-4D	346	
H27-4E	346	
H27-5A	248	
H27-5B	252	
H27-5C	234	
H27-5D	332	
H27-5E	332	
H27-6ア	336	
H27-6イ	336	
H27-6ウ	346	
H27-6エ	362	
H27-6オ	376	
H27-7ア	330	
H27-7イ	290	
H27-7ウ	306	
H27-7エ	326	
H27-7オ	324	

（左列見出し：H27）

問題番号	頁数	MEMO
H28-1A	234	
H28-1B	236	
H28-1C	236	
H28-1D	236	
H28-1E	232	
H28-2A	246	
H28-2B	246	
H28-2C	246	
H28-2D	248	
H28-2E	240	
H28-3A	274	
H28-3B	286	
H28-3C	274	
H28-3D	286	
H28-3E	276	
H28-4A	296	
H28-4B	298	
H28-4C	298	
H28-4D	298	
H28-4E	298	
H28-5ア	250	
H28-5イ	244	
H28-5ウ	244	
H28-5エ	252	
H28-5オ	284	
H28-6ア	322	
H28-6イ	322	
H28-6ウ	326	
H28-6エ	326	
H28-6オ	326	
H28-7A	358	
H28-7B	358	
H28-7C	360	
H28-7D	358	
H28-7E	362	

（左列見出し：H28）

問題番号	頁数	MEMO
H29-1A	248	
H29-1B	242	
H29-1C	246	
H29-1D	240	
H29-1E	240	
H29-2A	308	
H29-2B	308	
H29-2C	308	
H29-2D	308	
H29-2E	310	
H29-3ア	352	
H29-3イ	352	
H29-3ウ	354	
H29-3エ	354	
H29-3オ	354	
H29-4A	232	
H29-4B	234	
H29-4C	232	
H29-4D	232	
H29-4E	232	
H29-5A	274	
H29-5B	300	
H29-5C	274	
H29-5D	280	
H29-5E	278	
H29-6A	350	
H29-6B	350	
H29-6C	348	
H29-6D	362	
H29-6E	348	
H29-7A	332	
H29-7B	356	
H29-7C	368	
H29-7D	336	
H29-7E	340	

（左列見出し：H29）

問題番号	頁数	MEMO
H30-1A	262	
H30-1B	262	
H30-1C	262	
H30-1D	262	
H30-1E	264	
H30-2A	306	
H30-2B	318	
H30-2C	318	
H30-2D	296	
H30-2E	300	
H30-3A	376	
H30-3B	378	
H30-3C	378	
H30-3D	378	
H30-3E	378	
H30-4ア	334	
H30-4イ	334	
H30-4ウ	334	
H30-4エ	376	
H30-4オ	234	
H30-5A	304	
H30-5B	304	
H30-5C	308	
H30-5D	306	
H30-5E	304	
H30-6A	312	
H30-6B	316	
H30-6C	316	
H30-6D	318	
H30-6E	314	
H30-7A	328	
H30-7B	328	
H30-7C	330	
H30-7D	330	
H30-7E	330	

(H30)

問題番号	頁数	MEMO
R元-1A	332	
R元-1B	376	
R元-1C	336	
R元-1D	378	
R元-1E	376	
R元-2ア	336	
R元-2イ	348	
R元-2ウ	294	
R元-2エ	294	
R元-2オ	294	
R元-3A	256	
R元-3B	256	
R元-3C	256	
R元-3D	256	
R元-3E	—	
R元-4A	240	
R元-4B	240	
R元-4C	280	
R元-4D	380	
R元-4E	380	
R元-5A	296	
R元-5B	300	
R元-5C	298	
R元-5D	296	
R元-5E	300	
R元-6ア	360	
R元-6イ	358	
R元-6ウ	358	
R元-6エ	—	
R元-6オ	362	
R元-7A	352	
R元-7B	352	
R元-7C	352	
R元-7D	352	
R元-7E	352	

(R元)

問題番号	頁数	MEMO
R2-1A	340	
R2-1B	342	
R2-1C	342	
R2-1D	342	
R2-1E	342	
R2-2A	332	
R2-2B	334	
R2-2C	346	
R2-2D	346	
R2-2E	334	
R2-3A	368	
R2-3B	368	
R2-3C	368	
R2-3D	368	
R2-3E	368	
R2-4ア	380	
R2-4イ	380	
R2-4ウ	380	
R2-4エ	380	
R2-4オ	382	
R2-5A	314	
R2-5B	314	
R2-5C	314	
R2-5D	314	
R2-5E	314	
R2-6A	306	
R2-6B	310	
R2-6C	322	
R2-6D	312	
R2-6E	320	
R2-7A	360	
R2-7B	360	
R2-7C	362	
R2-7D	362	
R2-7E	364	

(R2)

問題番号	頁数	MEMO
R3-1A	250	
R3-1B	250	
R3-1C	250	
R3-1D	250	
R3-1E	250	
R3-2A	282	
R3-2B	284	
R3-2C	286	
R3-2D	280	
R3-2E	282	
R3-3A	366	
R3-3B	372	
R3-3C	372	
R3-3D	370	
R3-3E	370	
R3-4A	266	
R3-4B	266	
R3-4C	266	
R3-4D	266	
R3-4E	266	
R3-5A	316	
R3-5B	316	
R3-5C	316	
R3-5D	316	
R3-5E	316	
R3-6A	328	
R3-6B	328	
R3-6C	328	
R3-6D	328	
R3-6E	328	
R3-7A	254	
R3-7B	254	
R3-7C	254	
R3-7D	254	
R3-7E	254	

（R3）

問題番号	頁数	MEMO
R4-1A	258	
R4-1B	258	
R4-1C	258	
R4-1D	258	
R4-1E	258	
R4-2A	354	
R4-2B	354	
R4-2C	356	
R4-2D	356	
R4-2E	356	
R4-3A	366	
R4-3B	366	
R4-3C	366	
R4-3D	366	
R4-3E	366	
R4-4ア	242	
R4-4イ	242	
R4-4ウ	246	
R4-4エ	242	
R4-4オ	242	
R4-5A	278	
R4-5B	278	
R4-5C	278	
R4-5D	278	
R4-5E	278	
R4-6A	246	
R4-6B	248	
R4-6C	284	
R4-6D	282	
R4-6E	282	
R4-7ア	252	
R4-7イ	252	
R4-7ウ	252	
R4-7エ	252	

（R4）

問題番号	頁数	MEMO
R5-1A	268	
R5-1B	268	
R5-1C	268	
R5-1D	268	
R5-1E	268	
R5-2A	312	
R5-2B	312	
R5-2C	312	
R5-2D	312	
R5-2E	312	
R5-3ア	260	
R5-3イ	260	
R5-3ウ	260	
R5-3エ	260	
R5-3オ	260	
R5-4ア	338	
R5-4イ	338	
R5-4ウ	340	
R5-4エ	340	
R5-4オ	340	
R5-5A	324	
R5-5B	324	
R5-5C	324	
R5-5D	324	
R5-5E	326	
R5-6A	374	
R5-6B	374	
R5-6C	374	
R5-6D	374	
R5-6E	374	
R5-7A	292	
R5-7B	292	
R5-7C	292	
R5-7D	292	
R5-7E	292	

（R5）

	問題番号	頁数	MEMO
	R6-1A	272	
	R6-1B	272	
	R6-1C	272	
	R6-1D	272	
	R6-1E	272	
	R6-2A	268	
	R6-2B	270	
	R6-2C	270	
	R6-2D	236	
	R6-2E	270	
	R6-3ア	238	
	R6-3イ	238	
	R6-3ウ	238	
	R6-3エ	238	
	R6-3オ	238	
	R6-4A	302	
	R6-4B	302	
R6	R6-4C	288	
	R6-4D	288	
	R6-4E	290	
	R6-5ア	320	
	R6-5イ	320	
	R6-5ウ	322	
	R6-5エ	322	
	R6-5オ	322	
	R6-6A	364	
	R6-6B	364	
	R6-6C	370	
	R6-6D	370	
	R6-6E	372	
	R6-7ア	340	
	R6-7イ	322	
	R6-7ウ	302	
	R6-7エ	330	
	R6-7オ	342	

執　筆　者

労基（労働基準法）　………………………………………………伊藤　修登

安衛（労働安全衛生法）　…………………………………………如月　時子

労災（労働者災害補償保険法）　…………………………………関根　愛可

2025年度版 よくわかる社労士
合格するための過去10年本試験問題集1　労基・安衛・労災

（2013年度版　2012年10月1日　初版　第1刷発行）

2024年9月24日　初　版　第1刷発行

編　著　者	Ｔ　Ａ　Ｃ　株　式　会　社	
	（社会保険労務士講座）	
発　行　者	多　　田　　敏　　男	
発　行　所	ＴＡＣ株式会社　出版事業部	
	（ＴＡＣ出版）	

〒101-8383
東京都千代田区神田三崎町3-2-18
電話　03(5276)9492(営業)
FAX　03(5276)9674
https://shuppan.tac-school.co.jp

印　　　刷	株式会社　ワ　コ　ー	
製　　　本	東京美術紙工協業組合	

© TAC 2024　　　　Printed in Japan

ISBN978-4-300-11382-0
N.D.C.364

乱丁・落丁による交換，および正誤のお問合せ対応は，該当書籍の改訂版刊行月末日までといたします。なお，交換につきましては，書籍の在庫状況等により，お受けできない場合もございます。
また，各種本試験の実施の延期，中止を理由とした本書の返品はお受けいたしません。返金もいたしかねますので，あらかじめご了承くださいますようお願い申し上げます。

社会保険労務士講座

一般教育訓練給付制度 の指定コースがあります。
詳細は、TAC各校へお問い合わせください。

初学者対象	**順次開講中** まずは年金から着実に学習スタート！ **総合本科生Basic**（ベーシック）	初めて学ぶ方も無理なく合格レベルに到達できるコース。Basic講義で年金科目の基礎を理解した後は、労働基準法から効率的に基礎力＆答案作成力を身につけます。
初学者対象	**順次開講中** Basic講義つきのプレミアムコース！ **総合本科生Basic＋Plus**（ベーシック）（プラス）	大好評のプレミアムコース「総合本科生Plus」に、Basic講義がついたコースです。Basic講義から直前期のオプション講義まで豊富な内容で合格へ導きます。
初学者・受験経験者対象	**2024年9月より順次開講** 基礎知識から答案作成力まで一貫指導！ **総合本科生**	長年の指導ノウハウを凝縮した、TAC社労士講座のスタンダードコースです。【基本講義 → 実力テスト → 本試験レベルの答練】と、効率よく学習を進めていきます。
初学者・受験経験者対象	**2024年9月より順次開講** 充実度プラスのプレミアムコース！ **総合本科生Plus**（プラス）	「総合本科生」を更に充実させたプレミアムコースです。「総合本科生」のカリキュラムを詳細に補足する講義を加え、充実のオプション講義で万全な学習態勢です。
受験経験者対象	**2024年10月より順次開講** 今まで身につけた知識を更にレベルアップ！ **上級本科生**	受験経験者（学習経験者）専用に独自開発したコース。受験経験者専用のテキストを用いた講義と問題演習を繰り返すことによって、強固な基礎力に加え応用力を身につけていきます。
受験経験者対象	**2024年11月より順次開講** インプット期から十分な演習量を実現！ **上級演習本科生**	コース専用に編集されたハイレベルな演習問題をインプット期から取り入れ、解説講義を行いながら知識を確認していくことで、受験経験者の得点力を更に引き上げていきます。
初学者・受験経験者対象	**2024年10月開講** 合格に必要な知識を効率よくWebで学習！ **スマートWeb本科生**（ウェブ）	「スマートWeb」ならではの効率良いスマートな学習が可能なコースです。テキストを持ち歩かなくても、隙間時間にスマホ一つで楽しく学習できます。

※上記コースは諸般の事情により、開講月が変更となる場合がございます。

詳細はTAC HPまたは2025年合格目標パンフレットにてご確認ください。

……… ライフスタイルに合わせて選べる3つの学習メディア ………

【通 学】 教室講座・ビデオブース講座　　　　【通 信】 Web通信講座

※「総合本科生」のみDVD通信講座もご用意しております。
※「スマートWeb本科生」はWeb通信講座のみの取り扱いとなります。

TAC出版 書籍のご案内

TAC出版では、資格の学校TAC各講座の定評ある執筆陣による資格試験の参考書をはじめ、資格取得者の開業法や仕事術、実務書、ビジネス書、一般書などを発行しています！

TAC出版の書籍

*一部書籍は、早稲田経営出版のブランドにて刊行しております。

資格・検定試験の受験対策書籍

- ○日商簿記検定
- ○建設業経理士
- ○全経簿記上級
- ○税理士
- ○公認会計士
- ○社会保険労務士
- ○中小企業診断士
- ○証券アナリスト

- ○ファイナンシャルプランナー(FP)
- ○証券外務員
- ○貸金業務取扱主任者
- ○不動産鑑定士
- ○宅地建物取引士
- ○賃貸不動産経営管理士
- ○マンション管理士
- ○管理業務主任者

- ○司法書士
- ○行政書士
- ○司法試験
- ○弁理士
- ○公務員試験(大卒程度・高卒者)
- ○情報処理試験
- ○介護福祉士
- ○ケアマネジャー
- ○電験三種　ほか

実務書・ビジネス書

- ○会計実務、税法、税務、経理
- ○総務、労務、人事
- ○ビジネススキル、マナー、就職、自己啓発
- ○資格取得者の開業法、仕事術、営業術

一般書・エンタメ書

- ○ファッション
- ○エッセイ、レシピ
- ○スポーツ
- ○旅行ガイド (おとな旅プレミアム/旅コン)

2025年度版 社労士試験対策書籍のご案内

TAC出版では、独学用、およびスクール学習の副教材として、各種対策書籍を取り揃えています。
学習の各段階に対応していますので、あなたのステップに応じて、合格に向けてご活用ください!

（刊行内容、発売月、表紙は変更になることがあります。）

みんなが欲しかった! シリーズ

わかりやすさ、学習しやすさに徹底的にこだわった、TAC出版イチオシのシリーズ。
大人気の『社労士の教科書』をはじめ、合格に必要な書籍を網羅的に取り揃えています。

基礎学習

『みんなが欲しかった!
社労士合格へのはじめの一歩』
A5判、8月　貫場 恵子 著
- 初学者のための超入門テキスト!
- 概要をしっかりつかむことができる入門講義で、学習効率ぐーんとアップ!
- フルカラーの巻頭漫画とスタートアップ講座は必見!

『みんなが欲しかった!
社労士の教科書』
A5判、10月
- 資格の学校TACが独学者・初学者専用に開発! フルカラーで圧倒的にわかりやすいテキストです。
- 2冊に分解OK! セパレートBOOK形式。
- 便利な赤シートつき!

『みんなが欲しかった!
社労士の問題集』
A5判、10月
- この1冊でイッキに合格レベルに! 本試験形式の択一式・選択式の過去問、予想問を必要な分だけ収載。
- 『社労士の教科書』に完全準拠。

実力アップ

『みんなが欲しかった!
社労士合格のツボ 選択対策』
B6判、11月
- 基本事項のマスターにも最適! 本試験のツボをおさえた選択式問題厳選333問!!
- 赤シートつきで対策可能!

『みんなが欲しかった!
社労士合格のツボ 択一対策』
B6判、11月
- 択一の得点アップに効く1冊! 本試験のツボをおさえた一問一答問題厳選1600問!! 基本と応用の2step式で、効率よく学習できる!

『みんなが欲しかった!
社労士全科目横断総まとめ』
B6判、12月
- 各科目間の共通・類似事項をこの1冊で整理!
- 赤シート対応で、まとめて覚えられるから効率的!

実践演習

『みんなが欲しかった! 社労士の
年度別過去問題集　5年分』
A5判、12月
- 年度別にまとめられた5年分の過去問で知識を総仕上げ!
- 問題、解説冊子は取り外しOKのセパレートタイプ!

『みんなが欲しかった!
社労士の直前予想模試』
B5判、4月
- みんなが欲しかったシリーズの総仕上げ模試!
- 基本事項を中心とした模試で知識を一気に仕上げます!

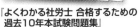

書籍の正誤に関するご確認とお問合せについて

書籍の記載内容に誤りではないかと思われる箇所がございましたら、以下の手順にてご確認とお問合せを
してくださいますよう、お願い申し上げます。

なお、正誤のお問合せ以外の書籍内容に関する解説および受験指導などは、一切行っておりません。
そのようなお問合せにつきましては、お答えいたしかねますので、あらかじめご了承ください。

1 「Cyber Book Store」にて正誤表を確認する

TAC出版書籍販売サイト「Cyber Book Store」の
トップページ内「正誤表」コーナーにて、正誤表をご確認ください。

CYBER TAC出版書籍販売サイト
BOOK STORE

URL：https://bookstore.tac-school.co.jp/

2 1の正誤表がない、あるいは正誤表に該当箇所の記載がない
⇒ 下記①、②のどちらかの方法で文書にて問合せをする

★ご注意ください★

お電話でのお問合せは、お受けいたしません。
①、②のどちらの方法でも、お問合せの際には、「お名前」とともに、
「対象の書籍名（○級・第○回対策も含む）およびその版数（第○版・○○年度版など）」
「お問合せ該当箇所の頁数と行数」
「誤りと思われる記載」
「正しいとお考えになる記載とその根拠」
を明記してください。
なお、回答までに１週間前後を要する場合もございます。あらかじめご了承ください。

① ウェブページ「Cyber Book Store」内の「お問合せフォーム」より問合せをする

【お問合せフォームアドレス】

https://bookstore.tac-school.co.jp/inquiry/

② メールにより問合せをする

【メール宛先　TAC出版】

syuppan-h@tac-school.co.jp

※土日祝日はお問合せ対応をおこなっておりません。
※正誤のお問合せ対応は、該当書籍の改訂版刊行月末日までといたします。

乱丁・落丁による交換は、該当書籍の改訂版刊行月末日までといたします。なお、書籍の在庫状況等
により、お受けできない場合もございます。
また、各種本試験の実施の延期、中止を理由とした本書の返品はお受けいたしません。返金もいたし
かねますので、あらかじめご了承くださいますようお願い申し上げます。